超初心者のパソコン入門

Getting Started with Your First Computer!!

CONTENTS

2章

パソコンの基本操作をマスターする ……… 25

3章

標準アプリを使いこなす ……… 53

4章

ネットのサービスを楽しもう

5章

さらに便利なテクニック

WARNING!

必ずお読みください

本書掲載の情報は、2024年4月5日現在のものであり、各種機能や操作方法、価格や仕様、WebサイトのURLなどは変更される可能性があります。本書の内容はそれぞれ検証した上で掲載していますが、すべての機種、環境での動作を保証するものではありません。以上の内容をあらかじめご了承の上、自己責任にてご利用ください。

デジカメで撮った写真を編集したい
動画を編集したい
年賀状を作る
ホームページを作りたい
ブログを書きたい
ワープロを使いたい
メールのやりとりをしたい
インターネットを見たい
プログラムを書きたい
株をパソコンでやってみたい
ネットで買い物をしたい
ゲームをしたい
音楽を作りたい
デザインをしたい
海外ドラマを見たい
サブスクで音楽を聴きたい

パソコンとはどんなもの???

テレビ電話をしたい
Excelを使いたい
スケジュール管理をしたい
ニュースを読みたい
ツイッターやフェイスブックをやりたい
YouTubeを見たい
雑誌を読みたい
スーパーのチラシを見たい
地図を見たい
確定申告の準備をしたい

ネットを使うと買い物が
カンタンでいいよね〜!

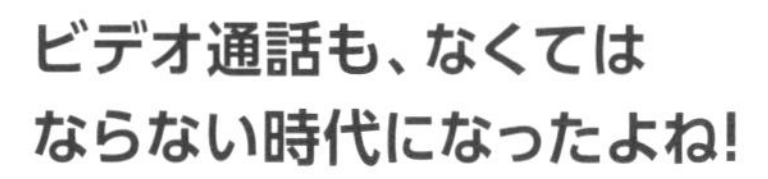

原初のコンピューターからは想像もできなかった現在のコンピューター

コンピューターは、もともとはごくシンプルな「自動計算機」でした。古い電卓のように、こちらが計算する指示を出すとその答えを返してくれる機械です。そこから徐々に現在の姿まで発展してきたのです。

単純に数字の計算を自動でやってくれるにすぎなかった機械が、テクノロジーの発展とともに、多くの産業に使われるようになり、現在では社会に存在する、ありとあらゆる物がコンピューターで作られ、管理されるようになりました。

個人が使うコンピューター、つまりパソコンでも、数え切れないほど多くのことができます。仕事に使うこともできれば、映像や音楽を作ったり、ゲームもできたり、知人とのコミュニケーション、また地図としても、読書にも使えます。スマホもパソコンと同じで、パソコンが小さくなったものと考えていいでしょう。

「パソコンを使っている」とはどういうこと?

この本を手にとっていただいた方は、「そんなにたくさんのことをやるのは大変だ!」と思ってしまうかもしれません。でも、そんな不安は必要ありません。なにか1つでも、パソコンを使ってやりたいことがあり、それが達成できれば立派に「パソコンを使っている」と言えると思います。

同様に、パソコンの機能をすべて覚える必要はまったくありません。やりたいことを達成するために必要な知識だけで充分です。ただ「最低限、これだけはわかっておいたほうがいい」という部分もあります。それが本書で解説している内容です。パソコンを使う上で、とりあえず知っておいたほうがいい知識をわかりやすくまとめた1冊が本書なのです。

あせる必要はありません。本書を使って、ゆっくりとパソコンの使い方を学んで、生活に役立てていただければ幸いです。

パソコンは暖かくて
気持ちいいニャ〜!!

最高のメールが来たよ〜!
今日はパーティーだ!!

Windows 11の基本画面を知っておこう

パソコンでは、起動するとデスクトップ画面が開き、あらゆる作業をここからスタートすることになります。もっとも基本となる、Windows 11のデスクトップ画面の名称と機能を紹介しましょう。

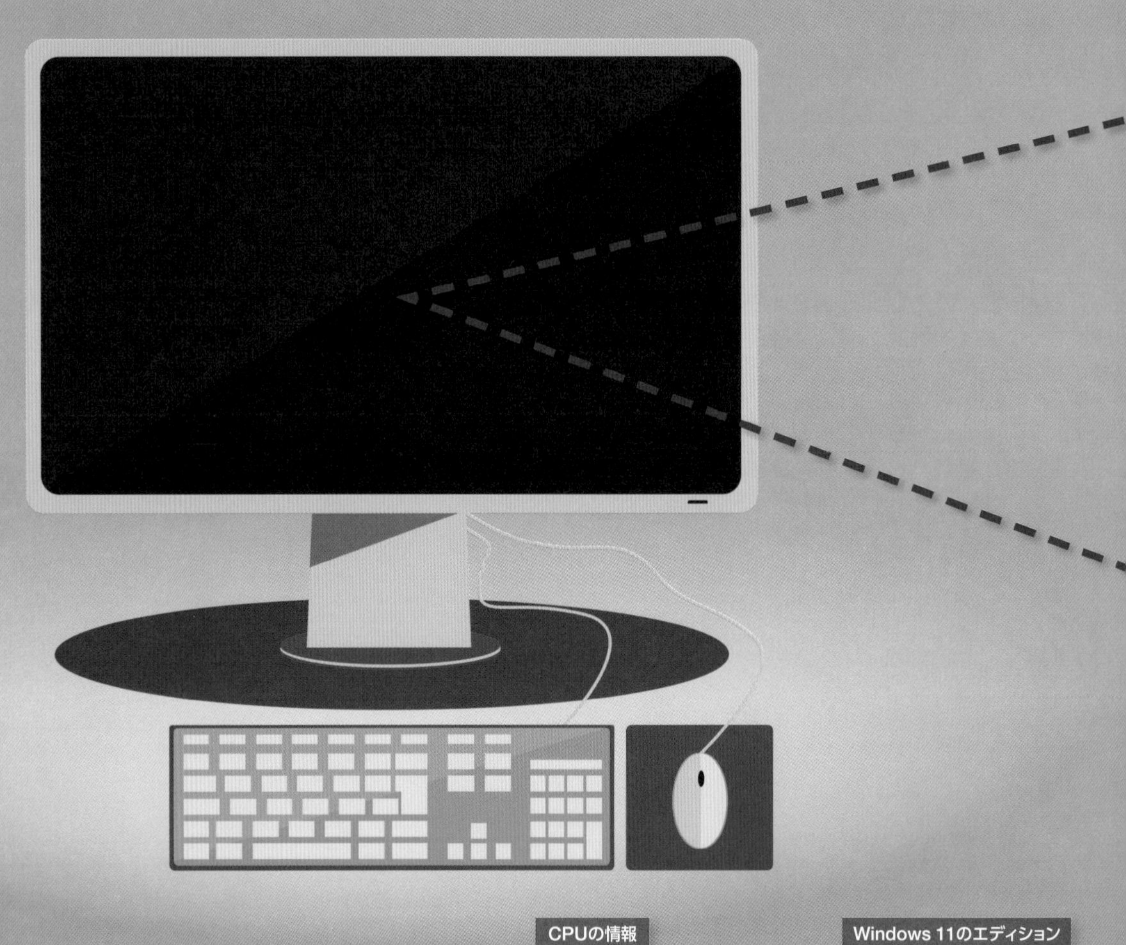

自分のパソコンのスペックやWindows 11のエディションを確認するには?

CPUやメモリの量など、自分のパソコンのスペックを確認したいときがあります。その際の見方を理解しましょう。
スタートメニューから「設定」を開き、「システム」→「バージョン情報」と進むとスペックが表示され、パソコンのCPUやメモリの量などが確認できます。その画面を下にスクロールさせるとWindows 11のエディションが表示されます。

CPUの情報
12th Gen Intel(R) Core(TM) i7-1250U 1.10 GHz
16.0 GB (15.7 GB 使用可能)
メモリの量

CPUの種類、世代や、メモリを確認したいときはここで確認しましょう。

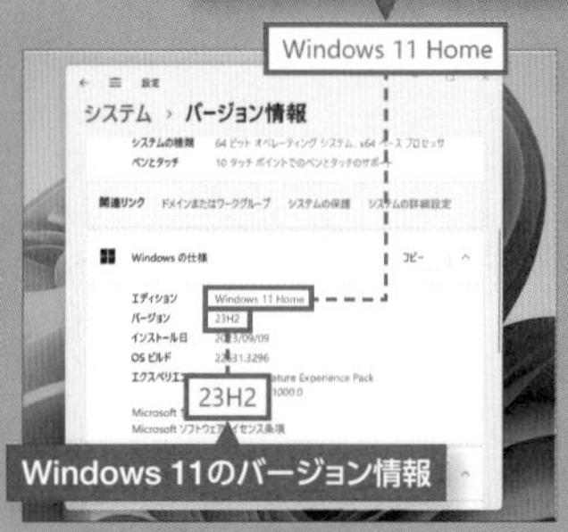

下にスクロールさせると、Windows 11のエディションやバージョン情報がわかります。

ProとHomeの違いは?

Windows 11には「Pro」と「Home」の2つがあります。Homeは主に家庭用で、Proは企業向けであるといえます。基本的な機能は変わりませんが、細かい部分(データのセキュリティやリモートデスクトップ機能、仮想マシンなど)でProでしか使えない機能は存在しています。

❶ デスクトップ

パソコンを起動すると表示される画面です。アイコンやファイルを置いたり、壁紙を変えたりすることもできます。

❷ ファイル

さまざまなデータが、ひとまとまりになったものです。テキストファイル(文字のデータ)、画像ファイル(写真のデータ)などと呼びます。

❸ フォルダ

ファイルをまとめて入れておける入れ物です。フォルダの中にさらにフォルダを作ることもできます。

❹ スタートメニュー

上部には「ピン留め済み」のアプリ一覧が表示され、その下には「おすすめ」(最近使ったもの)ファイルが表示されます。アプリやファイルをクリックすることで開くことができます。

❺ アカウント

使用者のアカウントを表示します。クリックすると設定変更やアカウントの切り替え、ロックなどを行うことができます。

❻ 電源

電源の操作を行えます。電源を切る(シャットダウン)や、再起動、スリープにすることなどができます。

❼ アイコン

ファイルやフォルダを示す、小さな絵柄です。ファイルの内容、種類によって絵柄が統一されています。

❽ タスクバー

デスクトップ下にある棒状の領域です。使用中のアプリやさまざまな情報が表示されます。バーの右側の部分は「通知領域」とも呼ばれます。

❾ スタートボタン

クリックするとスタートメニューが開きます。ここを右クリックすると、設定やデバイスマネージャーなどシステム関連のメニューを表示させることができます。

❿ 検索

このボタンからパソコン内のファイルを検索できます。インターネット上の情報も検索できます。

⓫ タスクビュー

作業中のウィンドウを一覧で表示でき、新しいデスクトップを作成することもできます。

⓬ エクスプローラー

ファイルやフォルダを管理する「エクスプローラー」を起動できます。

⓭ Edge

ブラウザーアプリ「Microsoft Edge」を起動することができます。インターネットでWebサイトを見るときに使います。

⓮ Microsoft Store

クリックすると「Microsoft Store」が開きます。さまざまなアプリを入手してインストールすることができます。

⓯ 音量

パソコンから出す音量をコントロールできます。

⓰ 日付と時刻

日付や時刻を表示します。クリックすると「通知」やカレンダーなどを表示させることができます。

⓱ Copilot

AIアシスタント「Copilot」を使うことができます。Windows 11の古いバージョンでは表示されていない場合もあります。

Windowsパソコンは大きく分けて2つの種類がある

デスクトップパソコンとノートパソコン

デスクトップパソコンは、机の上に置いて使うパソコンです。パソコン本体のほかに、ディスプレイとキーボード、マウスを同時に使用します。ある程度の設置スペースを必要としますが、電源や、パソコンの中枢であるCPUを冷却するファンなどに余裕があるので動作は安定しており、周辺機器も好きなものを選べるのがポイントです。USBポートやディスプレイのポートも多く、多くの周辺機器を接続できます。

ノートパソコンは、コンパクトな筐体にディスプレイ、キーボード、タッチパッドが装備されており、この1台で完結しています。持ち運んで、好きな場所で使用することができます。その分、キーボードやディスプレイは小さめになってしまいますが、外付けのキーボードや外部ディスプレイを接続することもできます。

Dell Inspiron 3020

Core i5 13400・8GBメモリ・256GB SSD+1TB HDD・Windows 11搭載モデル

CPU：第13世代 インテル Core i5 13400
コア数：10コア CPUスコア：24980
メモリ容量：8GB
ストレージ容量：HDD：1TB/M.2 SSD：256GB
OS：Windows 11 Home
ビデオチップ：Intel UHD Graphics 730
価格：84,852円（税込）

Lenovo ThinkBook 14 Gen 6

AMD Ryzenシリーズ・8GBメモリ・256GB SSD・Windows 11搭載モデル

CPU：第3世代 AMD Ryzen 3 7330U/2.3GHz/
コア数：6コア CPUスコア：11067
メモリ容量：8GB
ストレージ容量：M.2 SSD：256GB
ビデオチップ：AMD Radeon Graphics
OS：Windows 11 Home
画面サイズ：14インチ　重量：1.4kg
価格：74,800円（税込）

ディスプレイは小さいが、必要ならば外部ディスプレイを接続して大画面で利用することもできる！

一体型なので、追加の費用はまったくかからない！

どこにでも持ち出して、利用できる。屋内でも寝室、居間のソファなどで自由に利用できる！

据え置き型か、持ち運び可能なタイプか？

これからパソコンを購入する場合のポイントを挙げるとすれば、外に持ち出して使うことがあるか、または家に置きっぱなしで使うか……そこが最大のポイントになるでしょう。次にCPU（パソコンの処理能力の目安となります）やメモリ、ストレージなどのスペックを、どれぐらいのものを想定するかです。特にメモリの量は、作業のスピードに大きく関わってきます。標準では8GBのメモリが装着されている機種が多いですが、しばらく使ってみて不満があった場合は後で増設することもできます。同時に多くのアプリを立ち上げたり、高解像度の動画編集などを行わないならば8GBのメモリでも大丈夫な場合が多いでしょう。

ここで紹介している2機種は、入門用としてスタンダードな機種です。一般的な利用ならば、数年間は問題なく利用できるでしょう。

また、本書では紹介していませんが、パソコンにはWindows以外に、Mac OSを搭載したモデルやLinuxというOSを搭載した機種も存在します。

関心のない人は飛ばしてOK! Windowsパソコンの重要なパーツ

このページでは、特にパソコンを使い始めるために絶対必要な知識というわけではありませんが、パソコンの存在の中心であるCPU、そして一時記憶装置であるメモリ、メインの記憶装置であるストレージについて解説しましょう。デスクトップ・パソコンを例として挙げています。筐体の中にはマザーボードと呼ばれる基板が入っており、以下のような、さまざまな部品が備わっています。

ストレージ

ストレージは、メインとなるデータの記憶装置です。ハードディスク(HDD)とSSDの2つがありますが、現在では徐々にSSDが主流となりつつあります。SSDは構造として物理的な可動部分がなく、スピードも速いため、パソコンの操作性を向上させることができます。メモリが机の広さに例えられるのに対して、ストレージは机の引き出しの容量に例えられます。大きければ大きいほど、たくさんのデータを保存できます。現在のWindowsパソコンのSSDでは、128GB～512GBぐらいのものが主流です。パソコンに内蔵されているタイプ、USB経由で外部接続して使用するタイプがあります。

SSDです。ハードディスクと比べて可動部分が少ないのでコンパクトな形状になっています。

メモリ

メモリは、データを一時的にパソコンにロードするパーツで、よく「机(デスク)」の広さに例えられます。机が広ければ広いほど、資料、辞書、筆記用具などを多く並べることができ、効率的に作業できます。つまりメモリが多ければ多いほど、同時に多くの処理を並列で行えるため、作業は快適になります。Windows 11では、8GB～24GBぐらいのメモリがよく使われています。一部に例外機種もありますが、購入後に自分でメモリを増設することが可能です。

8GBのメモリです。2枚挿入すると計16GBのメモリを利用できます。

CPU

CPUは、パソコンの中でもっとも重要なパーツです。外部から伝えられたデータの制御・演算をし、性能や価格に非常に関わってきます。現在のCPUは、Intel(インテル)製のものと、AMD(エィエムディ)製のものが中心です。CPU自体は小さなパーツですが、動作させると熱を発します。動画の編集や、高解像度な写真の現像など、大きな負荷をかけると非常に熱くなるので、冷却しつつ動作させます。Windows 11で使われるCPUは、Intelでは「Core i3」～「Core i7」、AMDでは「Ryzen3」～「Ryzen7」が主流です。

これがCPUです。実際はこの上に冷却ファンを載せて動作させます。

1章 パソコンの超基本

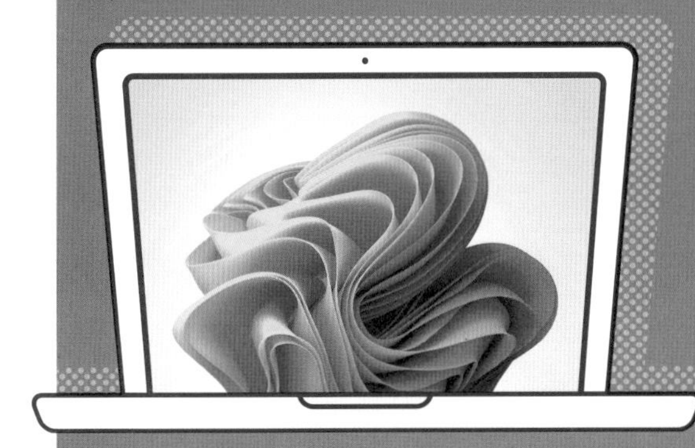

パソコン本体の機能とポート類をチェックしよう

USBポートが豊富にあるデスクトップパソコン！

Windowsパソコンには、前述したようにデスクトップ型とノート型があります。外観も違いますが、本体の機能や入出力端子（ポート）の数などにも違いがあります。共通したポートは、ディスプレイを接続するHDMIポート、USBポート、オーディオジャック、イーサネット（有線LAN）ポート、カードリーダーなどです。

デスクトップパソコンには、ディスクドライブが装備されている点が大きな違いです。CDやDVD（機種によってはBlu-ray Discなど）を扱うことができます。ディプレイのポートは複数ある場合が多く、2つ以上のディスプレイを接続することができます。USBポートの数も非常に多く、さまざまな周辺機器を接続できますが、キーボードやマウスに有線のものを使うなら、それだけで2つのポートが必要になってしまいますので注意が必要です。

USBポートに接続するものとしては、外部ストレージ（ハードディスク、またはSSD）や、USBメモリ、そしてお手持ちのスマートフォンやタブレットなどが考えられます。SDカードなど、メディアカードリーダーも装備されている機種が多いので、デジカメを使う人には便利です。また有線LANのポートも備わっていますので、Wi-Fiルーターがなくてもネットに接続することができます。

デスクトップパソコンの入出力ポート

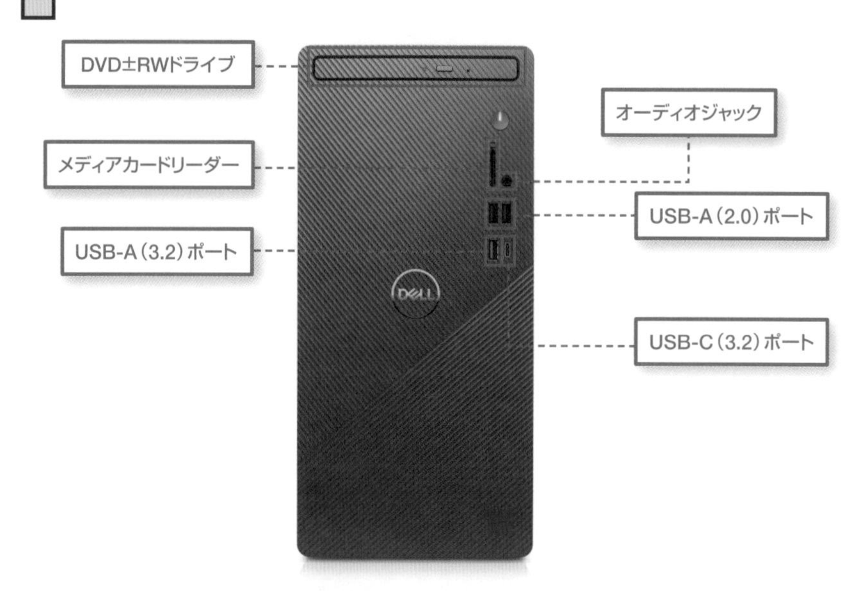

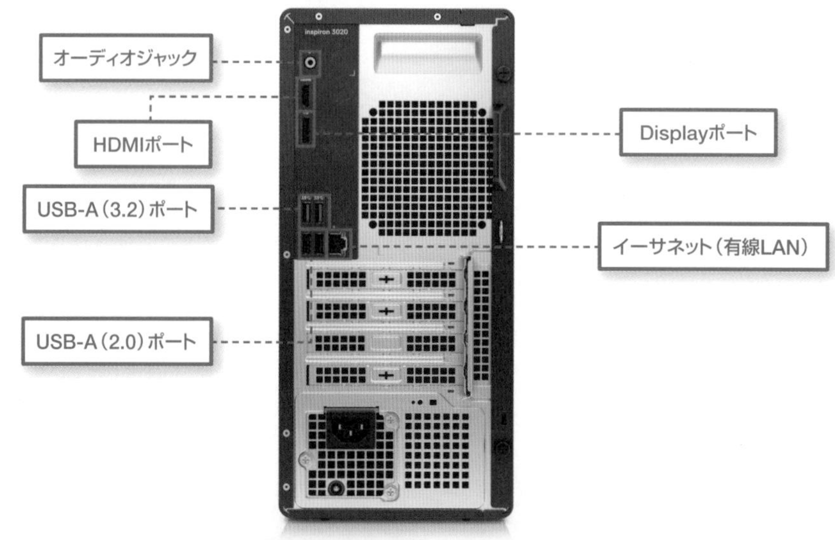

機種：「Dell Inspiron 3020」
価格：84,852円

機種によって違うが、ノートパソコンも拡張性はある

ノートパソコンにも、ディスクドライブがある機種もありますが、最近は減っている傾向にあります。ノートパソコンは省スペースが重要なので数は少ないですが、拡張ポートの数はそれなりにあり、必要なものは揃っています。写真のノートパソコンの場合は、ディスプレイを接続するHDMIポート、USBポート、SDカードのスロット、イーサネットポートがあります。また、この機種にはありませんが、USB-Cポートの一部はサンダーボルト4に対応した、非常に高速なデータ転送が可能になるものもあります。バッテリーも長時間持つ機種が多いので、アダプターを持たずとも1日程度は使うことができるでしょう（写真の機種なら15時間の駆動が可能）。

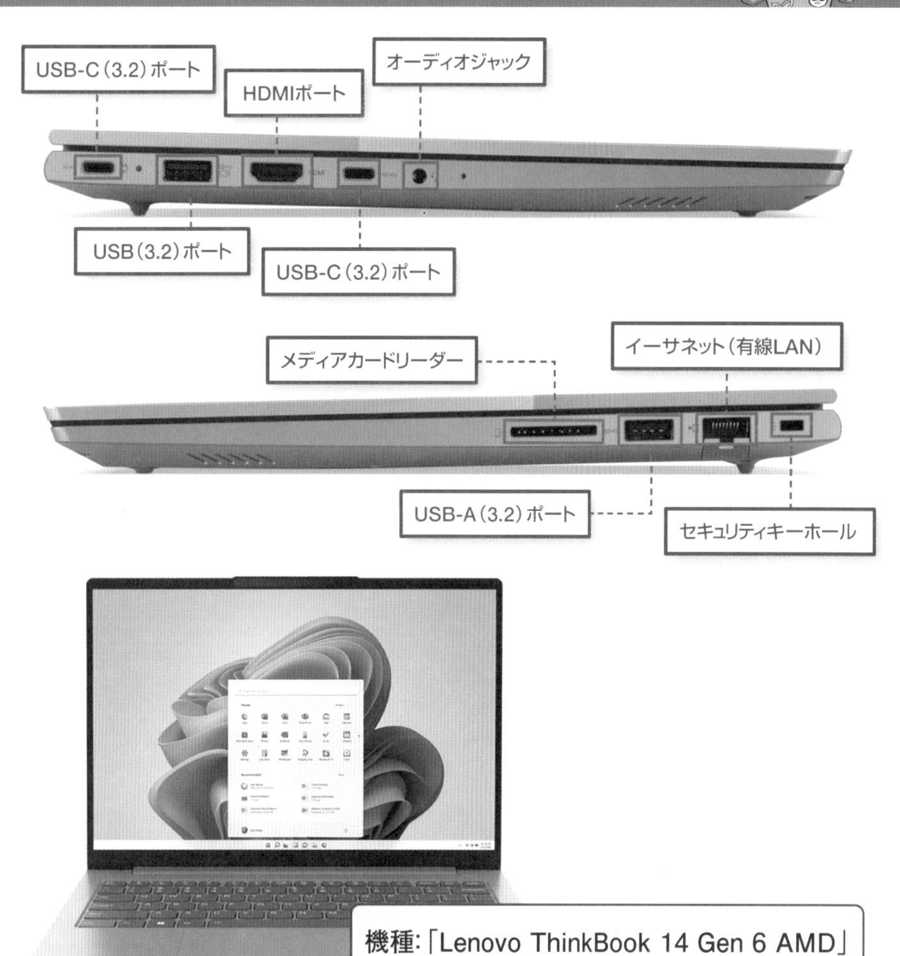

機種:「Lenovo ThinkBook 14 Gen 6 AMD」
価格:74,800円

USBの「A」と「C」ってなにが違うの？

最近では、USB-Cタイプのポートを備えたパソコンが増えてきました。このCタイプのメリットとしては、まずは高速な転送速度が挙げられます。そして、データの転送以外に、映像出力やノートパソコンへの電源の給電など、複数の機能を備えていることです（すべてのUSB-Cポートが対応しているわけではありません）。

USBに接続できる周辺機器は？

パソコン内のデータを外部に保存できる、外付けハードディスク

TOSHIBA
ポータブル HDD
「HD-TPA1U3-B/N」
1TB
実勢価格：6,800 円

比較的安価で、多くのデータを保存しておけるハードディスクは今も人気です。電源が必要なタイプと不要なポータブルタイプがあります。

やや価格は上がるが、高速な転送が可能な外付けSSD

Crucial
ポータブル SSD
「Crucial X6」
500GB
実勢価格：8,800 円

ハードディスクより価格は上がりますが、高速なデータ転送が可能で、駆動部分がないので衝撃にも強く、音も出ないSSDが最近は人気です。

お手軽にデータを移動できるUSBメモリ

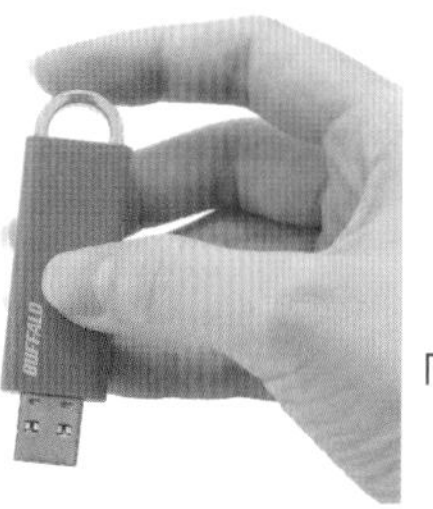

バッファロー
USB メモリ
「RUF3-KS32GA-PK」
32GB
実勢価格：850 円

会社と自宅の間のデータの移動や、ちょっとしたファイルを誰かに渡すのに便利なのがUSBメモリです。転送速度は商品によって差があります。

パソコンの起動と終了方法を理解しよう

電源ONは本体のボタンから 電源OFFはメニューから

パソコンの電源を入れるには、本体の電源ボタンを押します。デスクトップもノート型の場合も一緒です。電源を入れるとWindowsで用意している写真や背景が表示されます。その後の進め方は下段でまとめていますので、そちらをご参照ください。

電源の切り方は、完全に電源を落とす操作（シャットダウン）と、一時的に休ませる操作（スリープ）があります。しばらくあとで再度パソコンを使うことがわかっている場合などはスリープがいいでしょう。スリープ中も少しは電力を使いますが、すぐに起動できるので便利です。スリープを解除するには、電源ボタンを押すか、マウスをクリックします。

再起動は、一度シャットダウンをしたあと、再び起動させる操作です。動作が不安定なときや、新たなアプリのインストール後に必要に応じて行います。

パソコンの電源をON、そしてOFFにする

■電源を入れてみよう

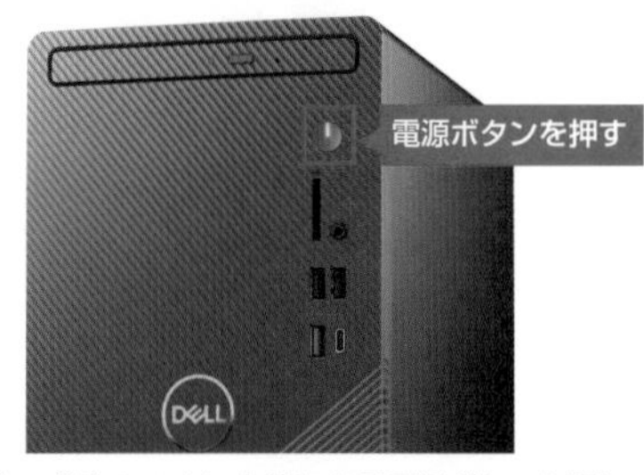

デスクトップパソコンは、本体にある電源ボタンを押します。少しだけ長めに押す必要のある機種もあります。

ノートパソコンは、機種によって違いますが、キーボードのスペースの一部に電源ボタンが配置されているものが多いです。そのボタンを押します。

■電源を切るには？

スタートメニューを表示させ、「シャットダウン」「スリープ」「再起動」から操作を選びます。

シャットダウンをすると、画面が暗くなり、その後は完全に電源が落ちます。消費電力はなくなりますが、次の起動時に時間はかかります。スリープを選んだ場合は、すぐに画面が真っ暗になります。スリープの場合は、解除すればすぐにパソコンを使える状態になります。

再起動を選ぶと、画面が暗くなり電源が一度落ちたあとに再度、起動します。

Windowsの更新が始まってしまったら？

再起動させたときに、「更新が進行中です。コンピューターの電源を入れたままにしてください。」という表示が出ることがあります。これはWindowsのアップデートがあったときに起こることで、終わるまで操作をせずにそのままにしておきましょう。

なにもせずに放置しておきましょう。時間は10～30分ぐらいかかることが多いです。

起動直後のサインイン画面にはいくつかのパターンがある

起動すると現れるサインイン画面から進めていくには？

パソコンの電源を入れたら、サインイン（パソコン使用者の認証）という過程に入ります。Microsoftアカウントで入る場合と、ローカルアカウントで入る場合で、サインイン画面に違いがあります。サインインすれば、あとは自由にパソコンを使えます。

① 最初に写真や背景画面が表示される

パソコンの電源を入れると、Windows 11の背景画面やおすすめの写真などが表示されます。マウスをクリックしたり、キーボードのボタンをどれか押すとサインイン画面になります。

② 自動でサインインする設定の機種もある

共用で使っていたパソコンを譲り受けた場合などは、自動でサインイン（何もしなくても作業できる画面に移行している）する機種もあります。その場合はそのまま使って問題ありません。

電源プランを設定してみよう

Windowsには、一定時間でディスプレイの電源を切ったり、パソコンをスリープにできる「電源プラン」機能があります。また、消費する電力とパフォーマンスとの関係を調整する機能もあります。自分の使い方に合った設定を考えてみましょう。

1 「電源オプション」を選択する

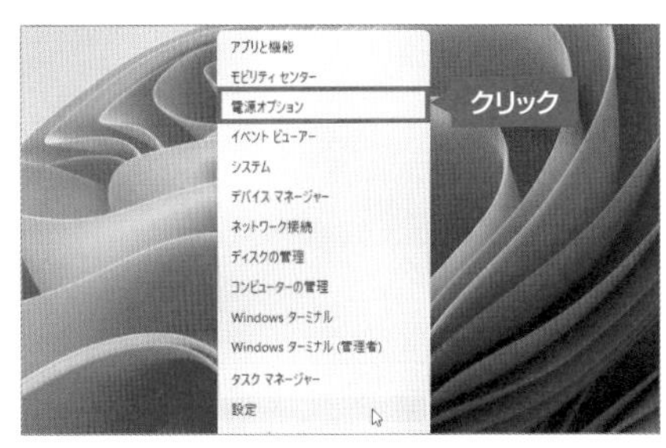

スタートメニューを右クリックして「電源オプション」を選びましょう。「設定」→「電源」でも同じ画面にたどり着きます。

2 「電源とスリープ」と「電源モード」を設定できる

「画面とスリープ」では、ディスプレイを切る時間、スリープさせる時間を、「電源モード」では消費する電力とパフォーマンスとの関係を調整できます。

3 ディスプレイの消灯とスリープ時間の設定

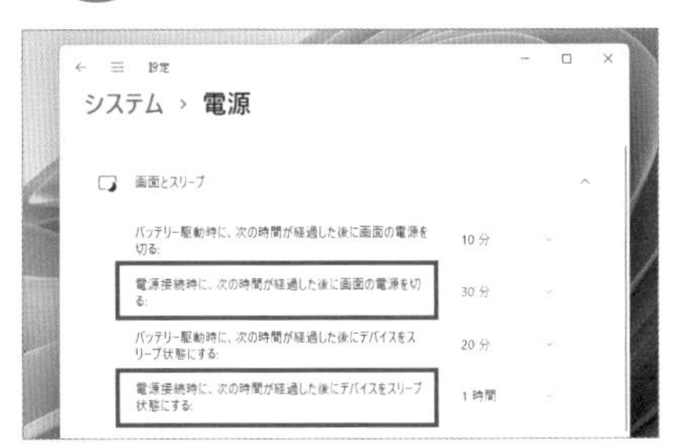

写真では、操作のない状態が30分続いたらディスプレイをOFFに、1時間続いたら電源をOFFにする設定にしています（電源接続時）。ノートパソコンなのでバッテリー使用時の調整も可能です。

4 電力とパフォーマンスの設定をする

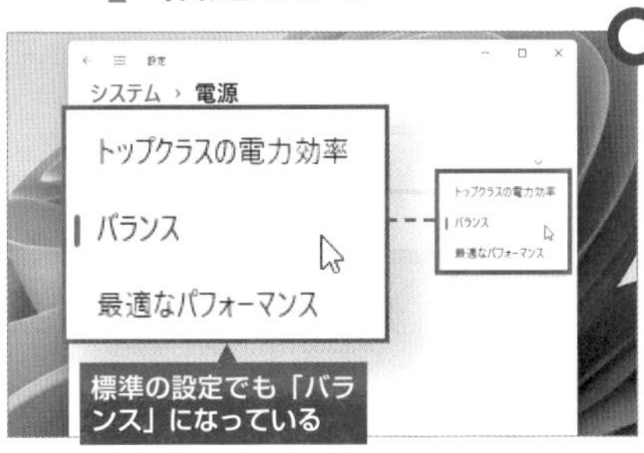

写真では「バランス」を選んでいます。負荷の低い作業を行っているときは処理能力を下げて消費電力を抑えます。負荷が高くなると処理能力を自動で上げて対処します。

CHECK!!

「トップクラスの電力効率」や「最適なパフォーマンス」って？

「電源モード」で表示される「トップクラスの電力効率」は、消費電力を上げないことを最優先にするモードで、「最適なパフォーマンス」は処理能力を最優先にするモードです。なお、デスクトップPCでは項目の表示は少し異なります。

ここがポイント

サインイン時のパスワード入力をPINコードに切り替えるには？

サインインにPIN（4ケタ以上の数字）でサインインする設定になっていない場合は、PINにするのがおすすめです。「設定」→「アカウント」→「サインインオプション」と進み、PIN（Windows Hello）をクリックして、パスワードを入力後に、4ケタ以上の数字を入れれば設定できます。その後は数字の入力だけでOKとなります（22ページにも記事あり）。

3 「サインイン」ボタンを押して進めていく機種

「サインイン」ボタンが表示される場合は、そのままそこをクリックすればOKです。「ローカルアカウント」で設定された場合は、このようになっている場合もあります。

4 パスワードかPIN（数字）を求められる機種

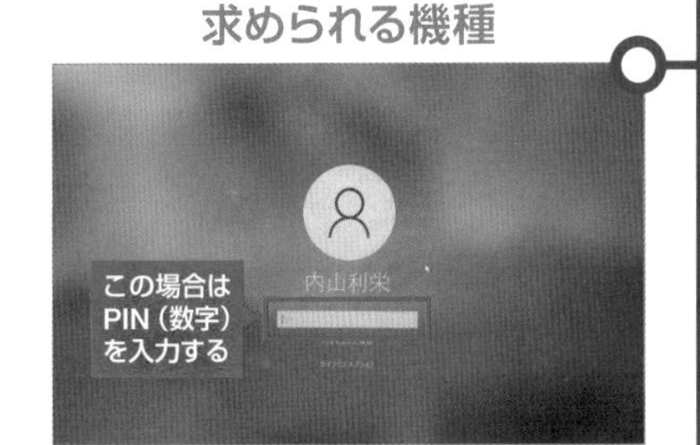

多くの場合は、このようなサインイン画面が表示されます。Microsoftアカウントのパスワードか、以前設定したPIN（数字）を入力すればサインインできます。

CHECK!!

現在はMicrosoftアカウントでサインインするのが標準

Windows 11のパソコンの多くは、Microsoftアカウントでサインインする設定になっています。このサインイン時の入力は、起動時だけでなくスリープ状態から復帰する際にも必要です（アカウントについては22ページにも関連記事あり）。

マウスやタッチパッドの操作を覚えよう

どちらの方法でも快適に操作できる!

デスクトップパソコンではマウスで、ノートパソコンではタッチパッドを使って操作をするのが基本ですが、タッチパッドが苦手な人はノートパソコンにマウスをつないで操作することも可能です。クリック、ダブルクリック、ドラッグ、右クリックなどの操作をスムーズにできるようになりましょう。最初は操作に時間がかかったり、手首が疲れることもあるかもしれませんが、慣れてしまえばすぐに快適に扱えるようになります。

タッチパッドの操作では、タッチパッド付近のボタンでの操作のほか、スマートフォンでするようにタッチパッド部分を軽くタップすることで「クリック」と同じ操作にできる機種も多いです。

タブレットパソコンなど、タッチパネルで操作できるパソコンは、タッチパネル特有の操作も覚えておきましょう。

マウスやタッチパッドの機能をマスター

■マウスの各部の名称

左ボタン
左側にある、人差し指で押すボタンです(右利きの場合)。一番多く使うボタンで、押すと「カチッ」とクリック音が出るものが多いです。

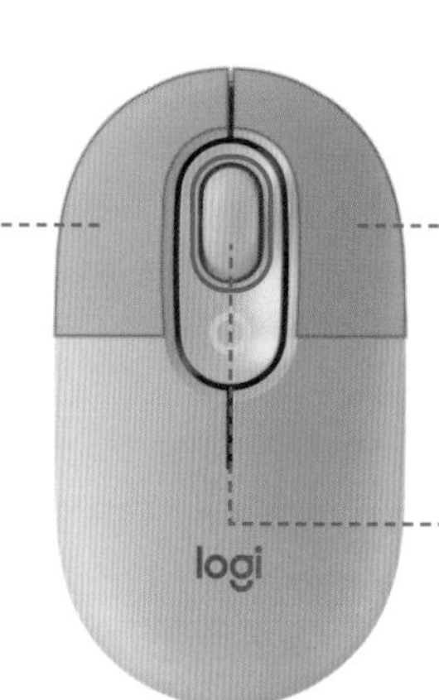

右ボタン
右側にある、中指で押すボタンです。「右クリック」と呼ばれる、主に操作のメニューを表示させる場合などに使います。

ホイール
真ん中にあり、指で回すことができます。ここを回転させて画面を上下にスクロールさせることができます。

タッチパッドには2タイプある

■左、右ボタンのあるもの

左ボタン　右ボタン

左クリック、右ボタンが独立して存在しているタイプです。それぞれのボタンを押すことで左クリック、右クリックが可能になります。パッドの部分は指をスライドさせてカーソルを移動させます。

■ボタンのないもの

こちらの方が現在の主流!

基本的にはタップで操作する

ボタンが存在せず、フラットな形状のタッチパッドです。左クリックはパッドの一部分(機種によっては左側)を押すか、またはタップで操作します。右クリックは二本指でタップするか、または右側部分を押すか、好きな設定を選べます。

マウスの基本操作を覚えよう

1 もっとも基本となる「クリック」は対象を選択するときに使う

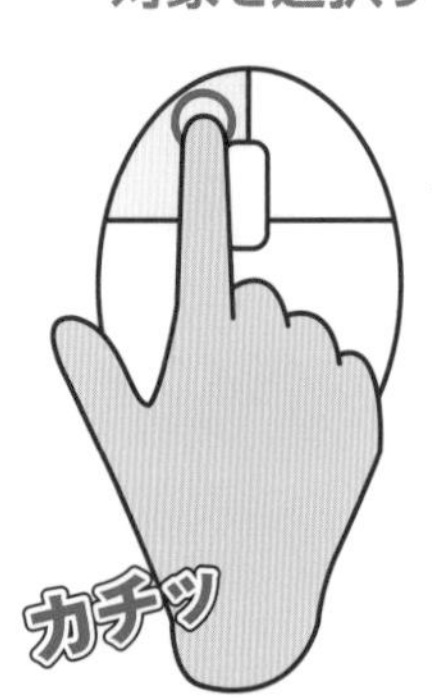

アイコンやメニューの選択をするときなどに使う

もっとも多く利用するのが左ボタンを人差し指で1回押す「クリック」、または「左クリック」です。一度押したらすぐに指を放します。

2 選択した対象のメニューの表示などに使う「右クリック」

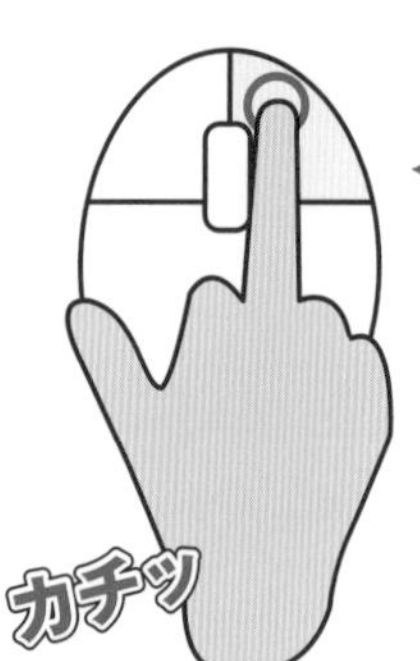

カーソルを合わせた先のメニューを表示する際に使う

右側のボタンを中指で、一度押してすぐ離す動作が「右クリック」です。左クリックとは違う操作が可能になります。

3 アプリの起動などによく使う「ダブルクリック」

ファイルやフォルダーを開くときに使う

左ボタンを人差し指で素早く2回連続で押す操作です。アプリの起動や、フォルダーやファイルを開くときに使います。

ダブルクリックができているか確認しよう

「ダブルクリック」は2回連続で「カチカチッ」と左ボタンを押す操作ですが、最初はその感覚がわからないかもしれません。画面上にあるごみ箱アイコンで練習してみましょう。ゴミ箱にマウスカーソルを合わせたら、素早く2回クリックしてみましょう。

1 ごみ箱アイコンにマウスを合わせる

マウスを移動させて、ゴミ箱アイコンの上に合わせましょう。

2 2回連続で「カチカチッ」と左ボタンを押す

左ボタンを連続で押してみましょう。力を入れる必要はありません。カーソルの位置が動かないように注意して行いましょう。

CHECK!!

開いたフォルダーは「×」印を押して閉じる

開いたフォルダーの右上の「×」印にマウスを合わせてクリックするとフォルダーを閉じることができます。

3 ごみ箱のフォルダーが開いたら成功！

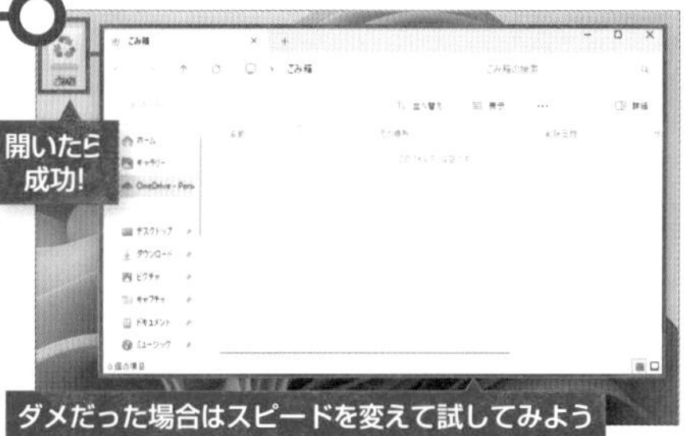

ダメだった場合はスピードを変えて試してみよう

ダブルクリックが成功していれば、ごみ箱のフォルダーが開きます。ダメだった場合は間隔が空きすぎていたり、カーソルが途中で離れてしまった、などの理由が考えられます。

4 右クリックの練習もしておこう

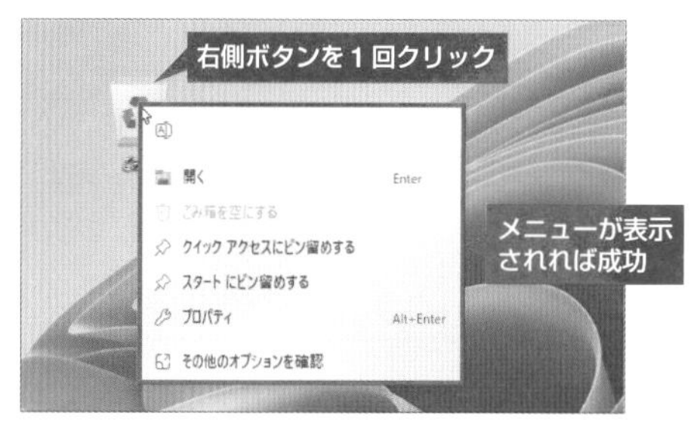

ごみ箱アイコンにカーソルを合わせて、右クリックをしてみましょう。写真のようなメニューが表示されれば成功です。

ここがポイント

ダブルクリックの速度を設定するには？

ダブルクリックがどうしてもうまくいかない場合は、設定で速度を調整できます。「設定」→「Bluetoothとデバイス」→「マウス」→「マウスの追加設定」→「ボタンタブ」→「ダブルクリックの速度」で調整できます。

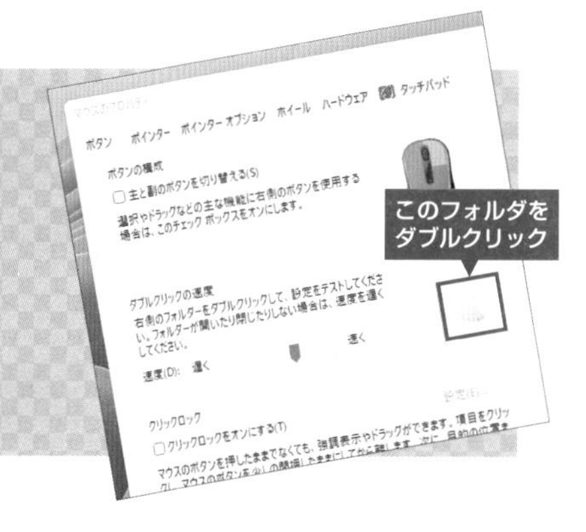

4 ファイルを移動させるときに使う「ドラッグ」

ファイルやアイコンを移動させるときに使う

左ボタンを押して指を離さず、そのままマウスを目的の位置まで動かすことで選択したファイルを移動させることができます。

CHECK!!

「ドラッグ&ドロップ」という操作方法も便利！

「ドラッグ」の要領でファイルを移動させ、特定の位置で離すことで違う操作を与えることができます。例えばファイルを別のフォルダに移動させたり、画像ファイルを対応アプリのアイコンの上で離すことでそのファイルを開くことができます。

5 ブラウザーなどの利用に便利な「ホイールスクロール」

縦に長い画面を上下に移動できる

真ん中のホイールを回転させることで、ブラウザーやメモ帳などの画面を上下に移動（スクロール）させることができます。

パソコンの機種によって使い方が違うタッチパッド

タッチパッドはパソコンの機種によって、操作方法がかなり違います。古めの機種では、左ボタン、右ボタンが装備されていますが、現在はないものが主流です。また、パナソニックのレッツノートや、IBMのThinkPadなど、独自の操作方法を持つ機種もあります。

1 ボタンのないフラットなタイプ

現在一番多いタイプです。ボタンは存在しませんが、右クリックはパッドの右下部分を押したり、または二本指でタップすることで操作できます。

2 左ボタン、右ボタンのあるタイプ

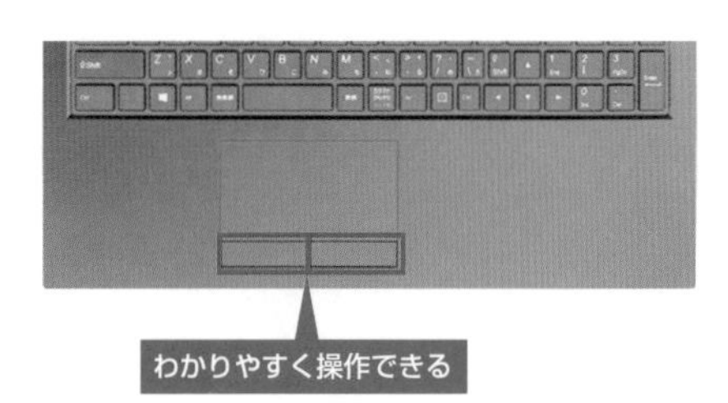

マウスと同様に、2つのボタンがあるので操作がとてもわかりやすいですが、スピーディーには扱いにくいのと、クリックに力が必要なところが欠点です。

3 ThinkPad特有の変わったタッチパッド

IBMのThinkPadでは、キーボード内に埋め込まれている赤丸のトラックポイントを使うために、独自の配置になっています。

4 丸形のタッチパッドを備えるレッツノート

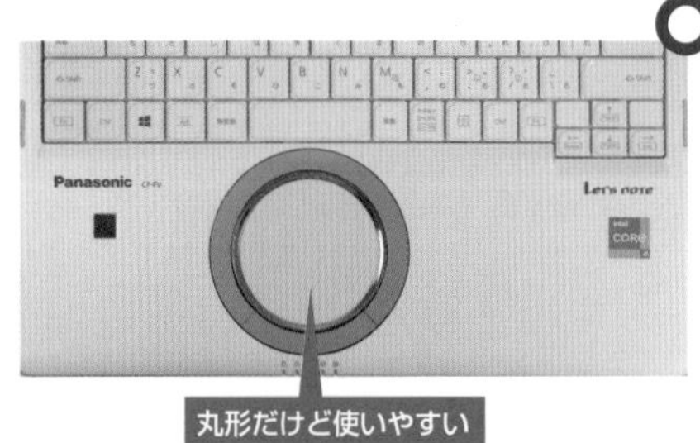

パナソニックのレッツノートでは、丸形のタッチパッドをずっと採用しています。スクロールのさせ方などに特徴があります。

CHECK!!

「タップ」操作の方が疲れが少ない！

タッチパッドは、「カチッ」と音がするまでクリックすることもできますが、スマホを扱うように、軽く「タップ」するだけで動作させることもできる機種が大半です。最初は感覚がわかりにくいですが、慣れたら試してみましょう。

ここがポイント

三本指を使ってさらにさまざまな操作ができる！

タッチパッドでは、人差し指、中指、薬指の三本指を同時に使ってさまざまな操作が可能です。パソコンの機種によって異なりますが、ウィンドウの一覧表示（三本指で上にスライド、スワイプ）や、メインのウィンドウの切り替え（三本指で左右にスライド、スワイプ）などは多くの機種で可能で、とても便利です。

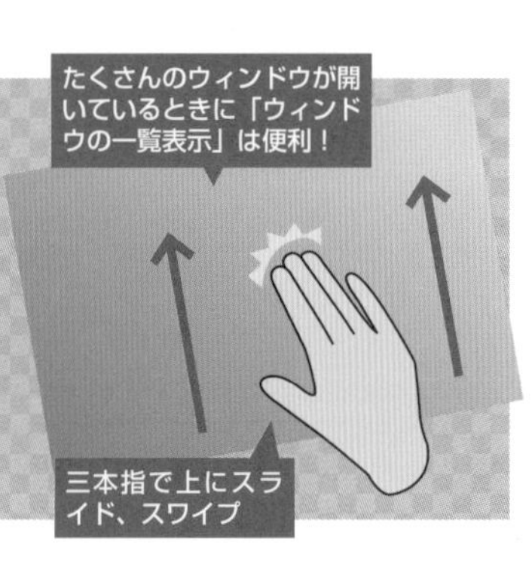

タッチパッドの基本的な操作方法を覚えよう

ここではボタンのないタイプのタッチパッドの操作方法を中心に解説します。ボタンのあるタイプは基本、左ボタンと右ボタンを、マウスと同じように操作します。カーソルの移動は基本的に人差し指でパッドをスライドさせればOKです。

① もっとも基本となる「クリック」は対象を選択するときに使う

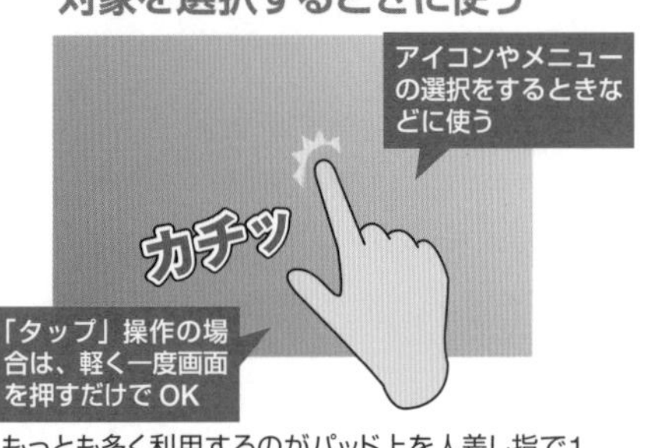

もっとも多く利用するのがパッド上を人差し指で1回押す「クリック」（または「左クリック」）です。一度押したらすぐに指を放します。

② 選択した対象のメニューの表示などに使う「右クリック」

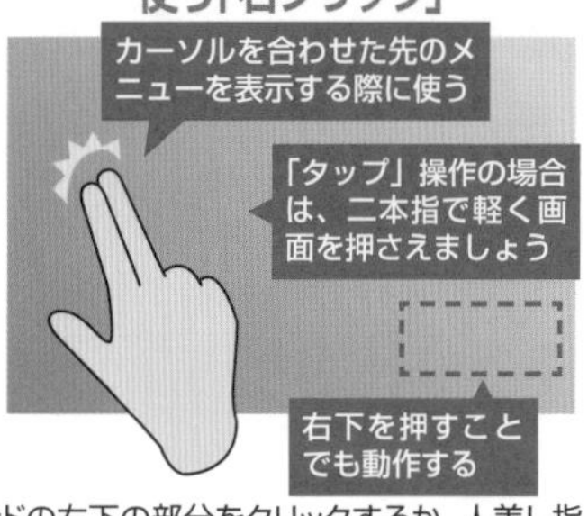

パッドの右下の部分をクリックするか、人差し指、中指の2本でパッド上をタップする方法があります。使いやすい方を選びましょう。

タッチパネル対応のタッチ操作をマスターする

マイクロソフトのSurfaceに代表される、画面を直接指でタッチして操作することもできる「タッチパネル」対応パソコンの場合は、スマホのような操作が基本になります。とても直感的な操作ができますし、タッチパッド自体も使えるので、快適に使うことができます。

1 基本となる「クリック」は対象を選択するときに使う

もっとも多く利用するのがタッチパネル上を人差し指で1回押す「タップ」操作です。一度押したらすぐに指を放します。

2 対象のメニューの表示などに使う「ロングタップ」

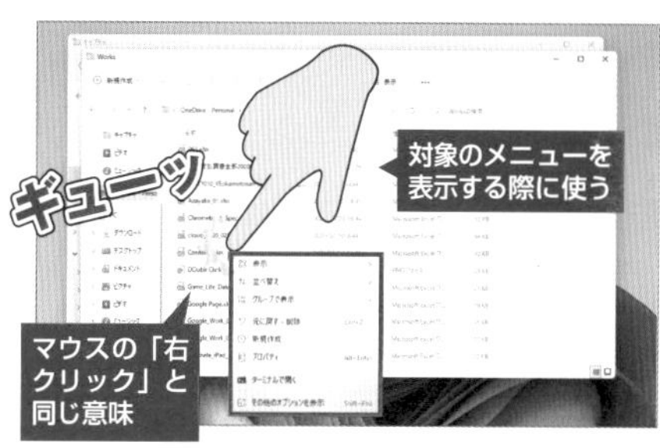

画面の対象に合わせて、1秒以上長押しすると「ロングタップ」の状態になります。マウスの「右クリック」と同じ操作です。

3 ファイルを開くときなどに使う「ダブルタップ」

画面を素早く2回タップして指を離す操作です。フォルダーやファイルを開くときに使います。マウスの「ダブルクリック」と同じ操作です。

4 ファイルを移動させるときに使う「ドラッグ」

アイコンやファイルをタッチした状態で、そのまま指を目的の位置までスライドさせましょう。機種によってはロングタップが必要な場合もあります。

5 ブラウザーなどの利用に便利な「スワイプ」

人差し指でパッド上を上下にスライドさせればスクロール操作ができます。状況によっては水平に移動させて横スクロール操作も可能です。

ここがポイント

スマホと同じように拡大縮小や回転もできる

タッチパネル対応パソコンでは、スマホやタブレットと同じように、親指と人差し指で画面を狭めたり（ピンチイン）、逆に画面を広げる（ピンチアウト）操作ができ、便利です。また、スマホにおけるフリック（指を払う操作）もでき、写真を連続で見る際などに役立ちます。

3 アプリの起動などによく使う「ダブルクリック」

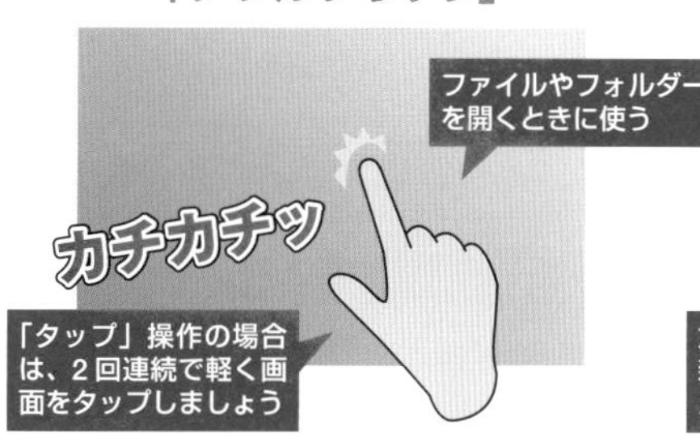

パッド上を人差し指で素早く2回連続で押す操作です。アプリの起動や、フォルダーやファイルを開くときに使います。

4 ファイルを移動させるときに使う「ドラッグ」

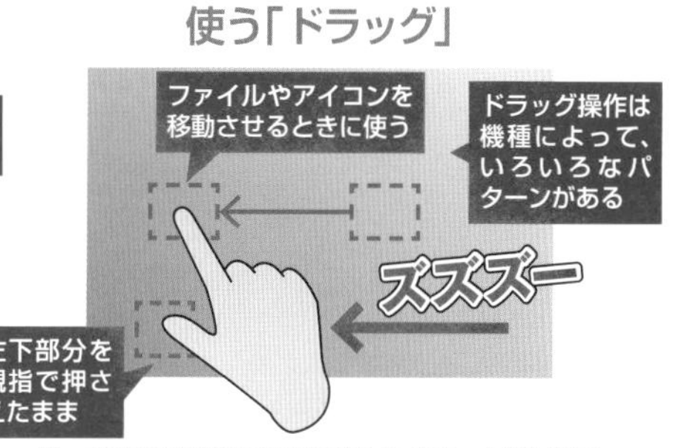

パッドの左下部分を親指で押したまま、人差し指でファイルの位置を動かします。難しいので、両手で行ってもOKです。

5 ブラウザーなどの利用に便利な「スクロール」

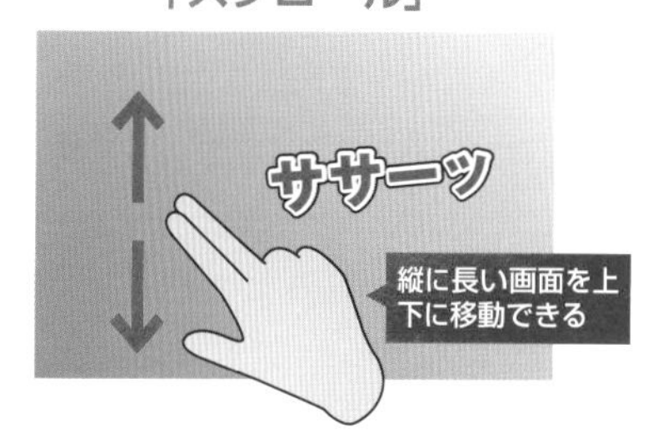

人差し指と中指の二本指で、パッド上を上下にスライドさせればスクロール操作ができます。状況によっては水平に移動させて横スクロール操作も可能です。

1 パソコンをネットに接続してみよう

ネット接続に必要な条件をチェック

自宅でインターネットを利用するには、まず回線事業者（NTT東日本、NTT西日本、KDDIなど）との通信回線の契約が必要です。

そしてもうひとつ「インターネットプロバイダー（プロバイダー）」というとの契約も必要になります。事業者によっては、回線とプロバイダーとセットで提供しているサービスもあり、手続きが手軽だったり、インターネット利用費の支払いを1箇所にまとめることができます。

パソコンをインターネットに接続するには、2種類の方法があります。ひとつは「LANケーブル」による有線接続。もうひとつは「Wi-Fi」による無線接続です。現在ではパソコンのみならず、スマホやタブレット、テレビなどにも接続できるWi-Fi接続が完全に主流となっているので、ここではWi-Fi接続を中心に解説します。

インターネットに接続するには？

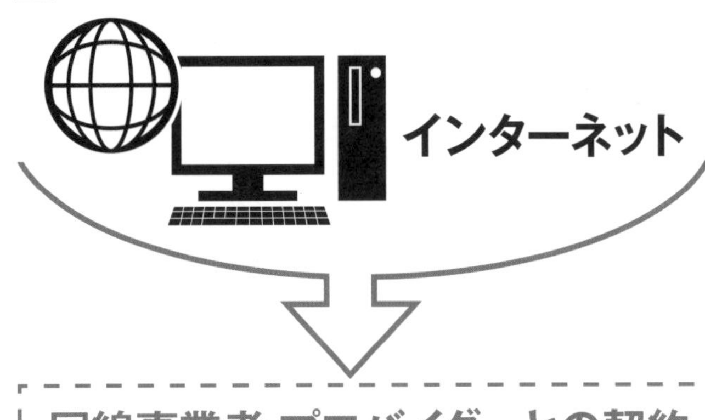

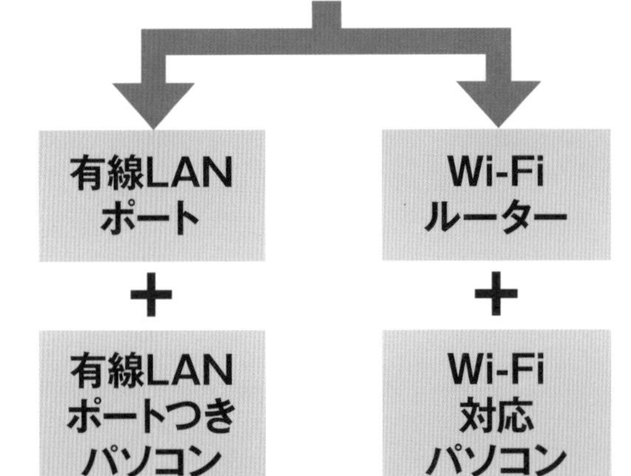

（デスクトップパソコンなど）　（ノートパソコン、タブレット、スマホなど）

回線事業者とプロバイダーを介してインターネットに接続します。もし、固定電話を利用しているのであれば、その事業者が提供しているインターネットサービスに加入するのが簡単です。

パソコンをWi-Fiでネットにつないでみよう

1 Wi-Fiが使えるか確認する

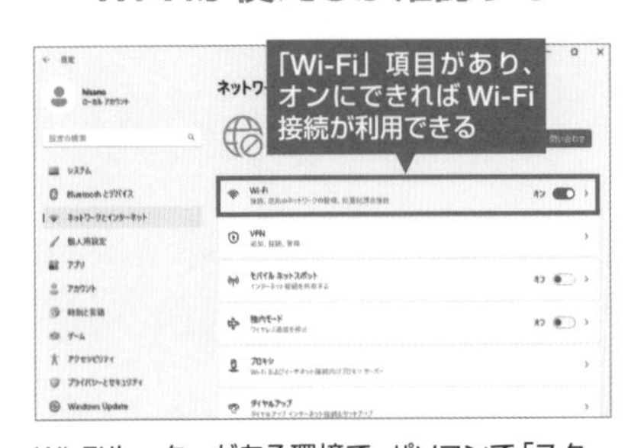

Wi-Fiルーターがある環境で、パソコンで「スタート」→「設定」→「ネットワークとインターネット」をクリックし、「Wi-Fi」項目を確認します。

2 クイック設定を開く

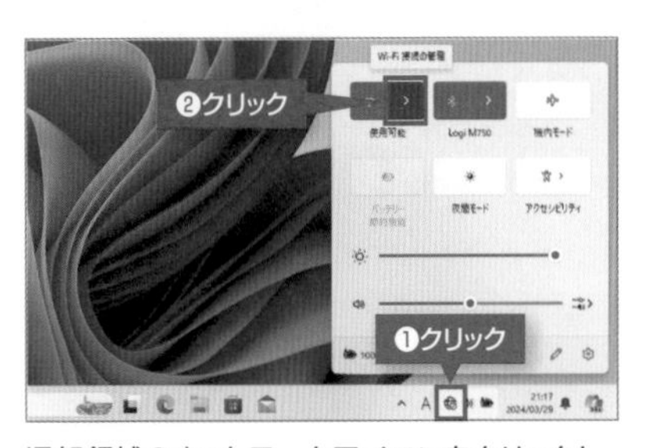

通知領域のネットワークアイコンをクリックし、Wi-Fiアイコンの右にある「>」をクリックします。

3 SSDを選ぶ

Wi-FiルーターのSSID（Wi-Fiの固有の番号）を選んで「接続」をクリックします。

Wi-fiに接続できない場合はどうすればいい?

Wi-Fiはまれに不調になり、インターネットに繋がらなくなることもあります。この場合、「ネットワーク」のアイコンからルーターとの接続状態を確認したり、通信をシャットアウトする「機内モード」の状態を確認します。それでも直らない場合は、ルーターの再起動が有効です。

1 ネットワークアイコンを確認

通知領域の「ネットワーク」を確認。斜線マークがついている場合、ネットワークにトラブルが起こっている可能性があります。

2 機内モードを確認

クイック設定から「機内モード」がオンになっていないかを確認します。

CHECK!!

意外とありがちなケーブルはずれ

PC関連のトラブルでありがちなミスが、ケーブルが抜けていた。といったうっかりミス。ルーターの電源ケーブルの接続や、LANケーブルの接続。モデムがあるならそちらもケーブルが正しく接続されているか?を確認しましょう。

3 ルーターの再起動

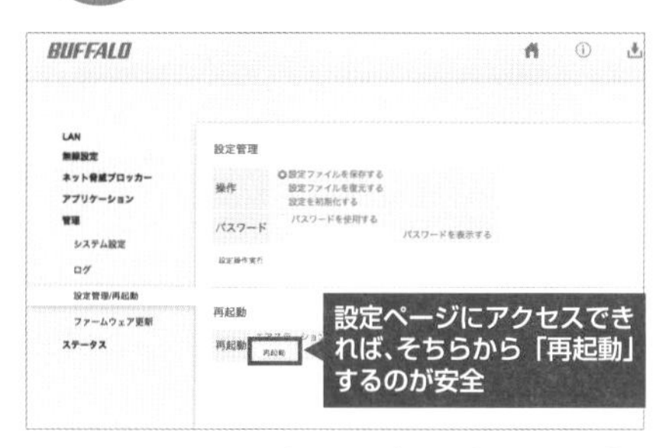

ルーターの設定ページをWebブラウザーで開き、「再起動」をクリック。もしくは、アダプターを抜いて3分待った後、再度アダプターを接続します。

4 プロバイダーの接続設定の確認

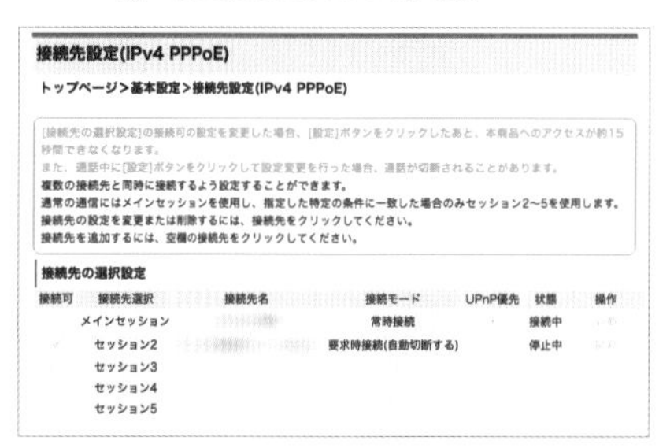

ルーターにプロバイダーへのアクセス設定が必要な場合は、そちらが正しく設定されているか?も確認しましょう。

ここがポイント

有線LANが使えるなら、そちらの方が安定する

パソコンによっては有線LANポートを備えている機種もあります。もし、ルーターまでの距離が近く、パソコンを滅多に移動させないのであれば、LANケーブルを使ってパソコンとWi-Fiルーターを接続してもよいでしょう。この場合はパスワードの入力などは不要。物理的な接続なので、通信品質も安定します。

4 セキュリティキーを入力

SSIDのセキュリティキーを入力し、「次へ」をクリックするとWi-Fiに接続できます。

CHECK!!

Wi-Fiが使えない場合は?

もし手順1で「Wi-Fi」項目が見当たらない場合は、対応するWi-Fi子機を購入し、接続しましょう。

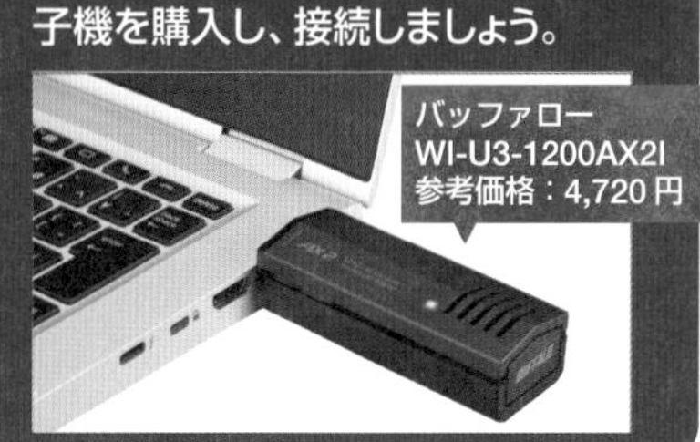

CHECK!!

WPS/AOSSでの簡単接続

手順4の画面でWi-FiルーターのWPS(AOSS)ボタンを長押しすることで、パスワード入力の手間なく接続することもできます。

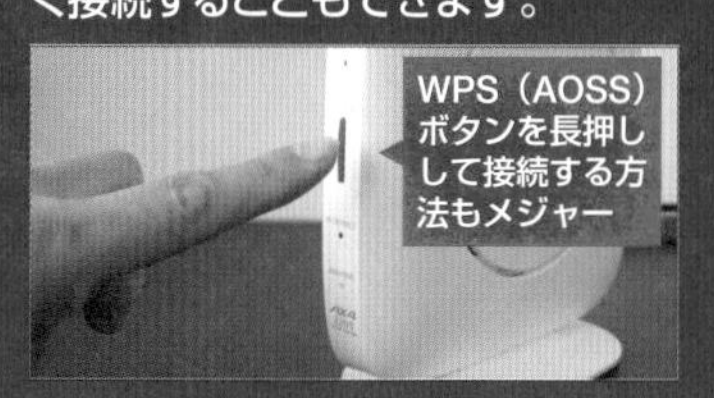

Windowsを使うには アカウントが必要になる

便利に使うなら Microsoftアカウントへ

パソコンを利用するにはユーザーを判断する「アカウント」が必要です。これにはパソコンに登録した個人を識別する「ローカルアカウント」と、オンラインサービスと連携した「Microsoftアカウント」の2種類があります。

現在のWindows 11ではセットアップ時にMicrosoftアカウントの設定を求められるので、そちらを設定しているユーザーがほとんど。もしローカルアカウントで設定していた場合は、Windowsのさまざまなサービスが使いやすくなる意味でも、Microsoftアカウントでのサインインがおすすめ。本書でもMicrosoftアカウントを使う形で解説していきます。現在ローカルアカウントだけの場合は、Microsoftアカウントを作成する必要があるので、手順に沿って作成し、設定していきましょう。

2種類のアカウントの違い

パソコンに登録した個人を識別するためのアカウント。オンラインサービスとの連携ができない。

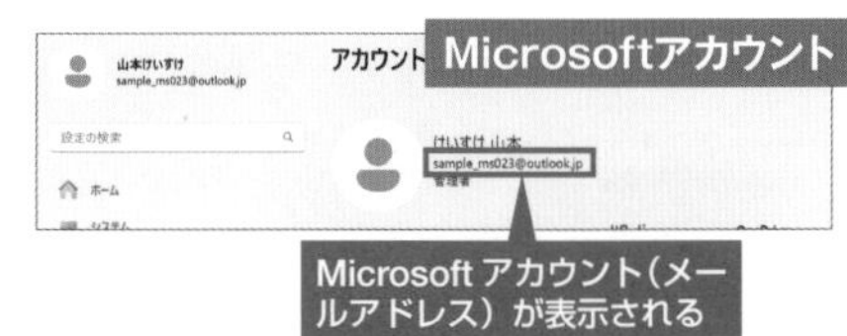

パソコンとオンラインのユーザー情報をリンクできるアカウント。アプリやオンラインサービスを利用できる。

Microsoftアカウントを使うメリット

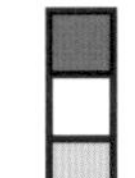

Microsoft アカウントを使うメリット

1. クラウドストレージ「OneDrive」を利用できる
2. ファイルや PC の設定をクラウドと同期できる
3. 「Microsoft Store」からのアプリダウンロード
4. オンラインアプリ「Microsoft 365」を利用できる

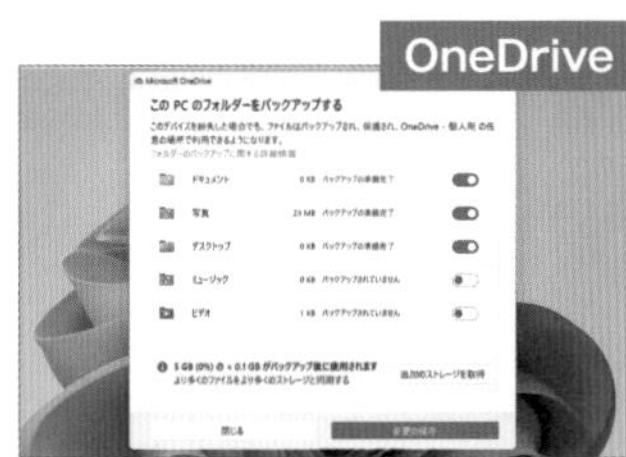

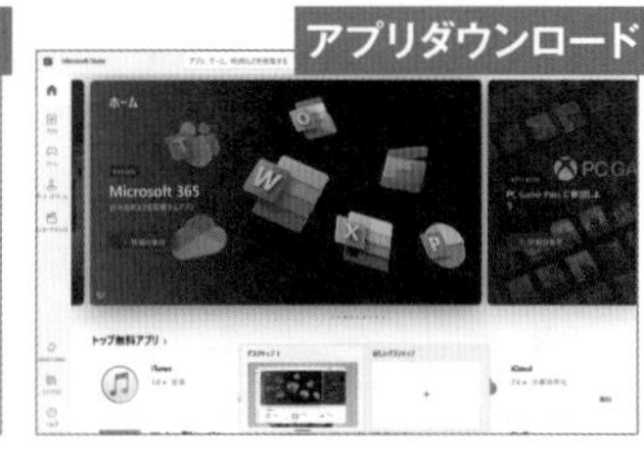

Microsoftアカウントには、このようなメリットがあります。クラウドストレージ「OneDrive」を無料で利用することができ、PCのファイルや設定をオンラインと同期（それぞれ同じ状態に保つこと）できたり、便利なアプリを使えるようになります。

Microsoftアカウントを作成してパソコンに適用する

① アカウントの種類を確認する

スタートボタンから「設定」→「アカウント」とクリック。「サインイン」をクリックします。

② アカウントの「作成」をクリック

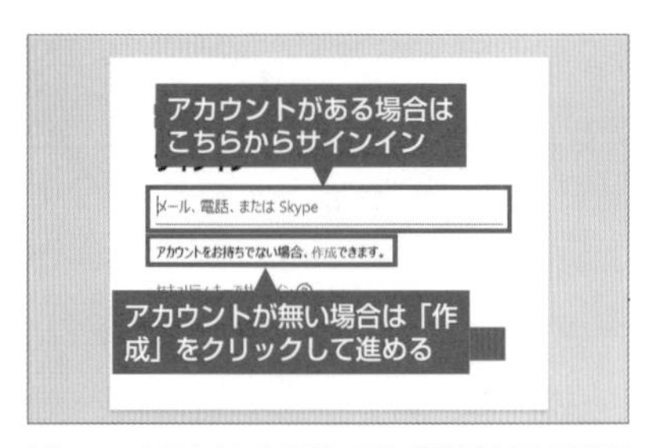

Microsoftアカウントを持っている場合はこの画面からサインイン。持っていない場合は（今回の手順）、「作成」をクリックします。

③ メールアドレスを発行して進める

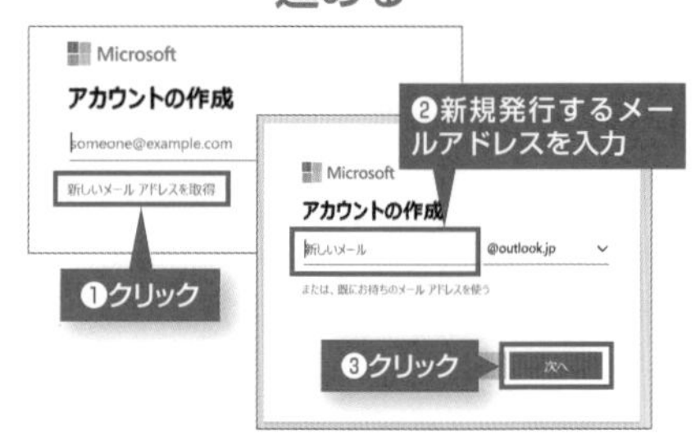

「新しいメール アドレスを取得」をクリック。発行したいアドレスを入力して「次へ」をクリックします。このアドレスがMicrosoftアカウントとなります。

アカウントの管理方法を知っておこう

Microsoftアカウントが発行できたら、「ユーザーの情報」をクリック。「関連設定」の「アカウント」から、ブラウザーで自分のアカウントの情報を確認できます。契約しているサブスクリプションの確認をはじめ、「セキュリティ」タブからは、不正アクセス対策に効果の高い、2段階認証の設定もできます。

1 「アカウント」をクリック

アカウントの設定ページで「ユーザーの情報」→「アカウント」とクリックします。

2 アカウントの情報を確認

アカウントページでは、契約しているサブスクリプション(支払いや課金)や利用しているPCの種類、パスワードの管理が行なえます。

3 2段階認証の設定ができる

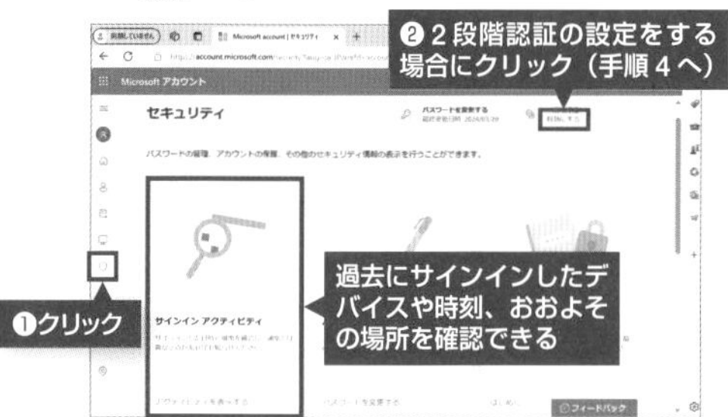

「セキュリティ」タブを開くと、サインインした日時を確認したり、2段階認証の確認ができます。

4 2段階認証を設定していく

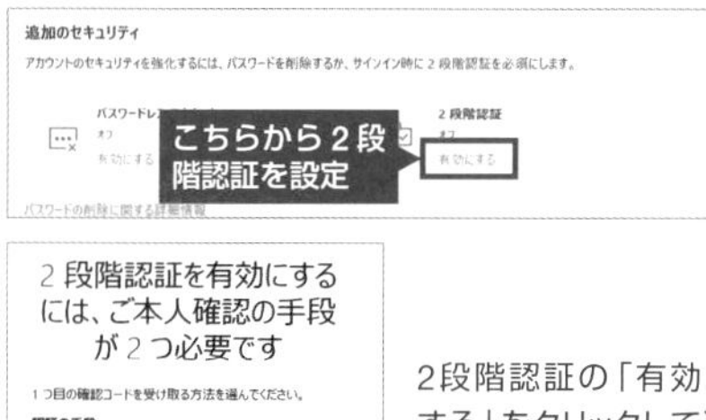

2段階認証を有効にするには、ご本人確認の手段が2つ必要です

キャンセル　次へ

2段階認証の「有効にする」をクリックして進めていくと、2段階認証が設定でき、アカウントの保護がさらに強力になります。

CHECK!!

2段階認証には2種類の本人確認が必要

2段階認証には2種類の本人確認が必要です。Microsoftアカウントとは別のメールアドレス、携帯電話へのSMS、スマホの認証アプリが選べます。忘れてしまった時の「回復用コード」も発行されるので印刷しておきましょう。

ここがポイント

アカウントのパスワードを忘れてしまったら!?

ログインにPINを設定している場合は、「PINを忘れた場合」をクリックして、Microsoftアカウントのパスワードでログインできます。Microsoftアカウントのパスワードを忘れた場合は、「パスワードを忘れた場合」をクリックして進めます。アカウントに別のメールアドレスや携帯電話番号が登録してあれば、そちらからパスワードをリセットできます。

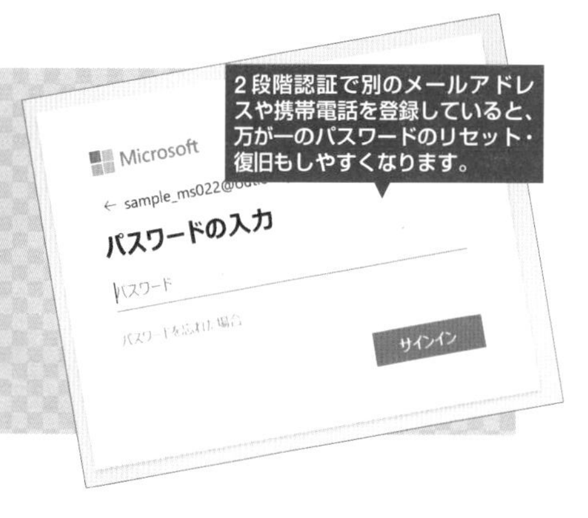

4 アカウントのパスワードを決める

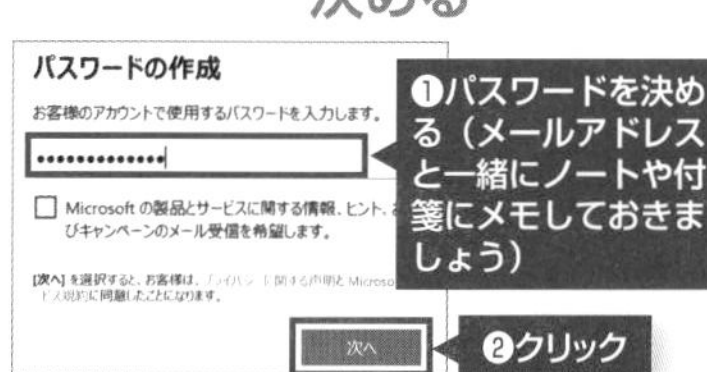

アカウントのパスワードを決めます。氏名や生年月日など、利用者の情報を入力して手順を進めていきます。

5 PINを作成

パスワードに代わるシンプルなログイン方法である「PIN」の設定。任意ですが便利なので必ず設定しておきましょう。

6 Microsoftアカウントでログインできる

Microsoftアカウントでログインできます。設定によっては、再起動やシャットダウン後は、手順5で設定したPINを入力する必要があります。

いろいろな用途で便利なGoogleアカウントも活用しよう

Microsoftアカウントと同様に、とても便利なので持っていた方がよいのがGoogleアカウントです。Googleアカウントがあれば「Gmail」や「Googleマップ」などのGoogleのサービスがより快適になります。Androidスマホを使っている方なら、そのアカウントをそのまま利用できます。

1 アカウントの作成サイトにアクセスして基本情報を！

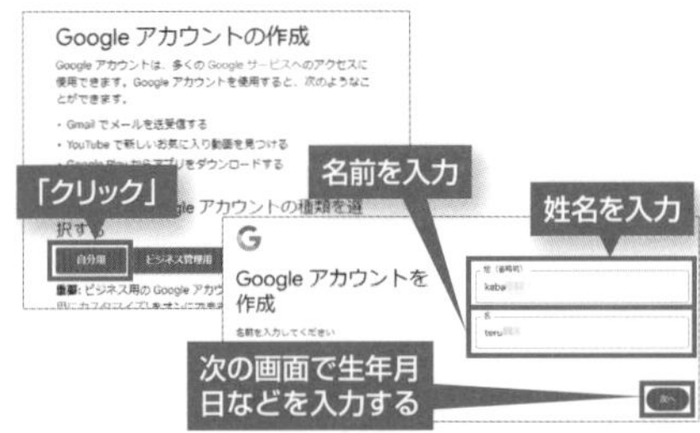

ブラウザーで「Google」を検索し、次に「Googleアカウント作成」と検索して、アカウント作成サイトを表示させます。アカウントの種類は「自分用」を選び、姓名や名前、生年月日など基本情報を入力します。

2 Gmailアドレスの選択とパスワードを作成

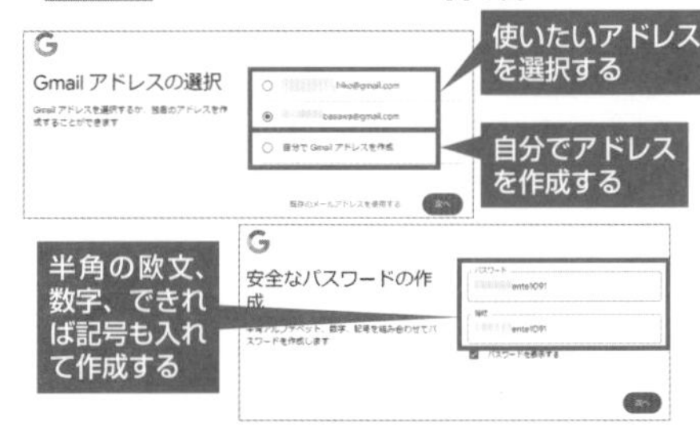

利用できるGmailアドレスが提案されるので、そこから選ぶか、自分独自のアドレスを作成します。次に半角の欧文、数字を組み合わせたパスワードを作成して入力します。ある程度複雑なものにしましょう。

3 スマホの電話番号に認証コードが送信される

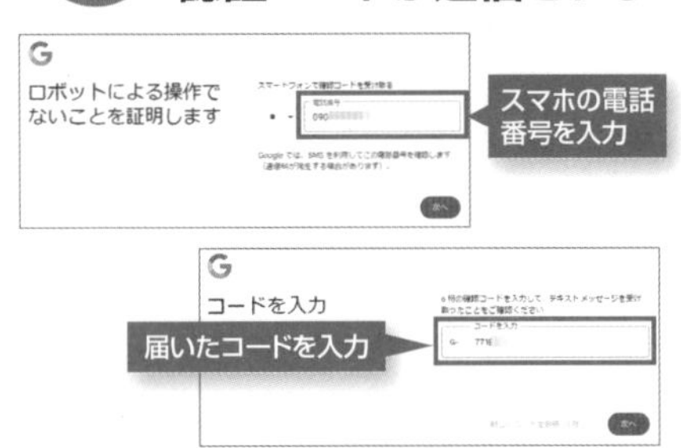

自分のスマートフォンの電話番号を入力して、GoogleからのSMSを受け取ります。SMSが届いたら、文面にある6ケタのコードを次の画面で入力します。

4 再設定用のメールアドレスを準備しておこう

トラブルがあった際に備えて、別に使えるメールアドレスを登録しておきましょう。次の「アカウント情報の確認」→「プライバシーと利用規約」に同意すれば、Googleアカウントが使えるようになります。

5 Googleアカウントが作成されログインした状態になった

無事、Googleアカウントが取得でき、ログイン状態になりました。表示が英語になった場合は、ブラウザーの設定から「言語」→「優先する言語」で日本語を優先にしましょう。

ここがポイント

アイコンはプロフィール画像に変更しておこう

名前が表示されただけのアカウントのアイコンでは味気ないので、プロフィール画像を入れましょう。名前の書かれたアイコンをクリックして、「Googleアカウントを管理」→「個人情報」→「Googleサービスのプロフィール情報」と進み、「基本情報」で画像を追加できます。画像は小さくても判別しやすいものを選びましょう。

プロフィール画像に変更できる

便利なGoogleサービスをご紹介！

① とても便利なメールサービス「Gmail」

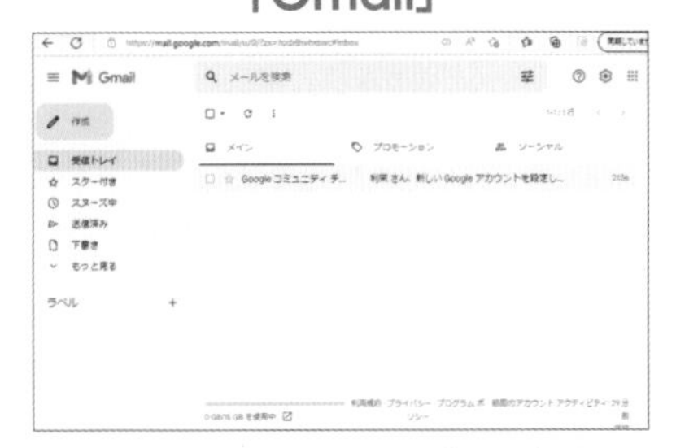

通常のメールアプリとは違って、ブラウザー上ですべての操作が行えるとても便利なメールサービスです。90ページで解説しています。

② 世界中のあらゆる動画が楽しめる「YouTube」

人気の動画サービス「YouTube」は、Googleアカウントでログインして活用するといろいろと便利です。YouTubeは76ページで解説しています。

③ 場所の確認、電車の経路検索などとても便利な「Googleマップ」

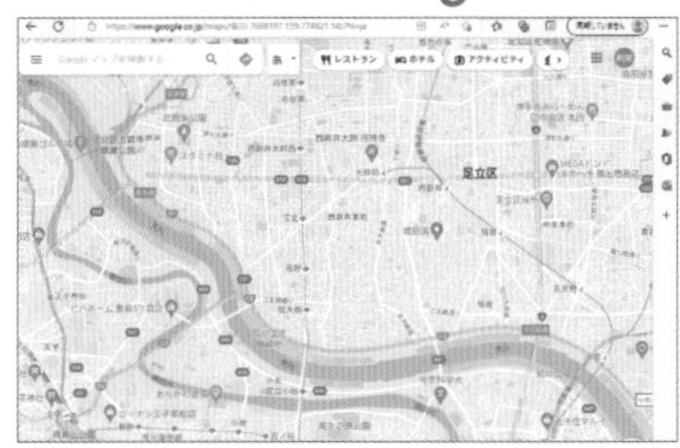

YouTubeと同様に、Googleマップもログインした状態で利用した方が便利です。自分専用に情報を記録できます。80ページで解説しています。

2章

パソコンの基本操作をマスターする

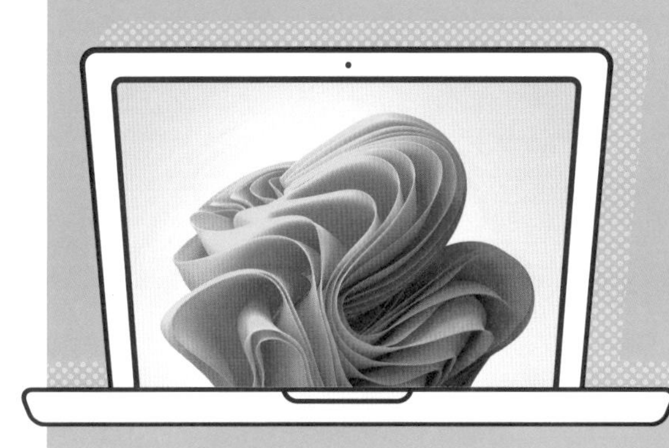

スタートメニューの使い方を理解する

アプリの起動やパソコンの終了操作を行う場所

パソコンを使うときに必ず利用するものは「スタートメニュー」です。スタートメニューとは、テレビやエアコンを操作するリモコンのようなもので、アプリの起動やパソコンの終了、そのほか各種設定を変更するときに使います。

スタートメニューを表示するには、パソコン画面下にある青いWindowsのアイコンをクリックしましょう。パネルが立ち上がり、さまざまなアイコンが表示されます。各アイコンをクリックするとそのアイコンと関連のあるアプリが起動します。インストールしているすべてのアプリもスタートメニューから確認したり、起動することができます。

スタートメニューの下部端には、パソコンの終了や再起動に関する設定メニューがあります。パソコンの電源を切りたいときや、再起動したいときはこの部分を操作するといいでしょう。

スタートメニューの構造を理解しよう

スタートメニューを表示するには、タスクバーにある青いWindowsのアイコンをクリックします。

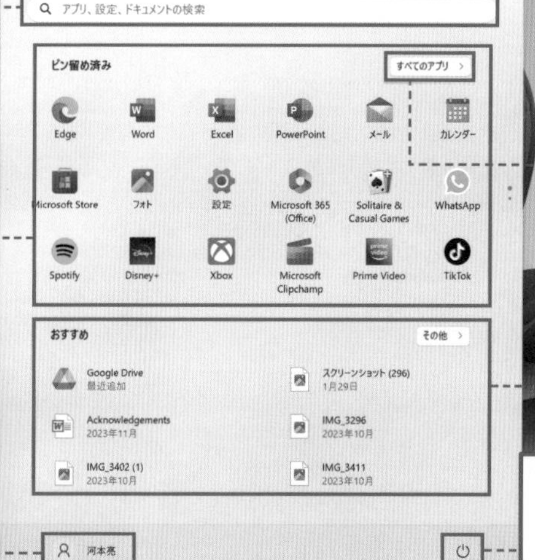

検索
検索したい単語を入力すると検索ウインドウが開きます。

ピン留め済み
よく使うアプリはここにピン留めとして表示されます。

アカウント
ロックやサインアウト、アカウントの変更を行います。

すべてのアプリ
すべてのアプリを表示するにはここをクリックします。

おすすめ
最近使ったアプリやファイルが表示されます。

電源メニュー
パソコンを終了したり、再起動するときはここから行います。

スタートメニューを使ってみよう

1 パソコンにインストールしているアプリを探す

パソコンにインストールしているアプリをすべて表示するには「すべてのアプリ」をクリックします。

2 上下にスクロールしてアプリを探す

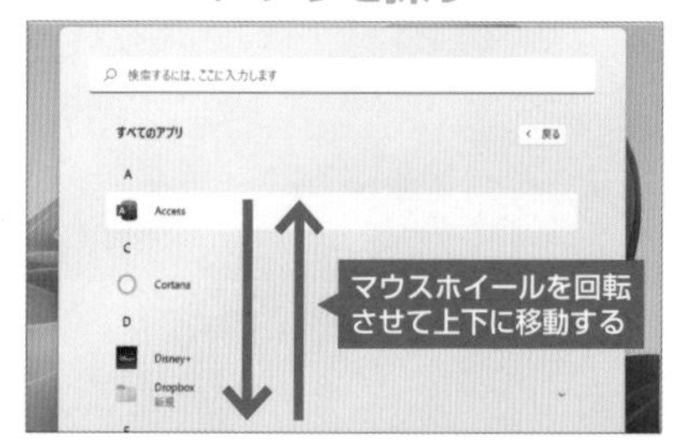

すべてのアプリが一覧表示されます。マウスのホイールを回転させると上下に移動します。目的のアプリを探しましょう。

3 アプリ名をクリックする

目的のアプリを見つけたらクリックします。

スタートメニューのピン留めアプリを変更する

よく使うアプリは「ピン留め済み」に登録しましょう。毎回「すべてのアプリ」から起動する必要はなくなります。逆にほとんど使わないアプリはピン留めから削除しましょう。なお、ピン留めされているアプリの位置は自由に変更することができます。

1 スタートメニューにピン留めする

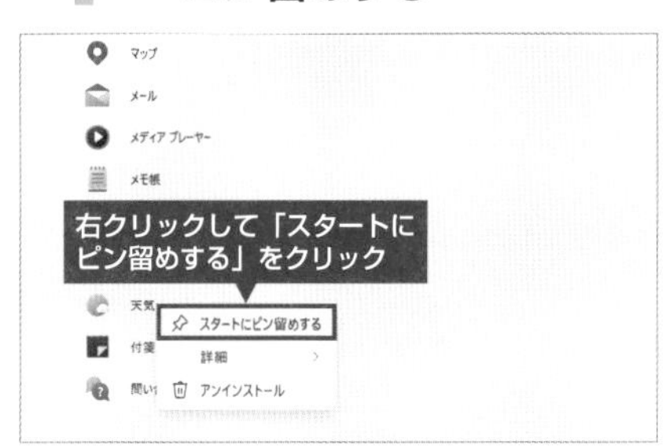

「すべてのアプリ」からピン留めしたいアプリを右クリックし、「スタートにピン留めする」をクリックします。

2 スタートメニューに追加される

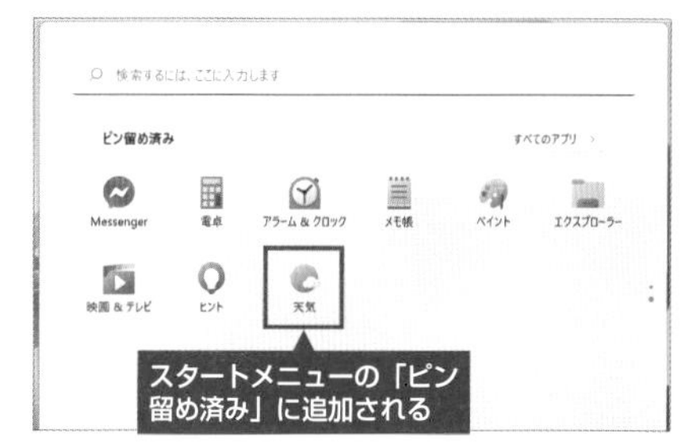

スタートメニューに戻ると、「すべてのアプリ」で選択したアプリが追加されています。

スタートメニューに追加したアプリが見当たらない

初期設定では、たくさんのアプリが「ピン留め済み」に登録されています。そのため、新しくピン留めに追加したアプリは下に隠れて見えなくなっています。マウスホイールを回転させて下に移動すれば見つけられます。

3 ピン留めを外す

「ピン留め済み」から外したい場合は、対象のアプリを右クリックして「スタートからピン留めを外す」をクリックしましょう。

4 アプリアイコンの位置を変更する

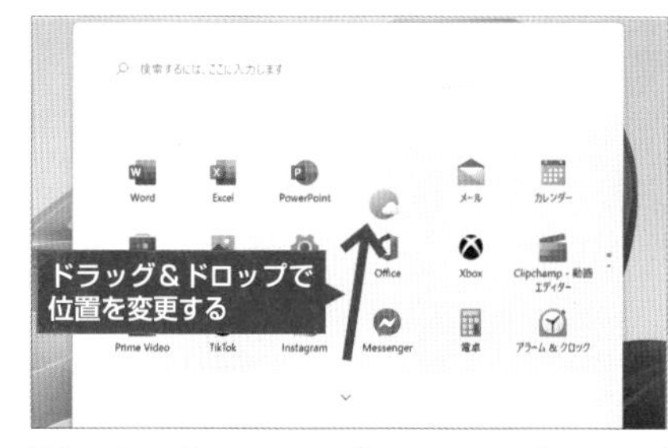

追加したアプリアイコンの位置は、ドラッグ&ドロップで自由に変更できます。

ここがポイント

フォルダーをスタートメニューに追加するには?

スタートメニューの「ピン留め済み」には、アプリだけでなく、特定のフォルダーも登録できます。頻繁にアクセスするフォルダーは登録しておくとスタートメニューから素早く開くことができます。フォルダーをスタートメニューに追加するには、追加したいフォルダーを右クリックし、「スタートメニューにピン留めする」を選択しましょう。

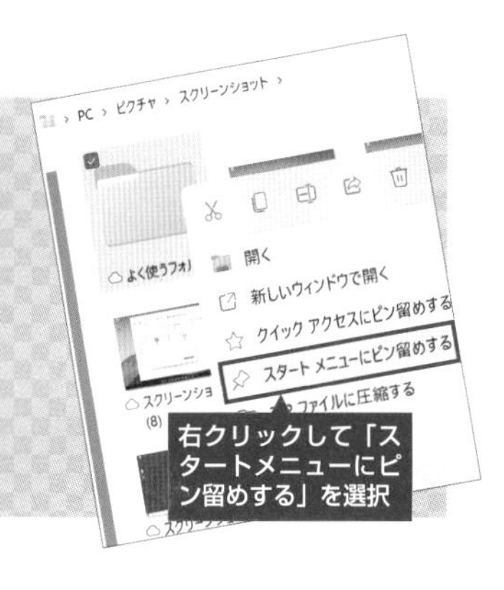

4 アプリが起動する

スタートメニューが閉じて、選択したアプリが起動します。

5 電源ボタンをクリックしてメニューを表示する

パソコンの終了や再起動を行うには、スタートメニュー右下にある電源ボタンをクリックして、メニューから終了方法を選択しましょう。

6 アカウントの設定やロックをする

自分のアカウント名を確認したり、ロックをかける場合は、左下の人形アイコンをクリックしましょう。

ウィンドウの操作方法を学ぼう

パソコンのウィンドウとは?

パソコン上でアプリを開いたり、ファイルを開くと必ず四角い枠の「ウィンドウ」が画面上に現れます。英語の「窓」に似ていることからウィンドウと呼ばれています。ウィンドウをクリックすると、そのウィンドウが画面の最前面に表示され（アクティブウィンドウと言います）、操作することができます。

ウィンドウは机の上に置いてあるノートや本のようなものと思えばよいでしょう。ウィンドウは自由に大きさを変更したり、好きな場所に移動させたり、重ね合わせることができます。また、画面上から隠したり、消したりすることができます。ウインドウの使い方を覚えることでパソコン作業が快適になります。

ウィンドウで重要になるのが、右上に設置されているボタンです。「閉じる」、「最小化」、「最大化」の3つの役割は知っておきましょう。

ウィンドウの構成を理解しよう

タイトルバー
ウィンドウで使用中のファイル名やアプリ名が表示されます。ドラッグするとウィンドウを移動できます。

閉じるボタン
クリックするとウィンドウを閉じて作業を終了します。

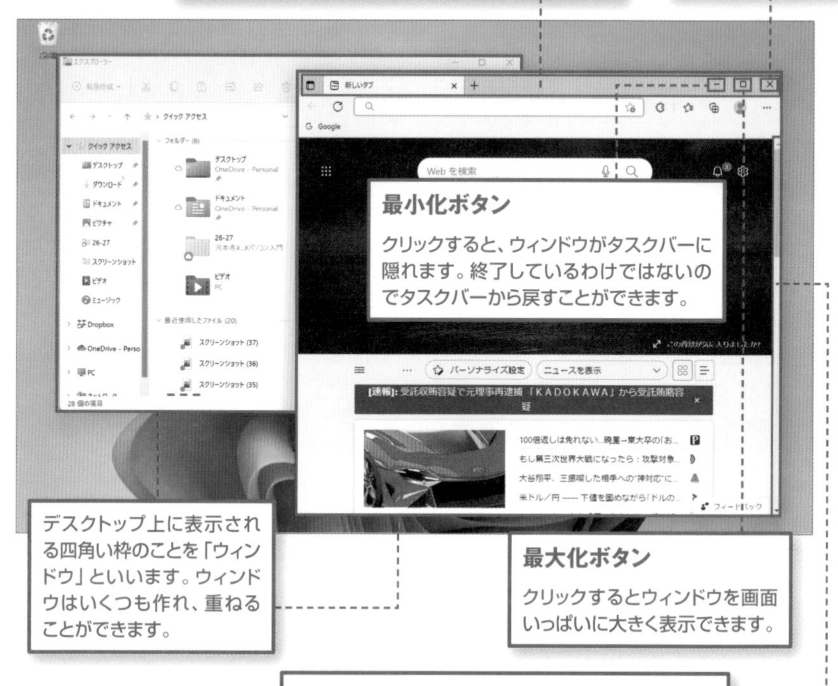

スクロールバー
ウィンドウの中をマウスで移動するときに使います。上下のほかに左右に移動することもできます。

ウィンドウの基本操作をマスターしよう

1 ウィンドウを移動させる

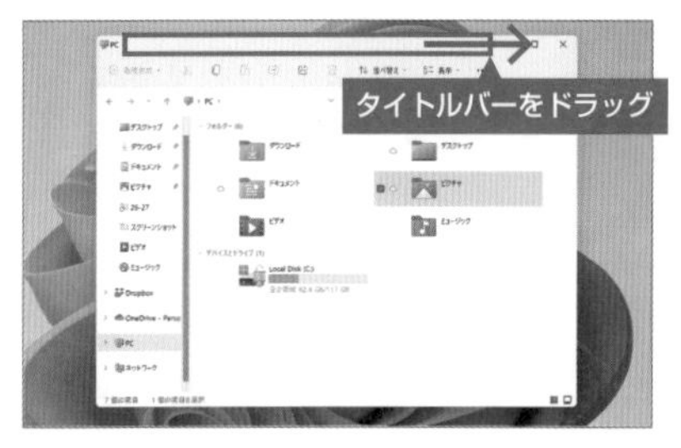

ウインドウを移動するにはタイトルバーを左右上下にドラッグしましょう。

2 ウィンドウの大きさを変更する

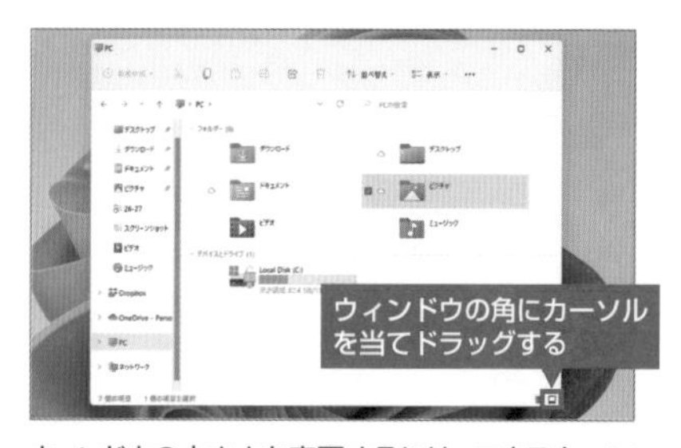

ウィンドウの大きさを変更するには、マウスカーソルをウィンドウの角に当てます。カーソルが矢印に変更したら内側へドラッグしましょう。

3 サイズが変更された

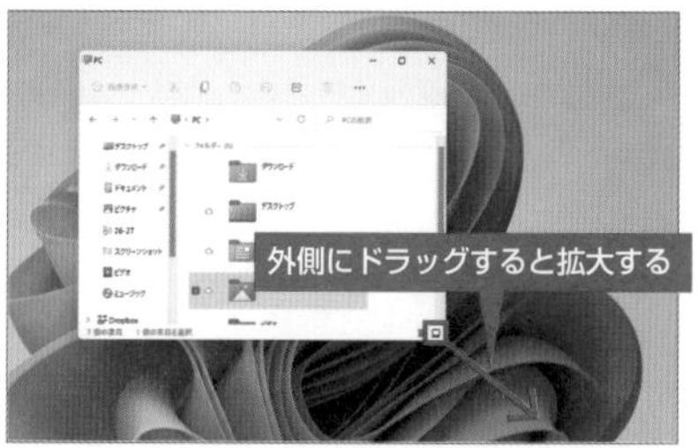

このようにサイズが小さくなります。逆にサイズを大きくするには、ウィンドウの角にカーソルを当て外側にドラッグしましょう。

スナップウィンドウでウィンドウ操作を効率化

Windowsにはウィンドウを見やすい配置に表示してくれる「スナップ」という機能が搭載されています。2つのウィンドウを左右に並べたり、4つのウィンドウを上下左右に4分割してくれます。画面の狭いノートパソコンで利用すると便利です。

1 画面の端にウィンドウをドラッグする

ウィンドウのタイトルバーをクリックし、画面の左右どちらかの端へドラッグします。

2 もう片方のウィンドウを選択する

すると画面のちょうど2分の1のサイズに分割表示されます。続いてもう片方の画面に表示するウィンドウをクリックしましょう。

3 左右にウィンドウが分割表示される

選択したウィンドウがもう片方の画面に分割表示されます。解除するにはタイトルバーをクリックして移動するだけです。

4 ウィンドウを4分割する

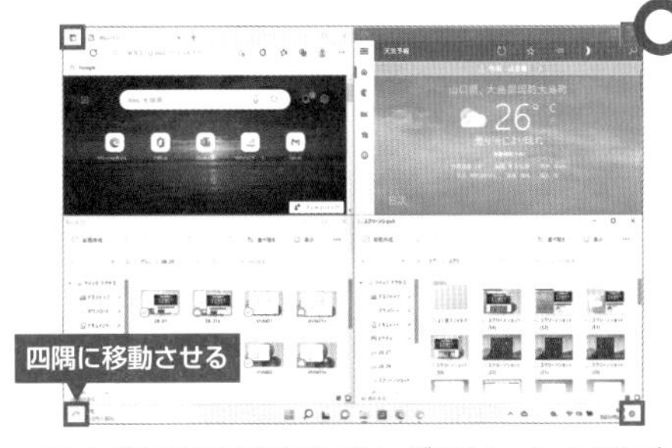

ウィンドウを画面の四隅にドラッグすると、ウィンドウがデスクトップの4分の1の大きさになります。

CHECK!!

最大化ボタンからスナップを起動する

ウィンドウの最大化ボタンにカーソルを当てるとスナップメニューが表示され、分割方法を選択すると素早くスナップで整理ができます。

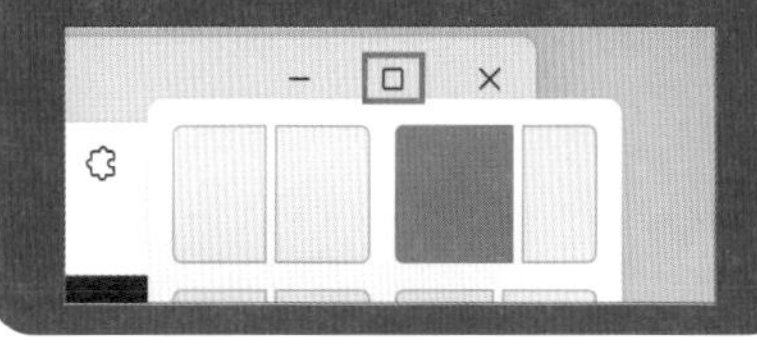

ここがポイント

タスクバーを使ってウィンドウを切り替える?

デスクトップにたくさんウィンドウを開いていると、切り替えに手間がかかります。効率良く切り替えるには、画面下部のタスクバーを利用しましょう。タスクバーにマウスカーソルを当てると、後ろに隠れているウィンドウがサムネイル表示されます。サムネイルをクリックすると切り替えることができます。

4 ウィンドウを最大化する

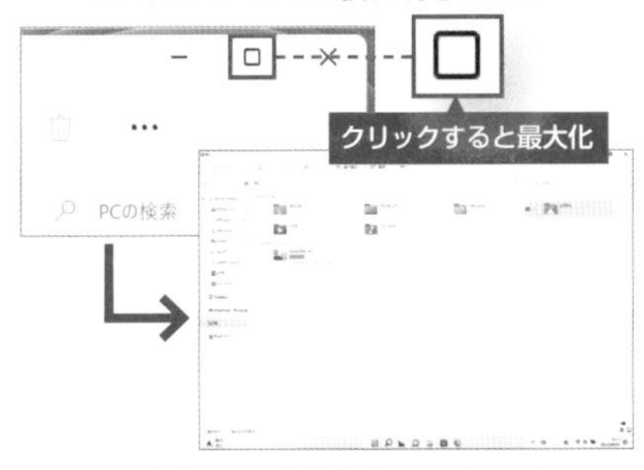

ウィンドウ右上にある最大化ボタンをクリックすると画面いっぱいにウィンドウが拡大されます。元の大きさに戻すにはもう一度最大化ボタンをクリックしましょう。

5 ウィンドウを隠す

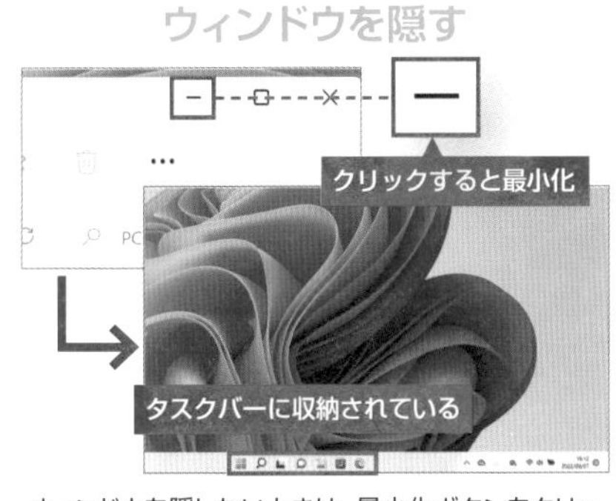

ウィンドウを隠したいときは、最小化ボタンをクリックします。画面から消えますがタスクバーに隠れているだけで終了はしていません。

6 ウィンドウを終了する

ウィンドウの終了ボタンをクリックするとウィンドウが消えます。パソコンの終了と同じで、ウィンドウ上で作業中のデータが消えることがあるので注意しましょう。

タスクバーを使いこなそう

アプリの切り替えを行うのに便利なタスクバー

画面の下部に横長く表示されている帯状の部分を「タスクバー」と言い、ここからさまざまな操作ができます。

タスクバー中央には、スタートメニュー、検索、タスクビュー、Microsoft Storeを起動するアイコンが用意されており、クリックすると起動できます。また、現在起動しているアプリのアイコンが表示されます。アイコンの下に灰色の印が付いているときは起動中であることを示しています。アプリアイコンをクリックするとそのアプリのウィンドウを最前面に表示できます。また、アイコンにカーソルをあてると、そのアプリの内容がプレビューで表示されます。

初期設定では、エクスプローラーやブラウザーなどのアプリがタスクバーに登録されていますが、任意のアプリを登録することもできます。よく使うアプリを登録しておくと、起動が楽になるでしょう。逆にあまり使わないアプリをタスクバーから外すこともできます。

タスクバーの構成を把握しよう

タスクビュー

デスクトップに開いているすべてのウインドウを一覧表示してくれます。仮想デスクトップの管理もできます。

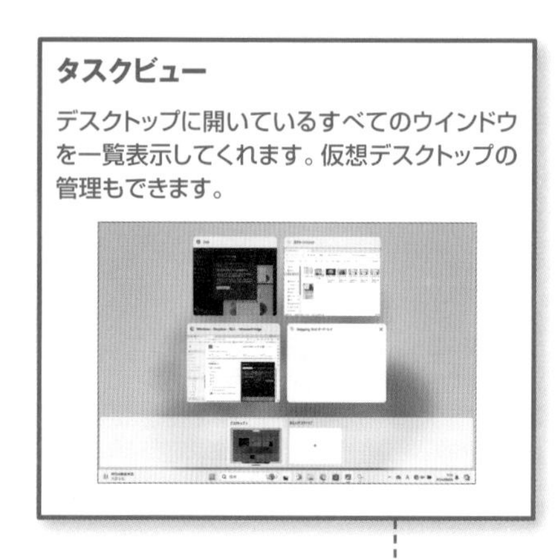

エクスプローラー

クリックするとフォルダーが起動します。マウスカーソルをあてると現在起動している複数のエクスプローラーをサムネイル表示できます。

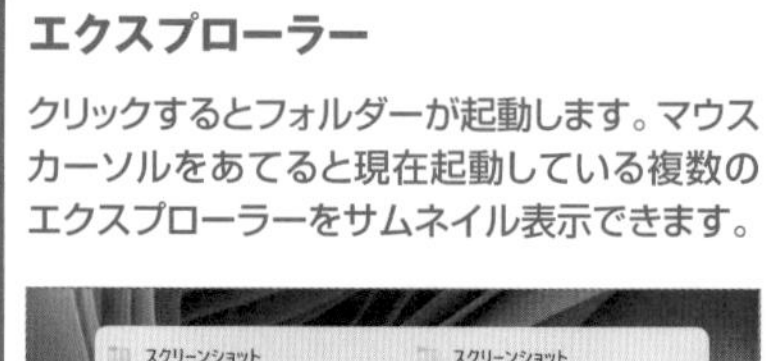

Microsoft Store

Windowsで利用可能なアプリやゲームをダウンロードできます。

検索

クリックすると検索ボックスが表示されるほか、今日のニュースやトレンド情報などが表示されます。

Edge

クリックするとブラウザーアプリ「Edge」が起動します。エクスプローラーと同じく複数起動できます。

スタートメニュー

デスクトップ下部に配置されているのがタスクバーです。タスクバーは常に最前面に表示されており、ウィンドウで隠れることがないのが特徴です。そのため、よく使うアプリやプログラムが配置されています。

タスクバーを使いこなそう

1 アイコンをクリックする

タスクバーに設置されているアイコンをクリックしてアプリを起動してみましょう。ここではEdgeをクリックします。

2 アプリが起動する

Edgeが起動しました。アプリが起動している場合は、アイコンの下に帯状の影が付つきます。

3 プレビュー表示する

タスクバーにあるほかのアプリアイコンにカーソルをあてると、内容がプレビュー表示されます。わざわざウィンドウを起動する必要はありません。

タスクビューでは何ができる?

デスクトップにたくさんのウィンドウが散らかっているときは、タスクビューを使うと便利です。すべてのアプリのウィンドウを一覧表示してくれ、目的のアプリのウィンドウを素早く見つけて切り替えることができます。最小化したり、移動させる手間を省けます。

1 タスクバーから タスクビューを起動する

タスクバーにあるタスクビューアイコンをクリックします。

2 タスクビュー画面に 切り替わる

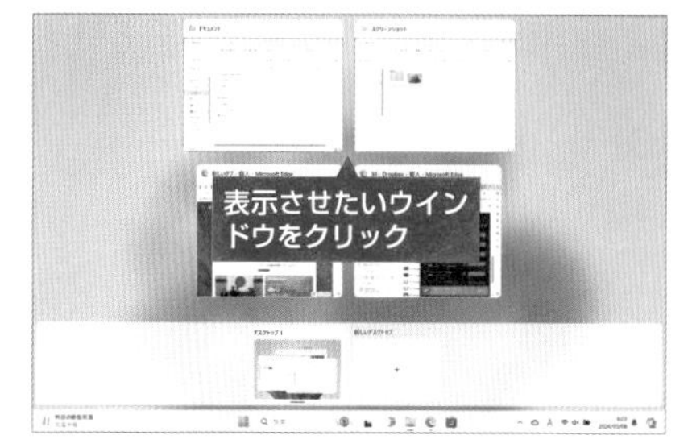

タスクビュー画面が起動して、デスクトップ上にあるウィンドウがすべて表示されます。表示させたいウィンドウをクリックしましょう。

3 ウィンドウが 表示される

選択したウィンドウが表示されます。

4 「Windows」+「Tab」キーで タスクビューを起動する

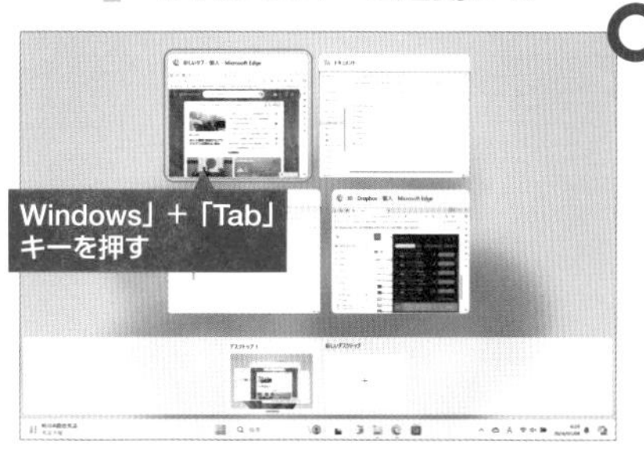

タスクビューは「Windows」+「Tab」キーを同時に押しても起動できます。覚えておくと便利なショートカットキーです。

CHECK!!

「Alt」+「Tab」キー ウィンドウを切り替える

「Alt」+「Tab」キーを同時に押すと、タスクビューと同じく開いているウインドウが一覧表示されます。この画面では、「Tab」キーを押すごとに次のウィンドウに切り替わり、キーから指を離すとそのウィンドウが表示されます。

ここがポイント

タスクバーの位置を変更する

初期設定では、タスクバーはデスクトップの下部中央に表示されていますが、画面下左に位置を変更することができます。スタートメニューから「設定」→「個人用設定」→「タスクバー」と進み、「タスクバーの動作」を開き、でタスクバーの位置を選択しましょう。タスクバーを右クリックして「タスクバーの設定」からでも変更できます。

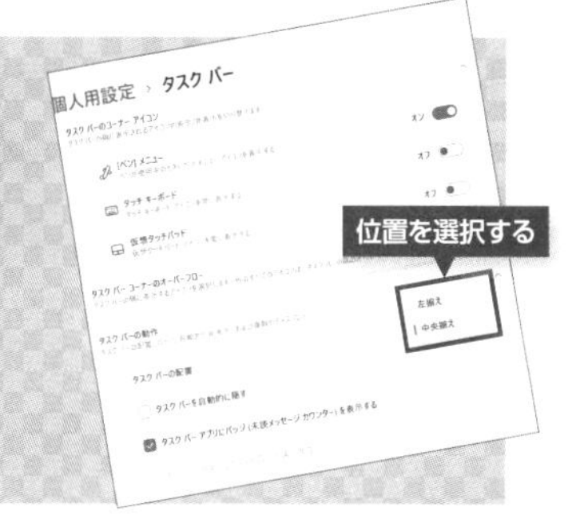

4 タスクバーにアプリを追加する

タスクバーにアプリを追加するには、スタートメニューから対象のアプリを右クリックし、「タスクバーにピン留めする」をクリックします。

5 タスクバーからアイコンを外す

タスクバーから不要なアイコンを外したい場合は、アイコンを右クリックして「タスクバーからピン留めを外す」をクリックします。

6 アイコンの位置を変更する

タスクバーのアイコンを左右にドラッグするとアイコンの位置を変更できます。

ファイルやフォルダーの操作を学ぼう

ファイル操作はエクスプローラーを使う

パソコン操作の基本となるのがファイルやフォルダーの操作です。Windowsではファイルやフォルダーの操作を「エクスプローラー」というアプリを使って行ないます。エクスプローラーは画面下部にあるタスクバーにある黄色のアイコンをクリックすると起動します。

エクスプローラーを起動すると画面左側に「ダウンロード」「ドキュメント」「ピクチャ」などさまざまなカテゴリのフォルダーが表示され、クリックすると画面右側にフォルダーの中身を表示できます。パソコン操作の基本は、このフォルダー内にさまざまなファイルを保存して管理することです。フォルダーは自分で新しく作ることができ、フォルダーに対して好きな名称をつけることもできます。また、フォルダー内にフォルダーを作ることができるので、階層構造にして、細かくファイルを分類できます。

エクスプローラーの画面構成

パスバー
現在開いているフォルダーの場所や階層が表示されます。階層をクリックするとその階層を開くことができます。

ツールバー
エクスプローラーの設定変更や、ファイルのコピー、貼り付け、名称の変更などのファイル操作がここからできます。

検索ボックス
キーワードを入力すると、現在開いているフォルダー内からキーワードと関連のあるファイルを検索してくれます。

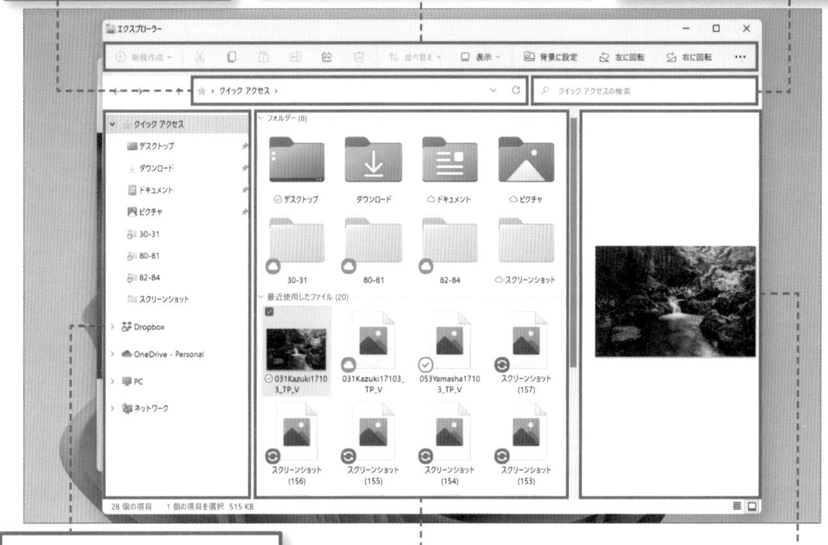

ナビゲーションウィンドウ
よく使うフォルダーやパソコンに接続しているデバイス、クラウドサービス、ネットワークフォルダなどが表示され、クリックするとその場所を開くことができます。

ファイル・フォルダー
現在開いているフォルダの中身が表示されます。下部では最近開いたファイルが表示されます。

プレビューウィンドウ
選択したファイルの内容をプレビュー表示できます。わざわざファイルをダブルクリックして開く必要はありません。

さまざまなファイル操作をしよう

❶ エクスプローラーを開く

タスクバーのエクスプローラーのアイコンをクリックすると、エクスプローラーが起動します。

❷ フォルダーを開く

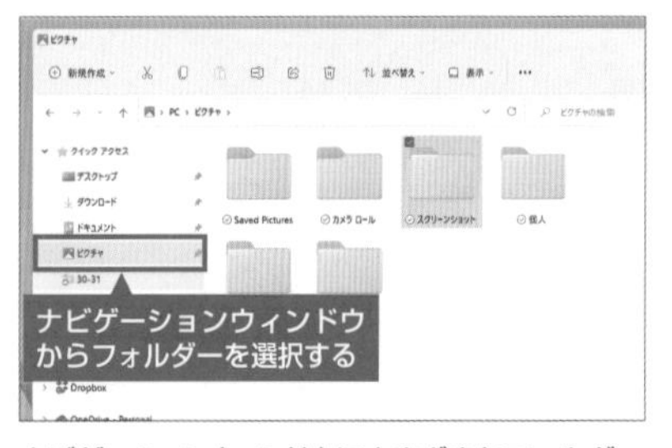

ナビゲーションウィンドウにさまざまなフォルダーが表示されます。ここでは「ピクチャ」フォルダーをクリックします。すると「ピクチャ」フォルダーが表示されます。

❸ ファイルを開く

フォルダー内にさまざまな写真が入っています。クリックするとプレビューウィンドウに表示されます。ダブルクリックするとアプリで起動します。

フォルダーの表示形式を理解する

エクスプローラーでは、ファイルやフォルダーの表示形式を変更することができます。状況によって使い分けることで、目的のファイルやフォルダーが見つけやすくなります。たとえば、写真や動画を探す場合は、「特大アイコン」にすれば、起動しなくても中身が確認でき便利です。

1 表示形式を変更する

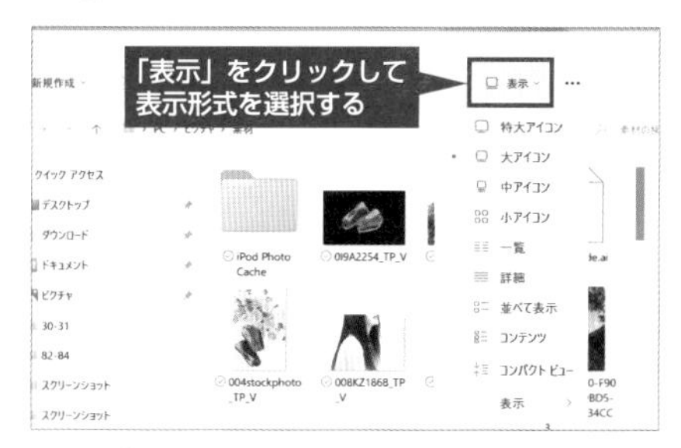

フォルダーのツールバーの表示をクリックします。さまざまな表示形式が一覧表示されるので、利用したい表示形式を選択しましょう。

2 特大アイコンに変更

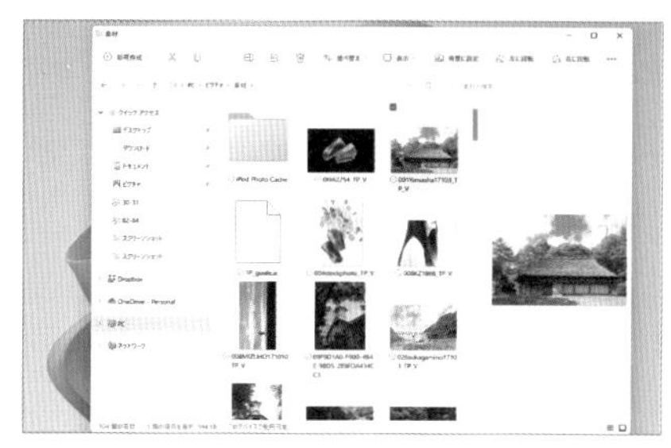

「特大アイコン」に変更するとファイルアイコンが大きくなるだけでなく、写真や動画であれば内容を確認することができます。

3 詳細表示に変更

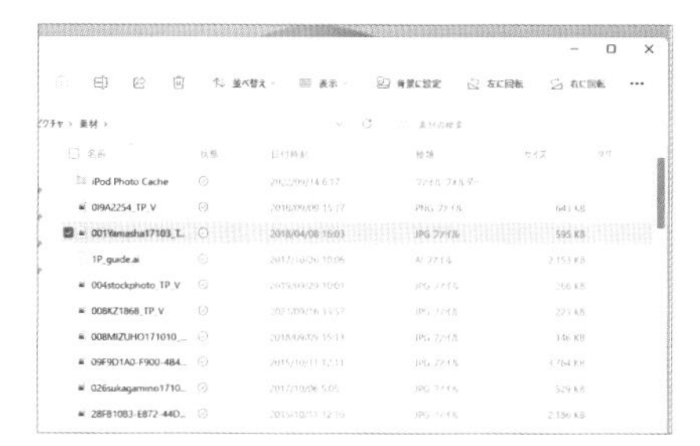

「詳細」表示に変更すると、縦一列にファイル名が表示されるだけでなく、作成日付やサイズ、ファイルの種類などの情報も表示してくれます。

4 選択した項目を優先して並び替える

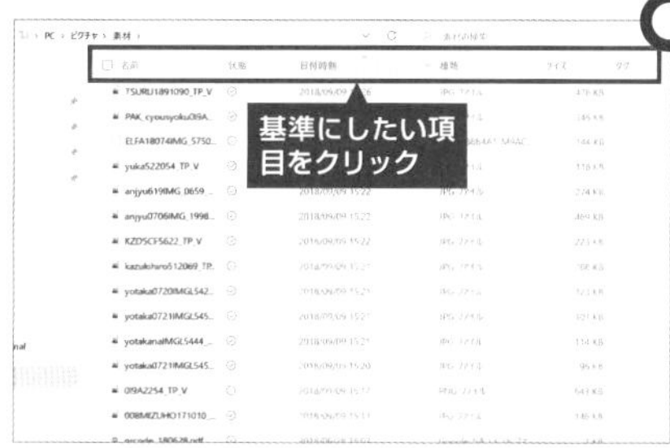

詳細表示で、各項目をクリックすると、その項目を基準にファイルが並び替えられます。

CHECK!!

開きたいウインドウを表示させるには？

ツールバーの「表示」メニュー一番下にある「表示」を開くと、ナビゲーションウィンドウやプレビューウィンドウなど、エクスプローラーの各ウィンドウの表示・非表示の切り替えができます。

ここがポイント

複数のファイルを選択するには？

並んでいる複数のファイルを選択してまとめてコピー、移動、削除したい場合はマウスカーソルをドラッグして範囲選択しましょう。また、ファイルのクリックして、別のファイルを「Shift」キーを押しながらクリックすると2つのファイル間にあるファイルをまとめて選択できます。離れた場所にある複数のファイルを選択したい場合は「Ctrl」キーを押しながら、それぞれのファイルをクリックしていけば選択した状態になります。

4 ファイルを削除する

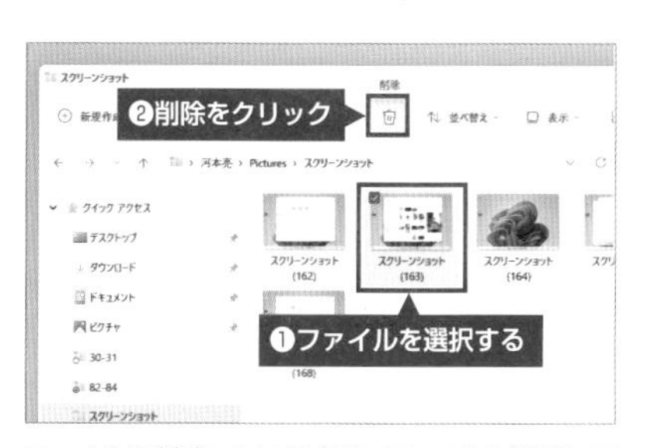

ファイルを削除したい場合は、ファイルを選択してツールバーから「削除」を選択しましょう。

5 ゴミ箱を開く

削除したファイルを元に戻すにはデスクトップ左上にある「ごみ箱」をダブルクリックします。

6 ファイルを復元する

削除したファイルが表示されます。復元したいファイルを選択し、ツールバーから「元に戻す」をクリックしましょう。

フォルダーでファイルを上手く整理しよう

ファイルを整理するのに欠かせないのがフォルダーです。パソコン上にファイルがたくさん増えてきたら、フォルダーを作って分類しましょう。ここでは、フォルダーの作成方法や基本的な使い方を解説します。

1 フォルダーを新規作成する

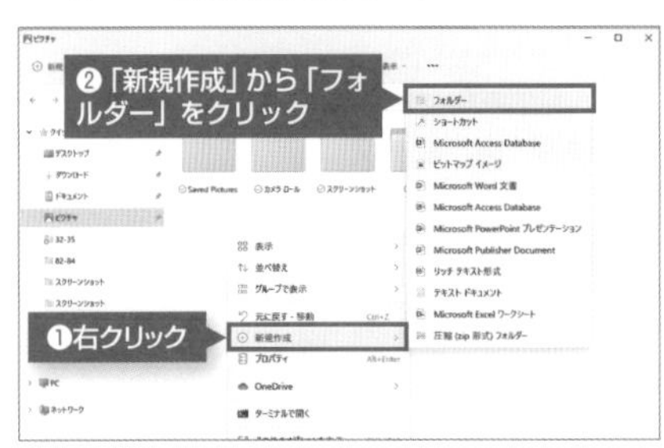

エクスプローラーでフォルダーを作成するには、作成したい場所で右クリックし、メニューから「新規作成」→「フォルダー」をクリックします。

2 フォルダーに名前を付ける

「新しいフォルダー」という名称のフォルダーが作成されます。フォルダー名を入力しましょう。

3 そのほかのフォルダー作成方法

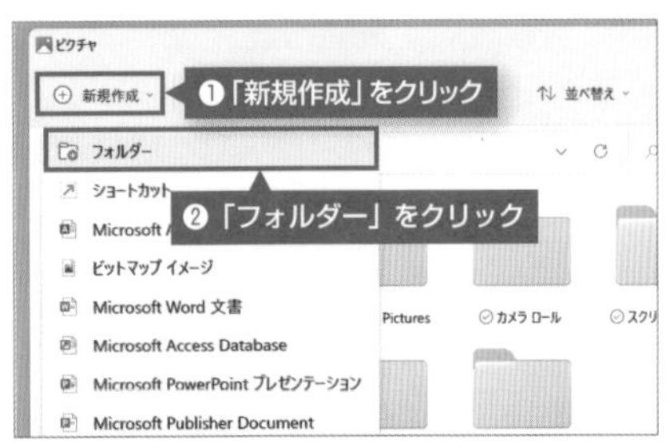

エクスプローラーのツールバー左上にある「新規作成」ボタンや、ショートカットキー「Ctrl + Shift + N」からでも新規フォルダーの作成ができます。

4 フォルダーの名前を変更する

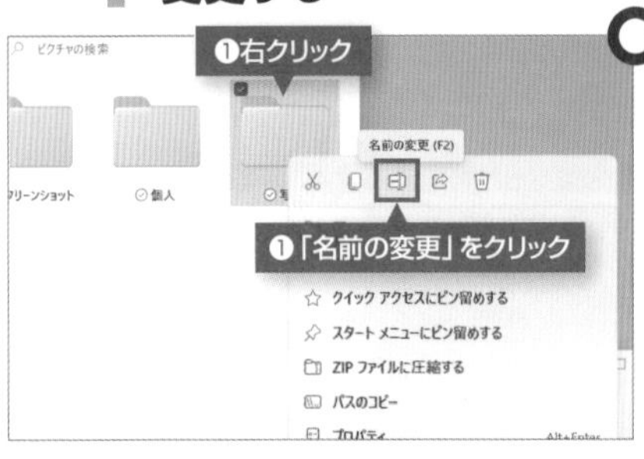

フォルダーの名称を変更するには、フォルダーを右クリックして「名前の変更」ボタンをクリックしましょう。

CHECK!!

ファイルやフォルダーにつけられない文字

Windowsでは、ファイル名やフォルダー名に使うことのできない文字が存在します。以下の文字の半角は使用できません。

¥	円記号
/	スラッシュ
:	コロン
*	アスタリスク
?	クエスチョンマーク、疑問符
"	ダブルクォーテーション
<>	不等号
|	縦棒

ここがポイント

よく使うフォルダーをわかりやすい位置に置くには？

毎日使うようなフォルダーは、エクスプローラーの「クイックアクセス」に登録しましょう。エクスプローラー左のナビゲーションウィンドウの「クイックアクセス」に追加され、いつでも素早くアクセスできます。登録するには、対象のフォルダーを右クリックして「クイックアクセスにピン留めする」を選択しましょう。

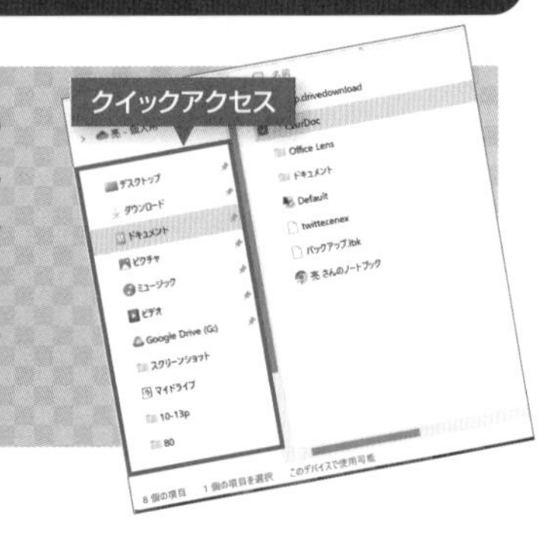

ファイルの移動とコピーの違いを理解しよう

パソコンでファイルを移動する方法は、「移動」と「コピー」の2種類があります。「移動」はファイルを別の場所に移動しますが、「コピー」は元の場所にファイルを残したまま、別の場所にもファイルを「貼り付け」て複製することができます。

1 ファイルを移動する

ファイルを移動する場合は、ファイルを選択して移動したい場所にドラッグ&ドロップしましょう。

2 ファイルをコピーする

移動ではなくコピーしたい場合は、ファイルを右クリックして「コピー」を選択します。

使いたいファイルを検索するには?

保存したファイルの場所がわからなくなったときは「検索」機能を利用しましょう。ファイルに関するキーワードを入力することで、該当するファイルを一覧表示してくれます。検索機能はスタートメニューやエクスプローラーから利用できます。

1 スタートメニューから検索をクリック

スタートメニューから検索アイコンをクリックし、タスクバー上の検索ボックスにキーワードを入力します。

2 ファイルの候補が表示される

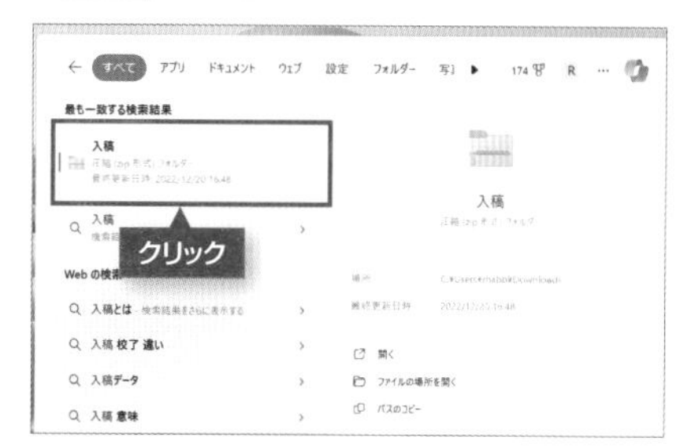

キーワードと関連のあるファイルやフォルダーが表示されます。該当すると思われるファイルやフォルダーをクリックしましょう。

3 ファイルの保存場所が開く

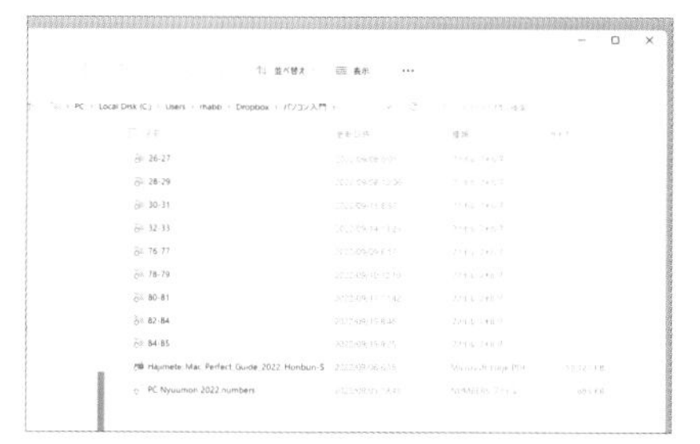

ファイルが直接開きます。フォルダーの場合はフォルダーが開きます。

4 ファイルの場所を開く

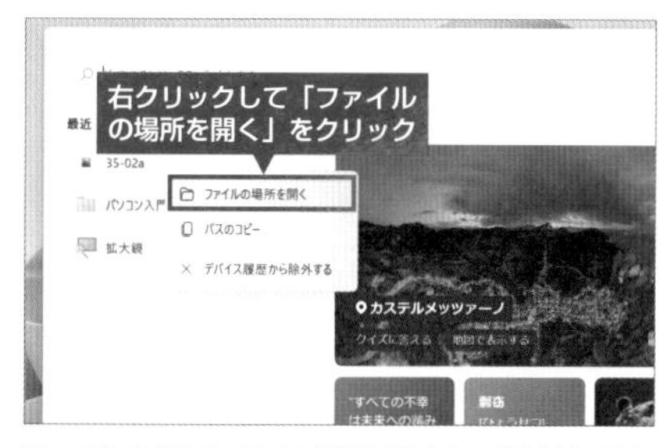

ファイルの保存している場所を開きたい場合は、検索結果画面で右クリックして「ファイルの場所を開く」を選択しましょう。

5 エクスプローラーから検索する

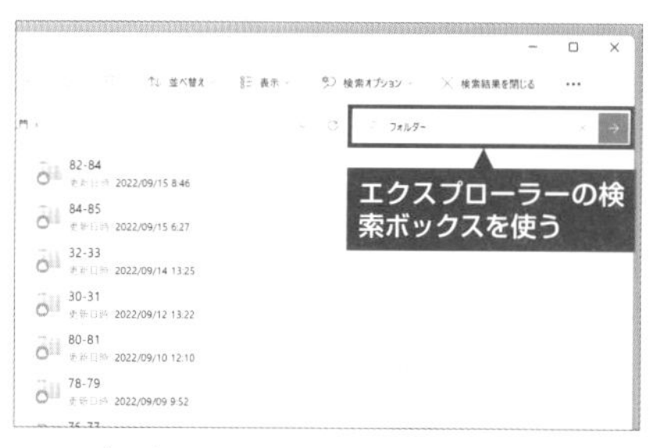

フォルダー内にあるファイルを検索したい場合は、エクスプローラー右上にある検索ボックスから探しましょう。

ここがポイント

最近使用したファイルから探す

ごく最近作ったばかりのファイルの保存場所がわからない場合は、ナビゲーションウィンドウの「ホーム」を開いてみましょう。「最近使用したファイル」の下に表示される一覧に、探しているファイルの名前がある可能性があります。

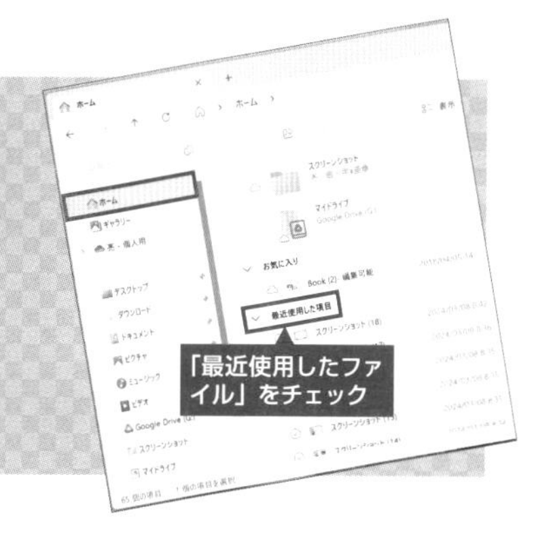

3 ファイルを貼り付ける

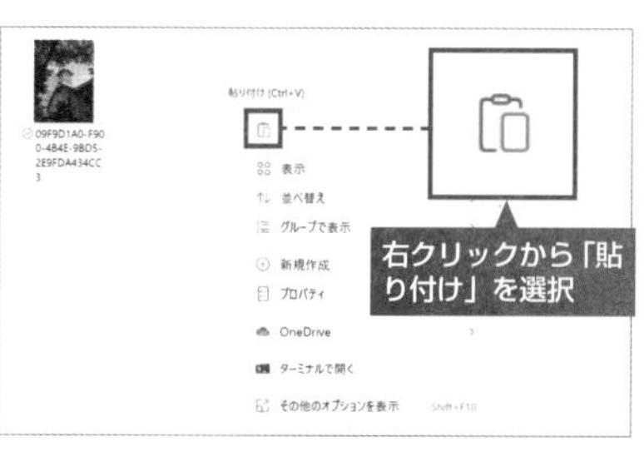

ファイルをコピーしたい場所で右クリックして、メニューから「貼り付け」を選択しましょう。

4 ファイルがコピーされた

元の場所にファイルを保存したまま、ファイルを複製することができました。

CHECK!!

ショートカットを覚えるとコピー&ペーストが楽になる

ファイル上で「Ctrl + C」を同時に押すと、ファイルのコピー、その後、移動先のフォルダ上で「Ctrl + V」を同時に押すと貼り付けできます。覚えておくことでファイル操作がかなり楽になります。

ファイルの拡張子と圧縮・展開をマスターする

拡張子は基本的に表示させた方が便利

パソコンでは画像、動画、文書などさまざまなファイルがありますが、ファイルの種類ごとに決められた拡張子が付けられています。たとえば、写真であれば「.jpg」や「.png」といったように「.（ピリオド）」で区切られた拡張子が付けられています。

拡張子は、初期状態では非表示になっていることがあります。拡張子を表示するようにしておけば、各ファイルが何のファイルかファイル名を見ただけでわかりようになります。表示できるようにしておきましょう。

また、ファイルの拡張子がわかれば、対応アプリも見つけやすくなります。Windowsでは通常、ファイルをダブルクリックすると、その拡張子に対応したアプリが自動的に起動しますが、対応アプリがインストールされていない場合は、拡張子情報を元に、自分で対応アプリを探す必要があります。

■拡張子はファイルの末尾に付けられている

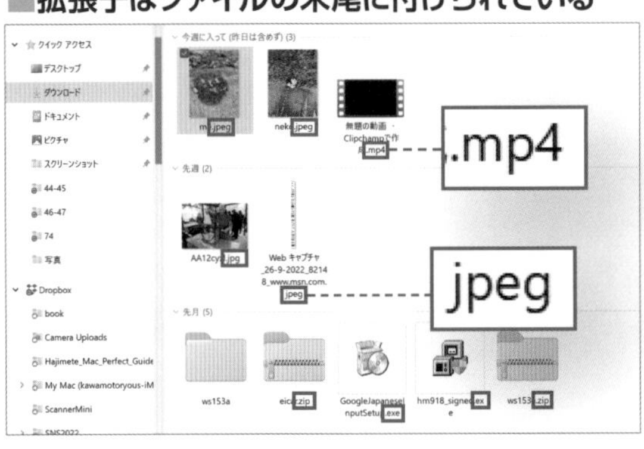

拡張子は、ピリオドで区切られてファイルの末尾に付けられています。なお、フォルダーには拡張子はありません。

■ファイルの種類を確認する

表示形式を「詳細」に変更すれば拡張子の種類がわかります。

パソコンで見かけるおもなファイル形式

jpg(jpeg)	画像で使われるファイル形式でファイルサイズが小さいことで知られています。
png	画像で使われるファイル形式でファイルサイズが大きくなりますが画質が良いです。
gif	数秒のアニメーション動画に使われる画像ファイルです。
mp3	音声で使われるファイル形式でファイルサイズが小さいことで知られています。
mpg(mpeg)	動画で使われるファイル形式でファイルサイズが小さいことで知られています。
txt	文字（テキスト）で使われるファイル形式でメモ帳で開くことができます。

ファイルの拡張子を表示させる

1 「表示」をクリック

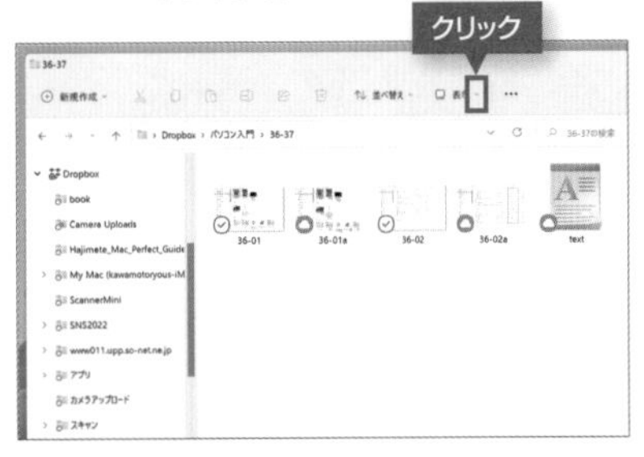

拡張子を表示させるには、エクスプローラーを起動し、「表示」横の「↓」をクリックします。

2 「ファイル名拡張子」をクリック

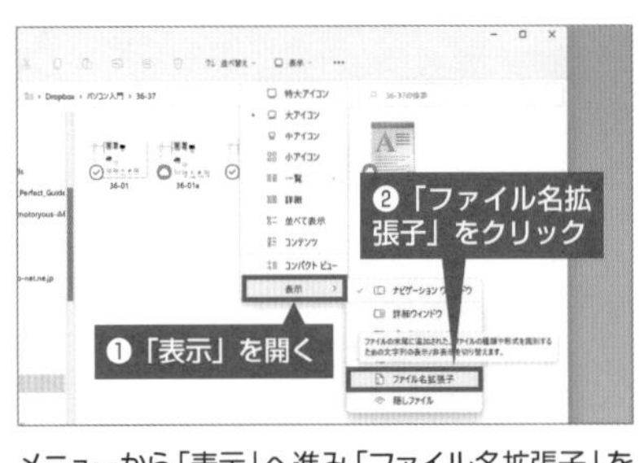

メニューから「表示」へ進み「ファイル名拡張子」をクリックします。

3 拡張子が追加される

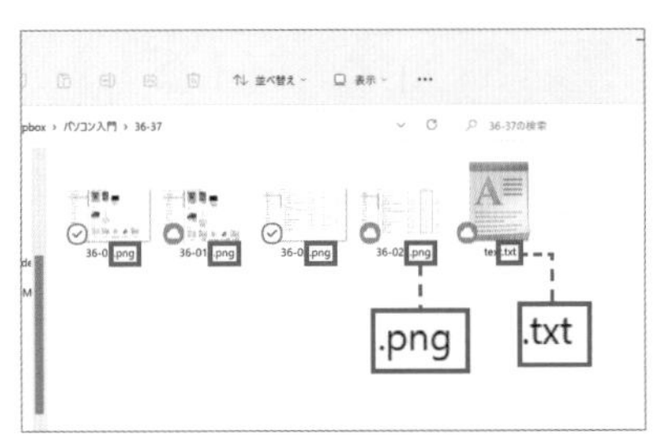

ファイル名の後に拡張子が追加表示されます。

ファイルの圧縮・展開も理解しておこう

「.zip」と呼ばれるファイル形式は圧縮ファイルと呼び、サイズの大きな写真や複数のファイルを1つにまとめるときに使われます。圧縮ファイルは「展開」という操作を行うことで、中にあるファイルを取り出すことができます。

1 圧縮ファイルをクリック

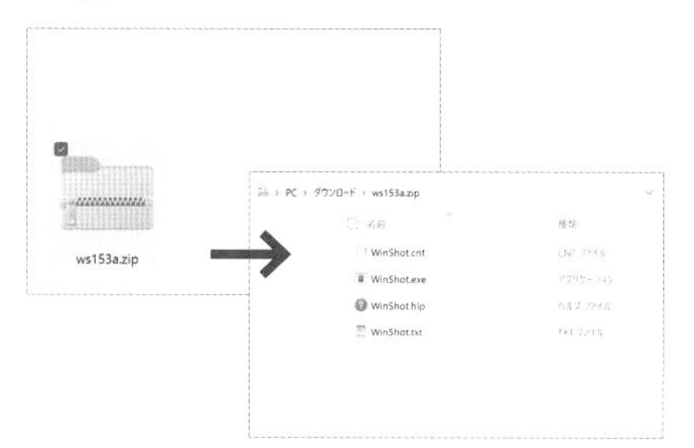

zip形式のファイルはフォルダにチャックが付いたアイコンが特徴です。クリックすると中に入っているファイルが一覧表示されます。

2 中のファイルをクリック

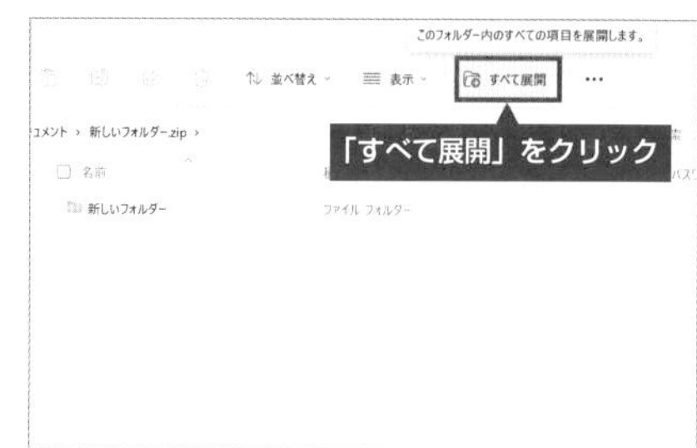

圧縮ファイルを展開するには、そのファイルを選択した状態でエクスプローラー右上の「すべて展開」をクリックしましょう。

3 展開先フォルダを選択する

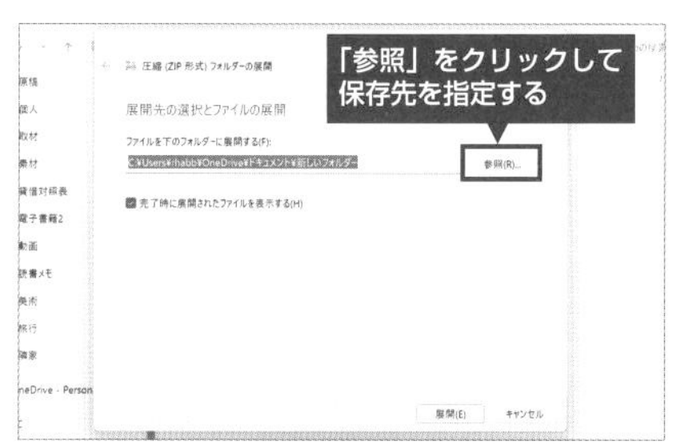

「参照」をクリックして圧縮フォルダ内にあるファイルを保存する場所を指定しましょう。

4 「展開」を実行する

最後に「展開」をクリックすると、ファイルが展開されます。

CHECK!!

ファイルを圧縮するにはどうすればいい？

圧縮ファイルを作成するには、圧縮したいファイルかフォルダーを右クリックして「ZIPファイルに圧縮する」をクリックしましょう。元のファイルと同じ場所に、圧縮ファイルが作成されます。

ここがポイント

メールで受け取った圧縮ファイルを展開したら文字化けした

圧縮ファイルを展開すると中身のファイルが文字化けして閲覧できないことがあります。そんなときは、Windows標準の展開作業を行わず別の解凍ソフトを利用しましょう。解凍ソフトはいろいろありますがおすすめは「CubeICE」です。ファイルを展開するときに起きがちな文字化けを防いでくれます。CubeICEは公式サイトから無料でダウンロードできます。

アプリのインストールは46-47ページで解説！

ZIP形式以外のファイルを展開するには？

圧縮ファイルの大半は「.zip」形式ですが、そのほかにも圧縮形式はいろいろ存在します。.zip以外の圧縮形式のファイルを受け取った場合、対応するアプリをインストールする必要があります。「.rar」や「.7z」といった圧縮ファイルはCubeICEを使うことで展開できます。

1 CubeICEの初期設定

CubeICEをインストールするとこのような初期設定画面が現れます。基本はそのまま「適用」をクリックすれば設定完了です。

2 圧縮ファイルをダブルクリック

圧縮ファイルのアイコンがCubeICEに変更します。ダブルクリックすれば自動的にCubeICEで展開することができます。

文字入力のやり方を学ぶ

日本語入力するには「かな入力」と「ローマ字入力」

パソコンで文字を入力するにはキーボードを使います。キーボードで日本語を入力する方法は、「かな入力」と「ローマ字入力」の2種類あります。

「かな入力」は、キーの上に書かれている「あ」「い」「う」などのひらがなを押すと、そのまま入力できる入力方法です。初めてパソコンを利用する人にとっては使いやすいでしょう。しかし、たくさんのキーの場所を覚える必要があったり、記号の入力が難しかったり、パソコンに慣れると不便を感じます。

「ローマ字入力」は、「A」・「B」「C」などのアルファベットを使って日本語入力する方法です。1つの文字を打つのに「かな入力」より時間がかかりますが、使うキーの数が少なく、キーの場所を覚えやすいのが特徴で、慣れれば「かな入力」より素早くできるようになります。こちらの入力方法がパソコンでは一般的です。

初心者が覚えておきたいキーボードの部位

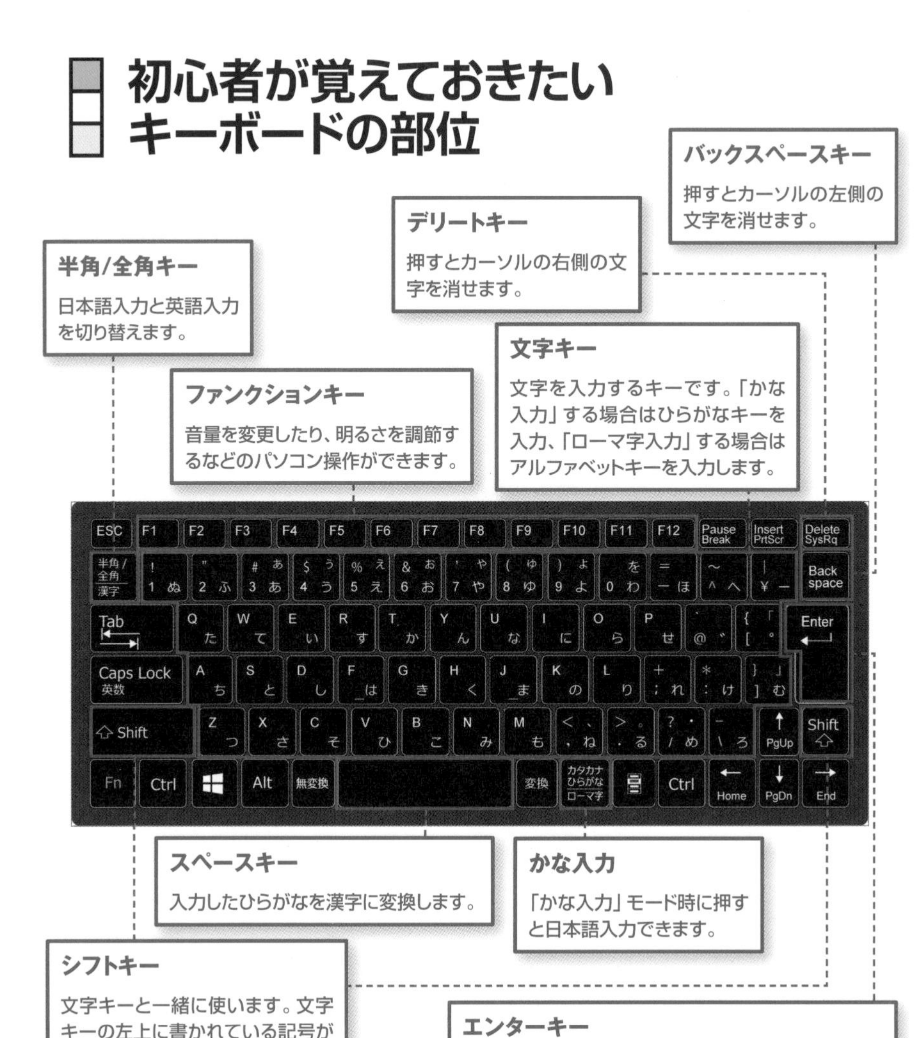

ローマ字入力で文字を入力する

1 ローマ字入力に切り替える

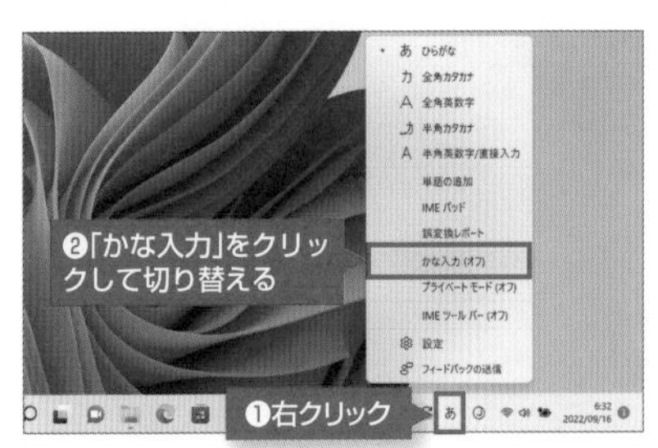

ローマ字入力に切り替えをするには、タスクバーの文字入力アイコンを右クリックし「かな入力」をクリックして「かな入力(オフ)」の状態にしましょう。

2 ローマ字で日本語入力できるようにする

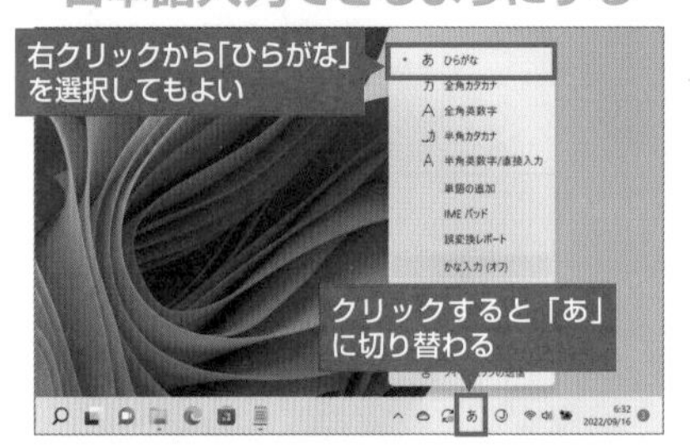

次に「a」と入力して「あ」と日本語変換できるようにします。文字入力アイコンをクリックして「あ」に切り替えるか、右クリックして「ひらがな」にチェックを入れましょう。

3 試しに文字入力してみよう

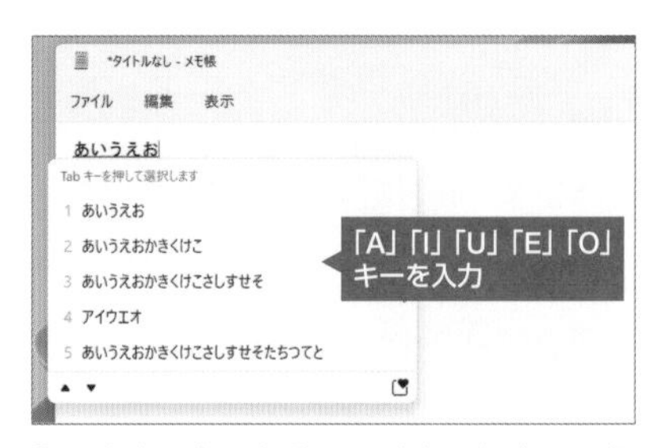

「メモ帳」アプリを起動して、文字入力ができる場所をクリックして、文字入力してみましょう。「あいうえお」と入力するには「A」「I」「U」「E」「O」キーを入力しましょう。

ひらがなで入力後 漢字や文章に変換する

ひらがなで入力していると文字の下に下線がつきます。これは文字入力が終わっていないことを示します。また、入力中に漢字、カタカナなどの候補文字が表示されます。候補文字を選択して、Enterキーを押すことで入力が完了します。

1 入力文字の下に下線が付く

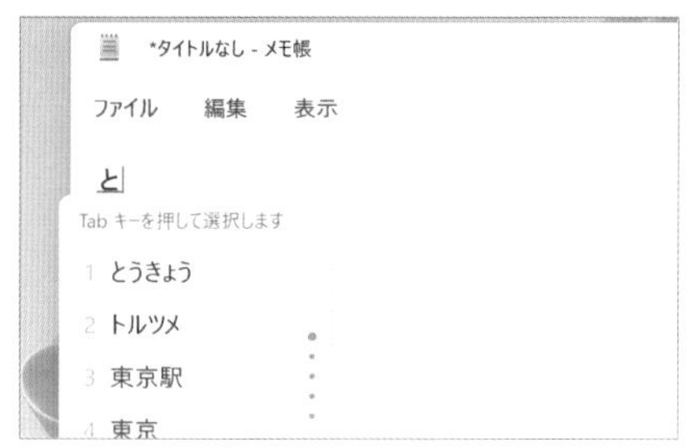

ひらがなで入力すると下線が付き候補文字が表示されます。この状態はまだ入力を終えていません。

2 入力を終えるところまで続ける

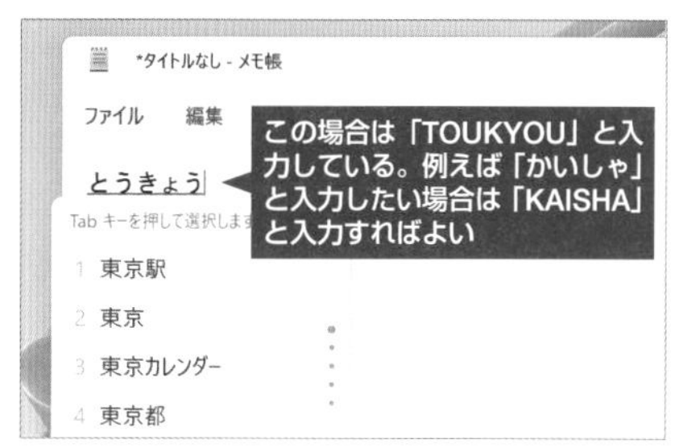

続けて入力したい文字を入力します。入力を終了したいところまできたら「Enter」キーを押します。

---

3 入力の完了

入力が完了すると下線が消えます。

4 候補文字に変換する

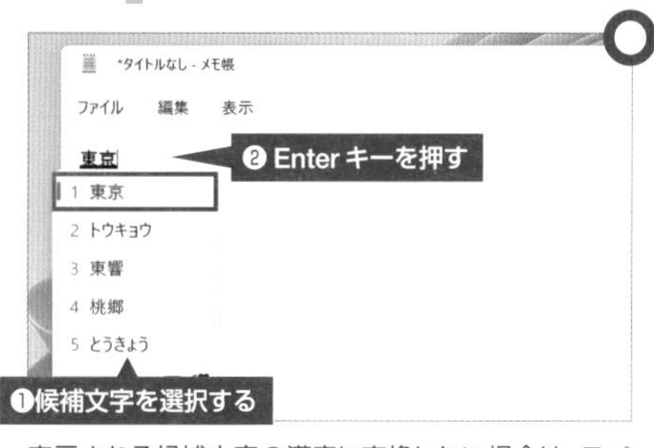

表示される候補文字の漢字に変換したい場合は、スペースキーや矢印キーで文字を選択してから「Enter」キーを押しましょう。

CHECK!!

一度確定した入力内容を変換しなおす

入力候補文字を間違えて選択して確定しまった場合は、間違った箇所をマウスでドラッグして範囲選択します。その後、スペースキーを押すと、再度変換することができます。

ここがポイント

おかしくなったキー入力をもとに戻す

大きいキーボードは右側にテンキー（数字を入力できる）がついていますが、テンキーを押しても数字を入力できない場合、NumLockが無効になっている可能性があります。「NumLock」キーを押して有効にしましょう。有効かどうかは、通常、テンキーの上部付近にあるランプで確認できます。

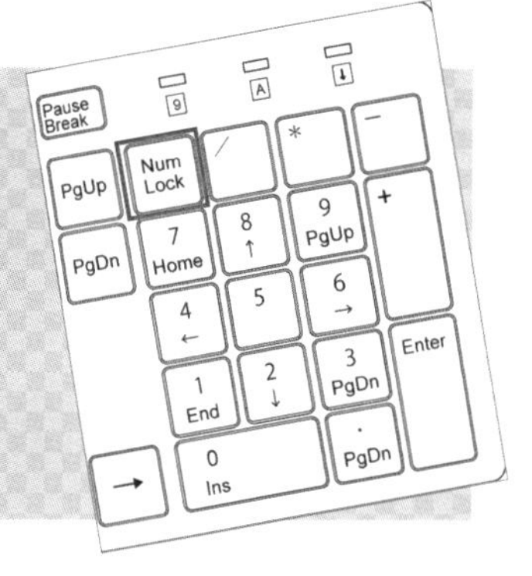

4 数字や英語で入力をするには

英語や数字を入力する場合は、文字入力アイコンをクリックして「A」に切り替えるか、右クリックして「半角英数字/直接入力」にチェックを入れましょう。

5 試しに文字入力してみよう

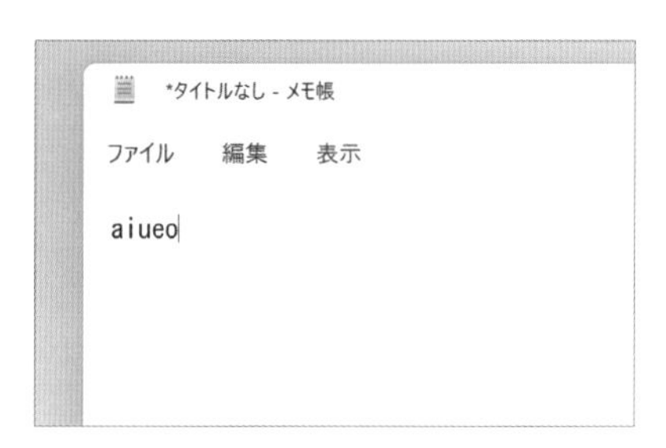

「A」「I」「U」「E」「O」キーを入力しましょう。「aiueo」と小文字の英語で入力できます。

6 大文字で入力するには Shiftキーを使う

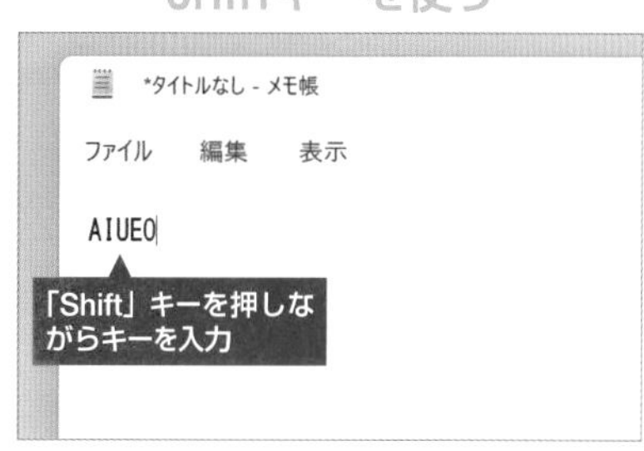

通常では小文字で入力されますが、大文字で入力する場合は「Shift」キーを押しながら入力しましょう。

長い文章を効率よく入力するには?

文字入力する際は、単語ごとに変換・入力確定をしていると時間がかかります。効率よく文字入力するには、入力確定をしない状態で(下線がある状態)入力したあと、「文節」ごとに変換していくことです。Windowsでは、自動的に文節の区切り位置を割り出し、文節ごとに変換できます。

1 確定しないで入力する

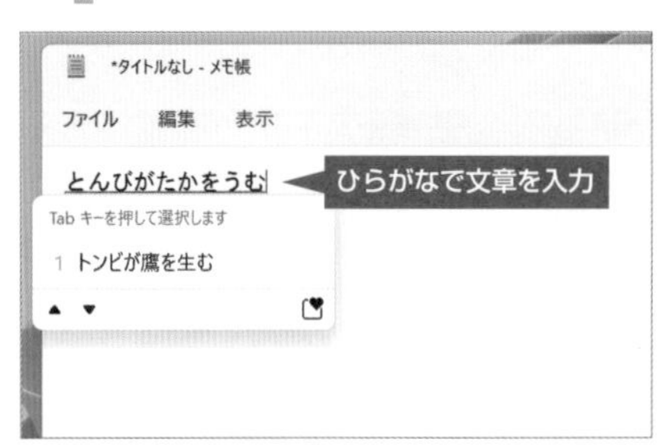

長い文章を書く場合は確定せずに、ひらがなでどんどん入力していきましょう。

2 スペースキーを押して文節を作る

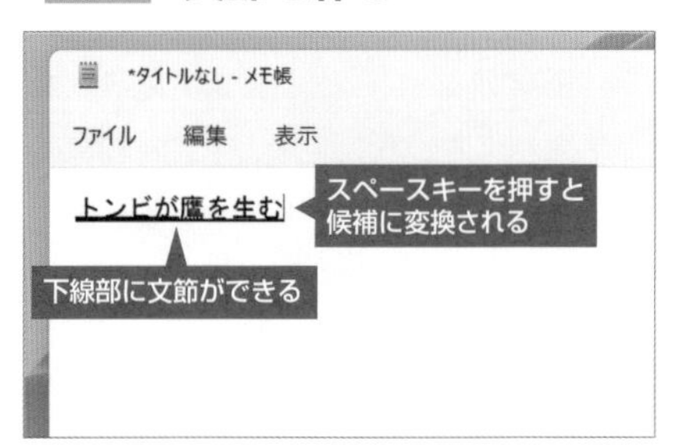

ある程度入力したらスペースキーを押します。すると変換候補に変換されるとともに、下線部が文節で区切られます。

3 左右キーで文節を移動する

左右キーを押すと文節を移動し、文節ごとに変換候補を表示して漢字を指定できます。

4 文節の区切りを変更する

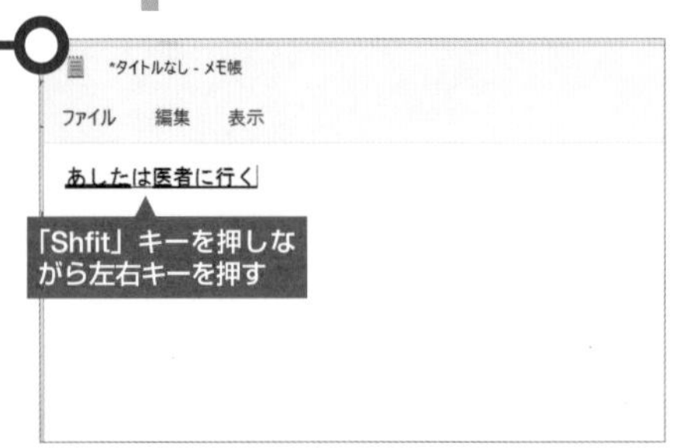

文節の区切り位置がおかしい場合、「Shfit」キーを押しながら左右キーをクリックしましょう。

5 文節の区切りが変わる

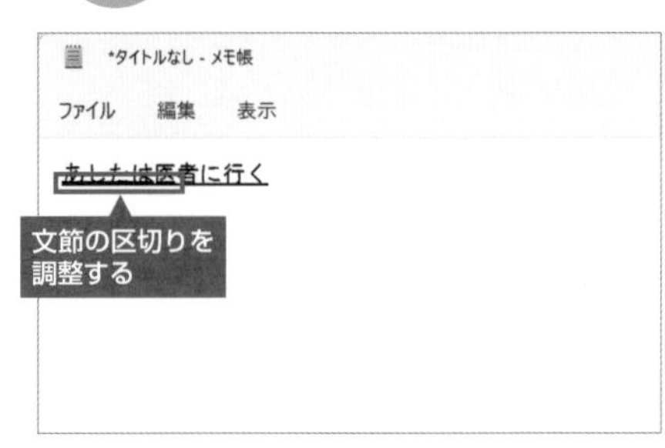

右キーを押すと、太い下線が右方向に延長されます。左キーを押すと左方向に縮小されます。

読みのわからない漢字を入力したい

読み方のわからない漢字を入力したい場合は、IMEパッドを利用しましょう。総画数や部首などから漢字を検索でき、読み方もわかります。画数や部首名がわからないときでもマウスで手書きした文字を認識して、わからない漢字を探すことができます。IMEパッドを起動するにはタスクバーにある入力アイコンを右クリックし「IMEパッド」をクリックしましょう。

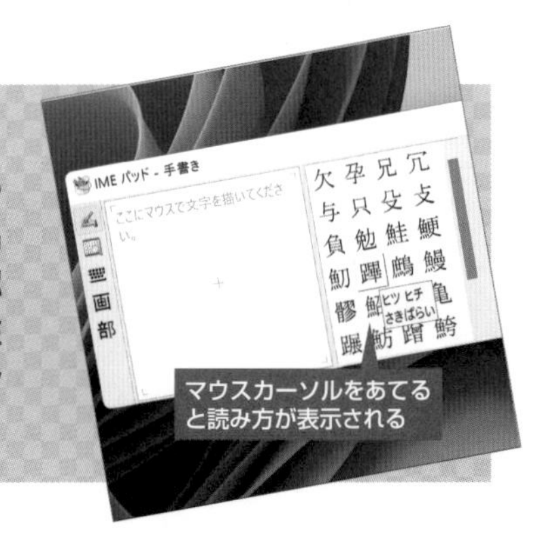

自分のメールアドレスを入力してみよう

パソコンを使っているとたびたびメールアドレスの入力を求められます。メールアドレスのほとんどは、半角の英数字で構成されていますが、初めての人は「@」と「.」など見慣れない記号の入力に困ることがあるでしょう。ここでは、基本的なメールアドレスの入力方法について解説します。

1 半角英数字入力に切り替える

半角英数字で入力できるようにするには、入力アイコンをクリックして「A」に変更するか、右クリックして「半角英数字/直接入力」を選択しましょう。

2 メールアドレスの頭の部分を入力

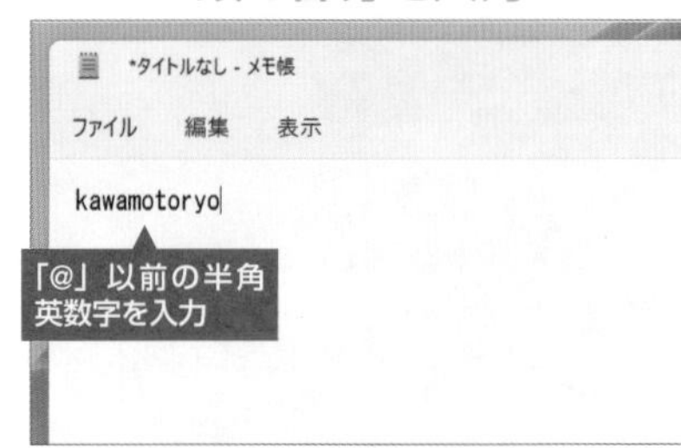

まずはメールアドレスの頭の部分(@の前)を入力します。大部分の人は半角英数字になっているので、キーに記載されている文字通りに入力しましょう。

ちいさな「っ」など特殊な文字の入力方法は？

文字入力をしているとどのキーを押したら入力できるのかわからない文字がたくさんあります。たとえば、小さな「っ」などひらがなの小文字や「」や※など記号の入力です。ここでは、特殊な文字·記号の入力方法を解説します。

1 小さな「ぁ」を入力する

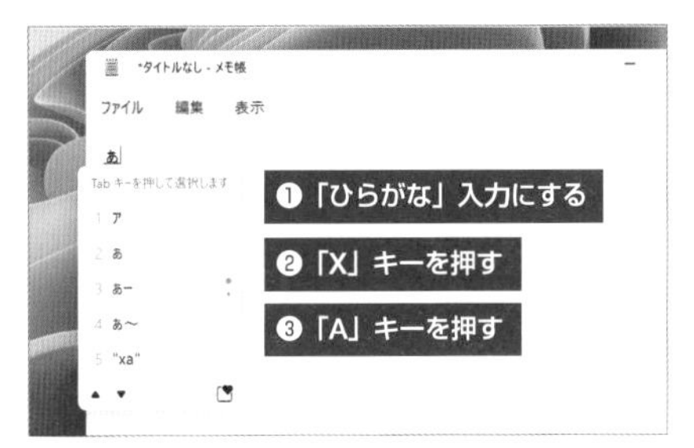

「ぁ」など、小さなひらがなを入力する基本は、「ひらがな」入力の状態でまず「X」キーを押して「A」を入力しましょう。

2 小さな「っ」を入力する

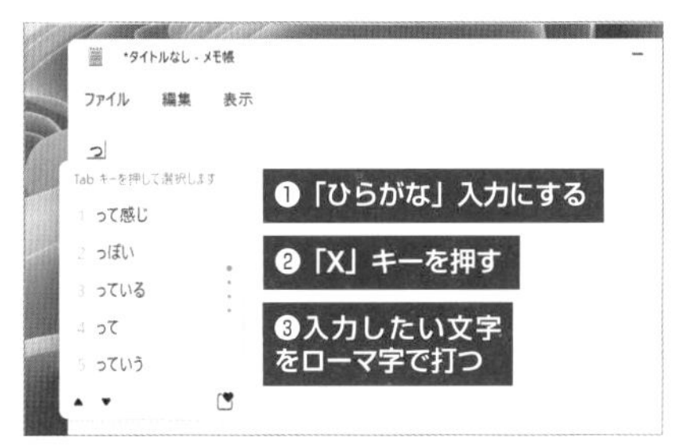

小さな「っ」や「ゃ」なども同じ要領です。「っ」の場合は、ひらがな入力の状態でまず「X」キーを押してから「T」「U」キーを押します。

3 記号を入力する

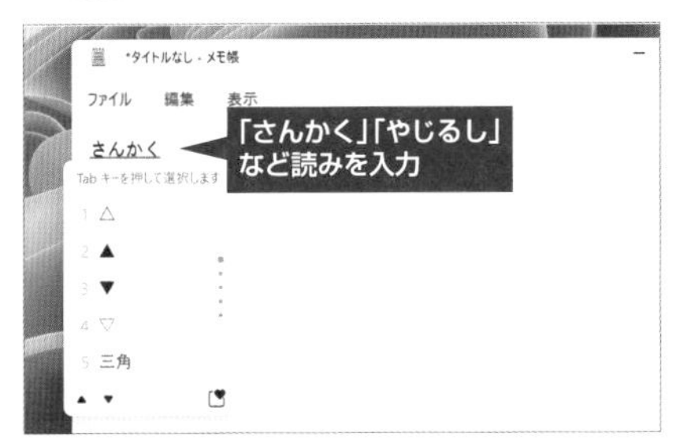

「↑」「◎」など記号を入力する場合は、記号の「読み」を入力すると変換候補に表示されるので選択しましょう。

4 キーの左上の記号の入力する

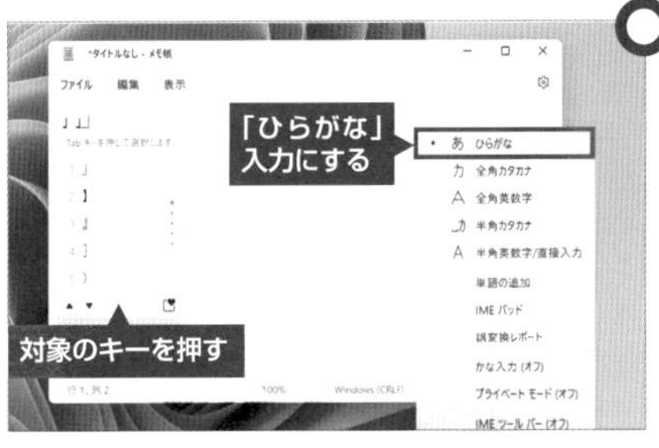

「?」や「%」などキーの上に表示されているさまざまな記号を入力するときは、「Shift」キーを押しながら対象のキーを押しましょう。

CHECK!!

入力モードによって入力できる記号が異なる

キーの左上に記載されている記号は、「Shift」キーを押しながら対象のキーを押せばよいですが、キーの右上にある記号は「半角英数」モードの場合は入力できません。「ひらなが」モードで対象のキーを押すだけです。

ここがポイント

音声入力は意外に便利

Windowsでは、パソコンに直接話しかけて文字入力を行う「音声入力」機能が搭載されています。文字入力したい場所を選択した状態で「Windows」+「H」キーを押しましょう。マイクのアイコンが表示されたら、マイクに向かって入力したいことを話しかけると自動で入力してくれます。

3 「@」(アットマーク)を入力する

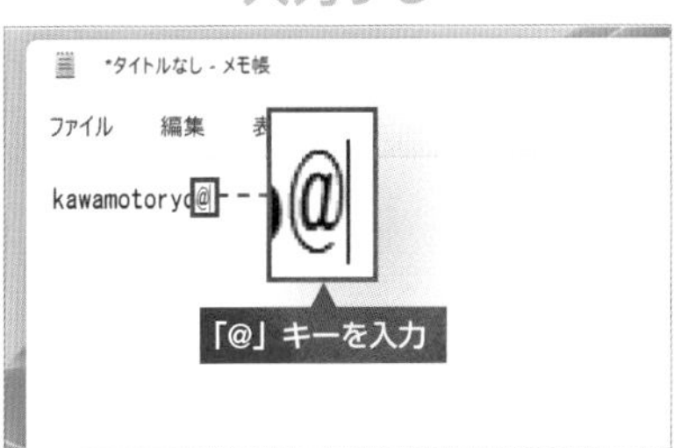

「@」を入力するには、ローマ字キー「P」キーの右側にある「@」キーを押すと入力できます（キーボードによっては別の場所にあります）。

4 「.」を入力する

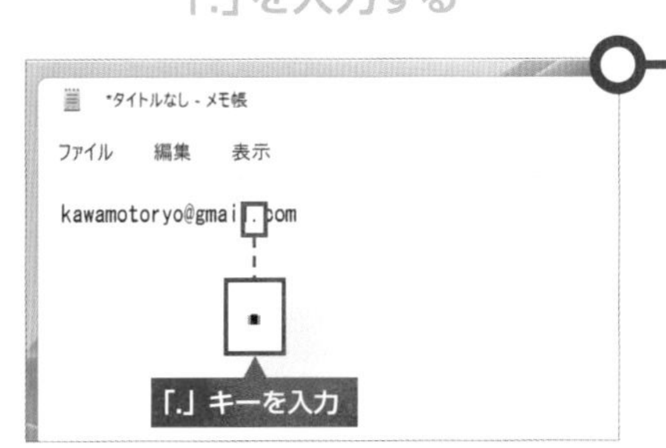

「@」以降に何度か現れる「.」は「ドット」と読みます。ドットはひらがなの「る」キーがローマ字キーに相当しています。

CHECK!!

アンダーバーはどうやって打つ？

メールアドレスの中には、姓と名の間に「_」（アンダーバー）が使われることがよくあります。アンダーバーを入力するには、半角英数字状態で、「Shiftキー」と、ひらがなの「ろ」が書かれているキーを同時に押しましょう。

文章の編集テクニックを覚えよう

改行、削除、追加などの作業を覚えよう

文字入力ができるようになったら、長めの文章を書けるようになりましょう。文章を書くにあたって重要な操作となるのが改行です。改行とは次の行にマウスカーソルを移動させることです。文書やメールを書いているときに「Enter（エンター）」キーを押すと改行されます。

入力した文字を修正したり、削除したい場合は「Delete（デリート）」キーを使いましょう。現在マウスカーソルを置いている右にある文字を削除することができます。なお、カーソルの左にある文字を削除する場合は「Backspace（バックスペース）」キーを使います。

文字と文字の間に空白を挿入したい場合は「Space（スペース）」キーを使いましょう。なお、スペースキーは文字入力での変換のときにも利用します。

■「Enter」キーで次の行にする

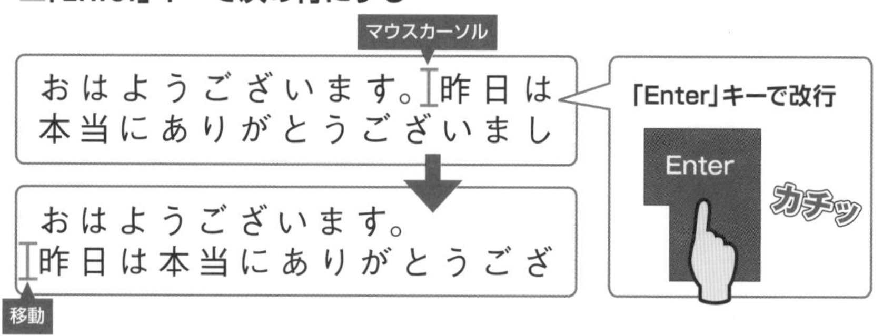

■「Delete」キーでカーソル右側の文字を消す

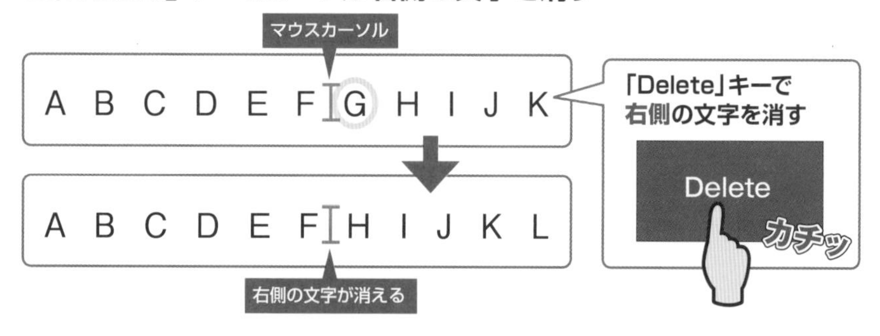

■「BackSpace」キーでカーソル左側の文字を消す

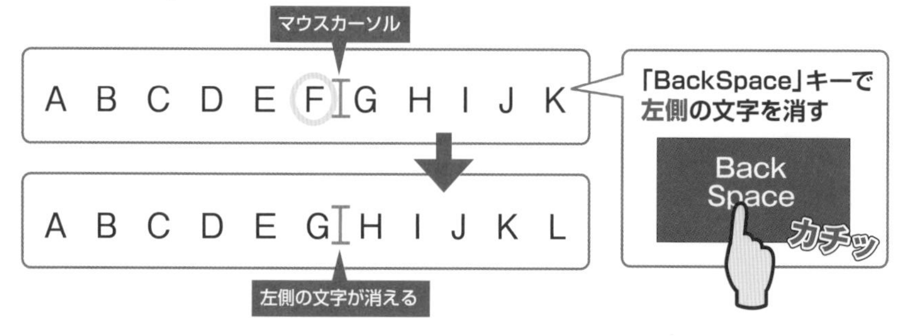

便利なキーをうまく使いこなそう

1 改行位置にカーソルを移動しエンターキーを押す

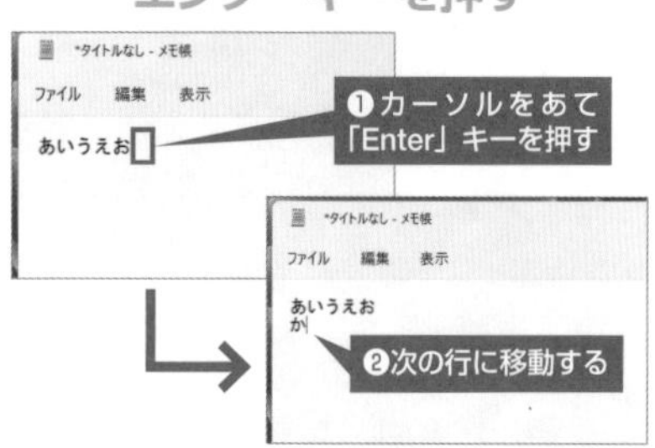

改行したい場所にカーソルを移動し、「Enter」キーを押すと、カーソルが次の行に移動して改行します。入力を続けましょう。

2 カーソルの左側の文字を消す

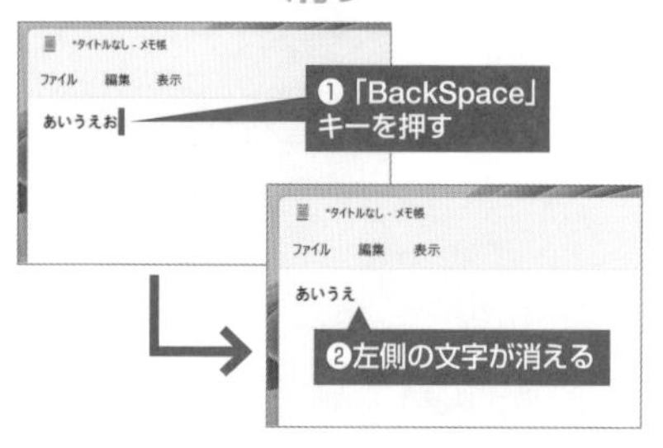

文字を消したい場合は、対象の文字の右にカーソルを置いて「BackSpace」キーを押しましょう。左側の文字が消えます。

3 カーソルの右側の文字を消す

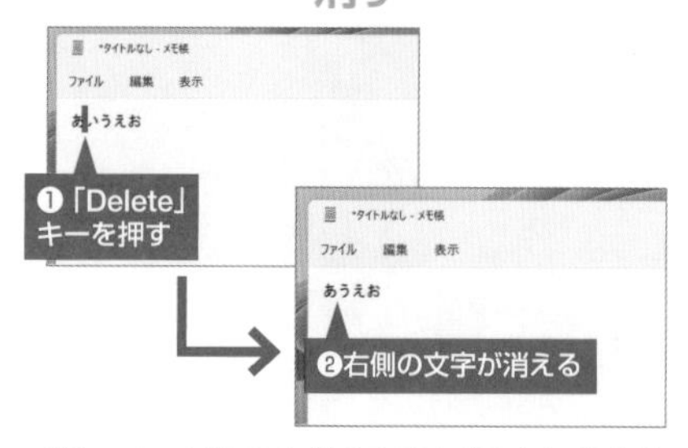

また、カーソルの右側の文字を消したい場合は「Delete」キーを押しましょう。右側の文字が消えます。

コピー&ペーストとは?

文章入力をする際は、コピー&ペーストという操作を覚えておくと便利です。パソコンでは入力した文字を、別の場所に簡単に貼りつけることができます。コピー&ペーストはマウス操作で行えます。

1 コピーする文字を選択する

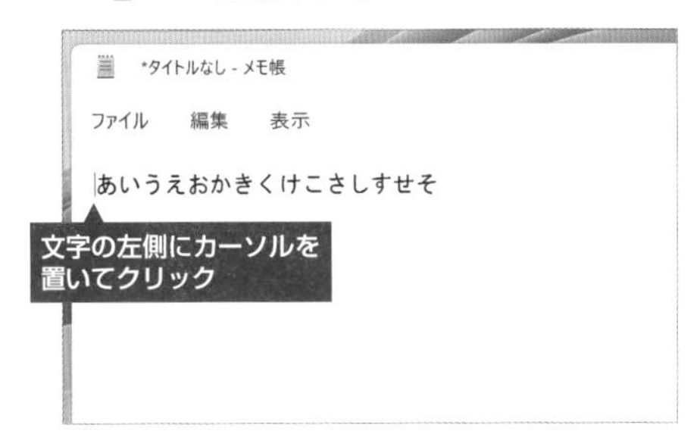

コピーしたい文字列の左側にカーソルを置いて左クリックします。

2 ドラッグして右クリック

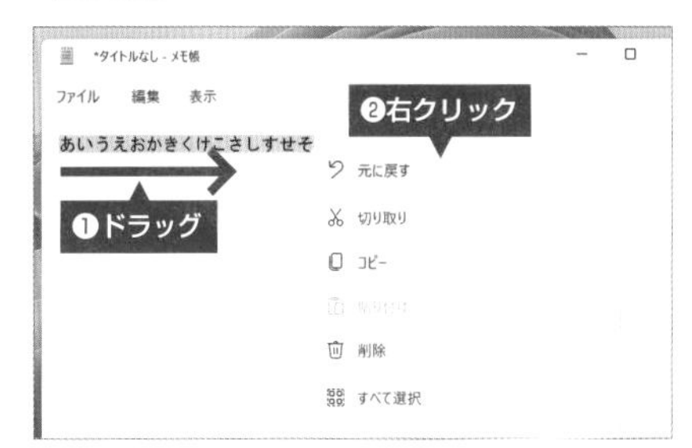

マウスの左ボタンを押したまま、右にドラッグしてコピーしたい部分を範囲選択します。その後、右クリックします。

3 「コピー」または「切り取り」を選択

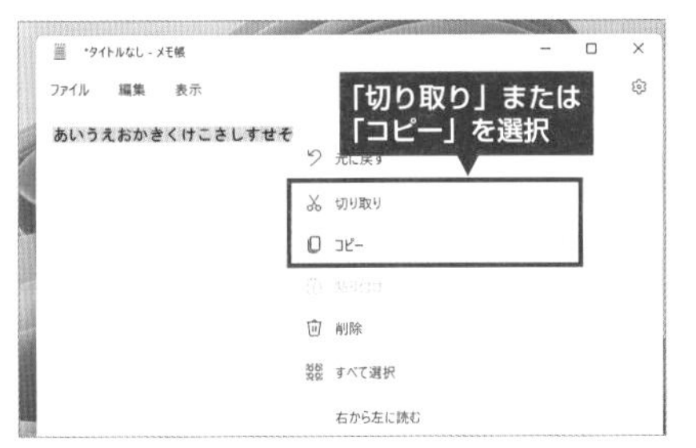

右クリックメニューが表示されるので、元の文章を残すなら「コピー」、文章を移動させるなら「切り取り」を選択しましょう。

4 移動先にカーソルを置いて右クリック

選択した文章を貼り付けたい場所にカーソルをあわせ、右クリックします。メニューから「貼り付け」を選択しましょう。

CHECK!!

ショートカットキーを覚えておくと便利

コピー&ペーストはキーボードを使って行うこともできます。「Ctrl+C」でコピー、「Ctrl+V」で貼り付け、「Ctrl+X」で切り取りができます。膨大な数のコピー&ペースト作業をするときはキーボードを使った方が楽になるでしょう。

文字の選択範囲をキーボードで調整

文字の範囲選択もキーボードを使って行うことができます。範囲の始点にカーソルをあわせたら「Shift」キーを押したまま、「↑」「→」などの矢印キーを押しましょう。矢印キーを押すたびに選択範囲を拡大できます。

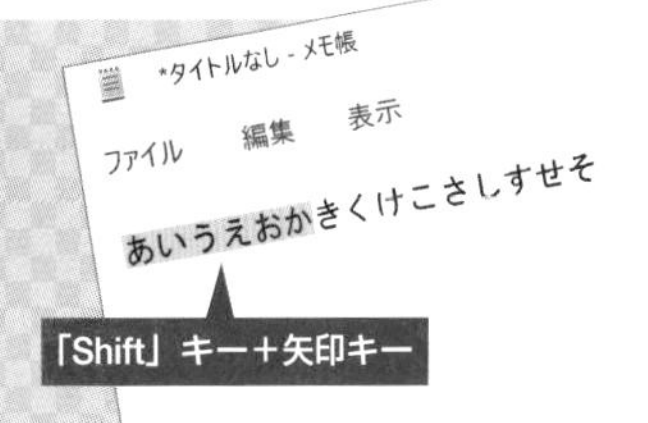

4 文字の間に空白を挿入する

文字の間に空白を挿入したい場合は「Space」キーを押しましょう。全角、または半角で空白を挿入することができます。

5 行の頭に戻る

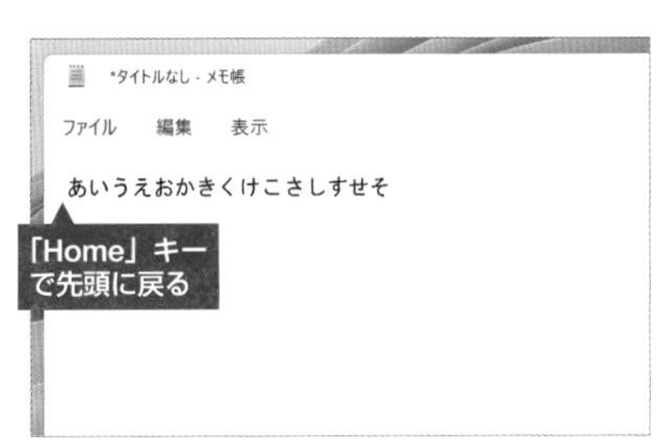

キーボードの「Home」キーを押すと、現在カーソルがおかれている行の先頭にカーソルが移動します。

6 行の末尾に移動する

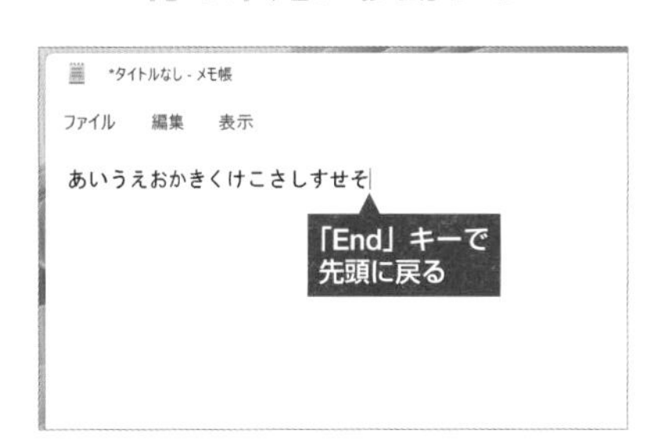

キーボードの「End」キーを押すと、現在カーソルがおかれている行の末尾にカーソルが移動します。

アプリの起動と終了をしてみよう

スタートメニューの「すべてのアプリ」から起動する

パソコンにインストールされているアプリを起動する方法はいくつかあります。最も一般的な方法はスタートメニュー（26ページ）から起動する方法です。スタートメニューの「すべてのアプリ」を開くと、パソコンにインストールされているアプリのアイコンが一覧表示されるので、利用したいアプリをクリックしましょう。

よく使うアプリであればピン留めするのがおすすめです。スタートメニューやタスクバーにピン留めすることで、素早くアプリのアイコンにアクセスすることができます。そのほかに素早くアプリを起動する方法としては、ショートカットの作成があります。デスクトップに作っておくことで素早く起動できます。

見当たらないアプリがある場合は検索ボックスを使ってみましょう。アプリ名を入力するとアプリが表示され、クリックすると起動できます。

パソコンでアプリを起動するには

■「すべてのアプリ」から起動する

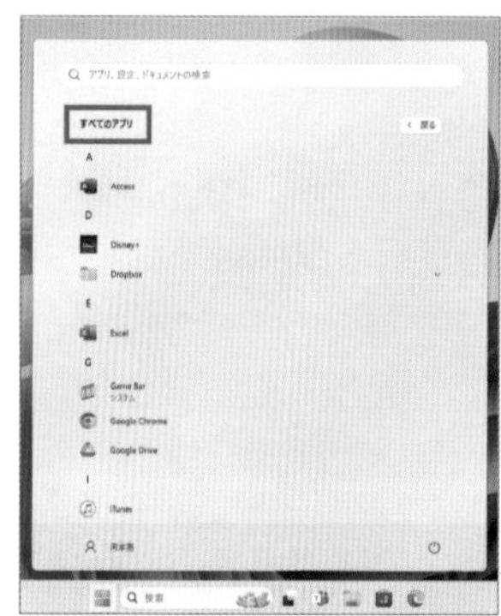

スタートメニューの「すべてのアプリ」を開くとパソコンにインストールされているアプリが一覧表示されます。ここから、スタートメニューやタスクバーにピン留めをします。

■「ピン留め済み」から起動する

よく使うアプリは「すべてのアプリ」からスタートメニューにピン留めすれば、素早く起動できます。

■タスクバーから起動する

スタートメニューよりもさらに素早く起動したいならタスクバーにピン留めしましょう。アプリアイコンの位置はドラッグで変更できます。

■検索ボックスから起動する

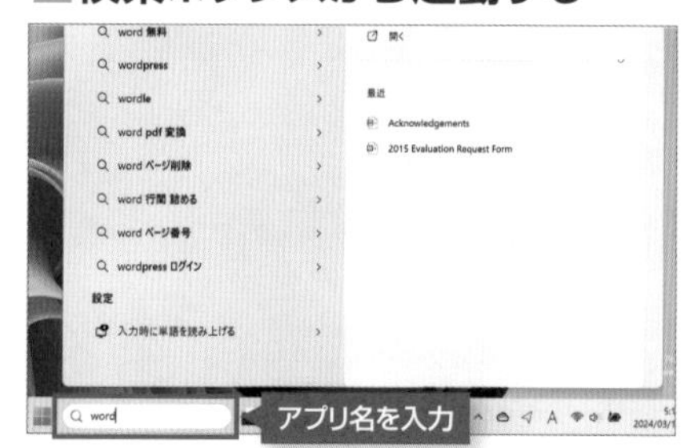

タスクバーにある検索ボックスにアプリ名を入力して起動することもできます。

実際にアプリを起動してみよう

1 「すべてのアプリ」にアクセスする

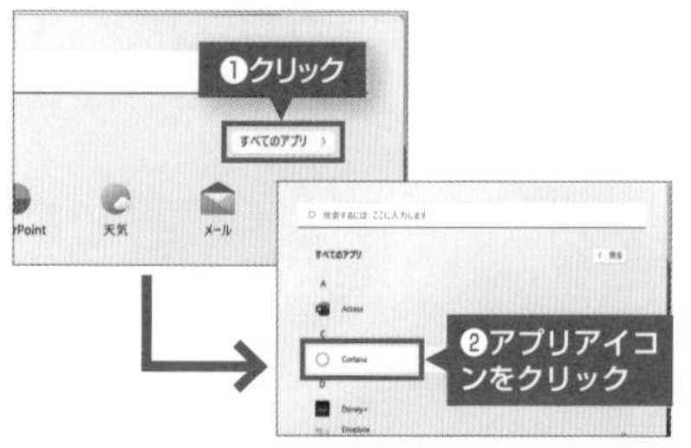

アプリを起動するには、スタートメニューを開き「すべてのアプリ」を選択します。アプリアイコンが表示されるのでクリックすると起動します。

2 スタートメニューにピン留めする

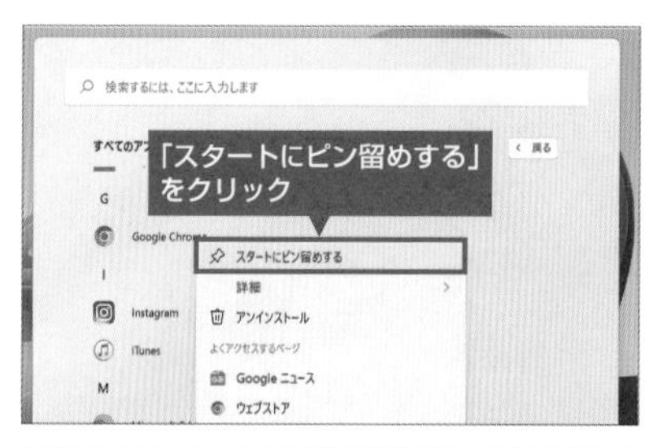

「すべてのアプリ」のアプリを右クリックして「スタートにピン留めする」を選択すると、スタートメニュー画面から素早く起動できるようになります。

3 タスクバーにピン留めする

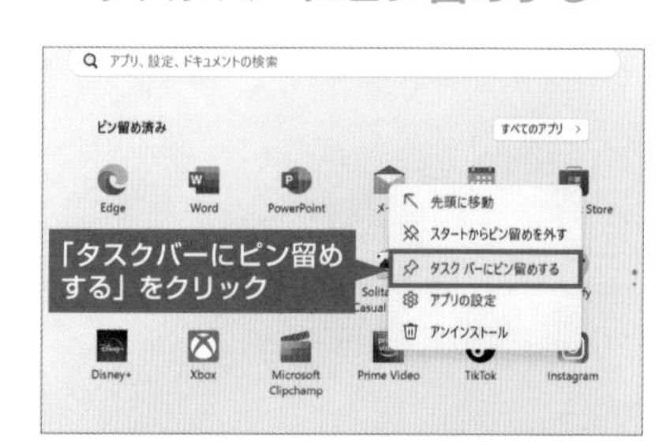

タスクバーにピン留めすることもできます。スタートメニューにピン留めしたアプリアイコンを右クリックして「タスクバーにピン留めする」をクリックしましょう。

いつも同じアプリで起動するには?

写真やテキストファイルをダブルクリックしたときに、いつも同じアプリで開くようにするには、関連付けの設定を変更する必要があります。ファイルを右クリックして表示されるメニューや、設定画面の「既定のアプリ」の設定から変更できます。

1 ファイルを右クリックする

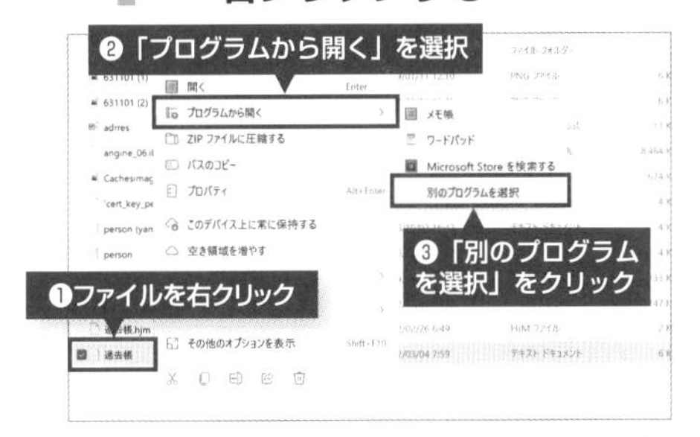

関連付けを変更したいファイルを右クリックし、「プログラムから開く」から「別のプログラムを選択」をクリック。

2 「常にこのアプリ～」にチェックを入れる

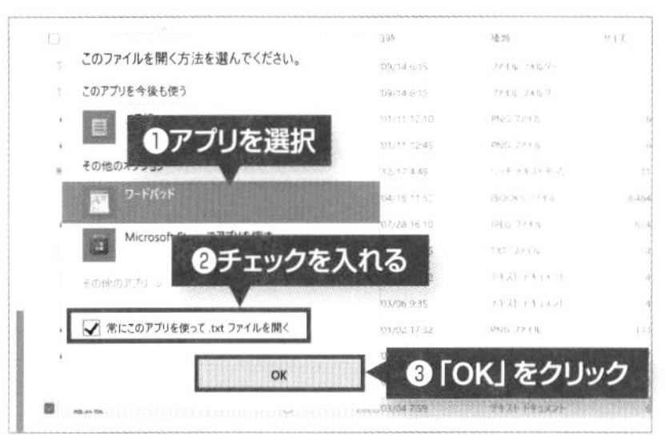

開きたいアプリを選択した後、「常にこのアプリを使って開く」にチェックを入れ「OK」をクリックします。

3 ブラウザーも変更することができる

起動するブラウザーを変更したい場合は、スタートメニューを開き「設定」をクリックします。

4 「既定のアプリ」を選択する

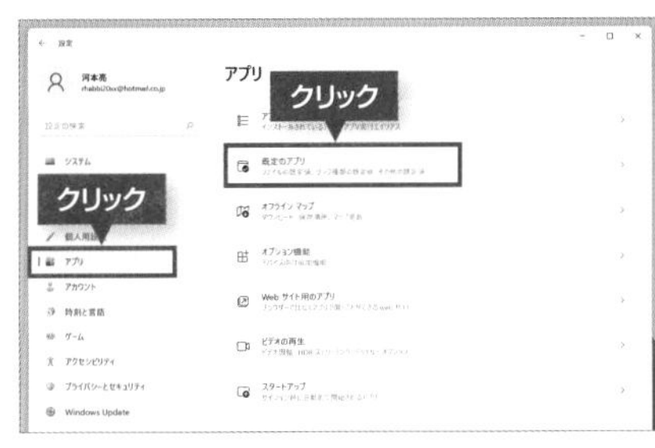

「アプリ」を選択して「既定のアプリ」を選択します。

5 既定のアプリにする

既定のブラウザーにしたいアプリを選択して、次の画面で「既定値に設定」をクリックすると、リンクをクリック時に指定したブラウザーが起動します。

ここがポイント

アプリを終了するには?

ウィンドウをたくさん開いていると、パソコンに負担がかかり、動作が遅くなったり調子が悪くなる原因になります。使用しないアプリのウィンドウはできるだけ終了させましょう。アプリを終了するには、ウィンドウ右上にある「×」ボタンをクリックするだけです。複数ウィンドウを開いている場合は、タスクバーにあるアプリアイコンを右クリックして「すべてのウィンドウを閉じる」を選択すればまとめて終了できます。

4 検索ボックスからアプリを起動する

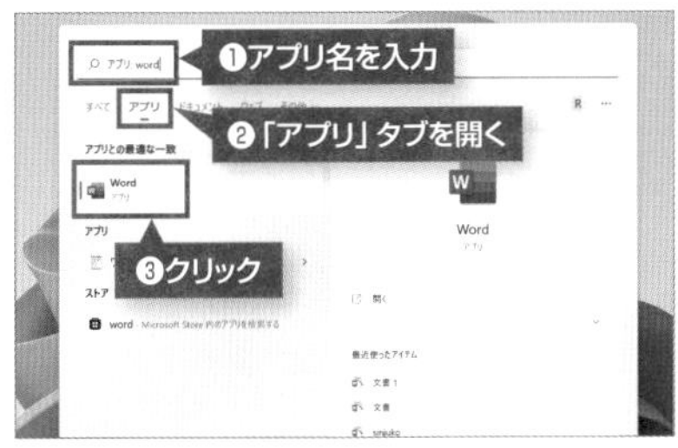

タスクバーにある検索ボックスにアプリ名を入力しましょう。「アプリ」タブを開き、表示されたアプリをクリックすると起動できます。

5 ファイルの右クリックからアプリを指定して開く

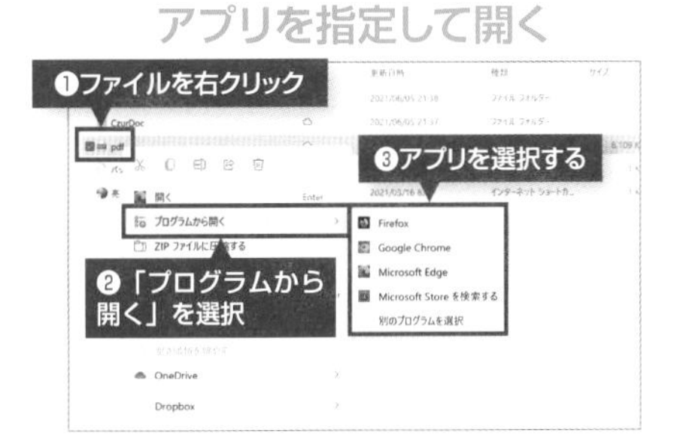

特定のファイルを指定したアプリで開きたいときは、ファイルを右クリックして「プログラムから開く」から利用するアプリを選択しましょう。

6 ショートカットを作成する

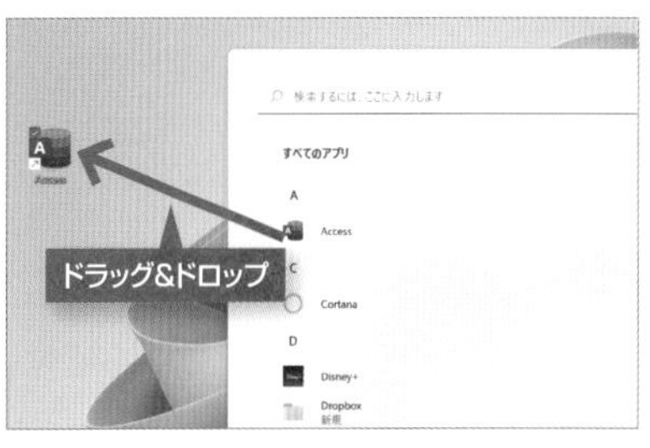

「すべてのアプリ」からアプリアイコンをデスクトップにドラッグ&ドロップするとショートカットが作成されます。これをダブルクリックしてアプリを起動することもできます。

アプリをインストールしよう

Microsoft Storeや、ネットからダウンロードしよう

パソコンには標準でもさまざまなアプリがインストールされていますが、外部からアプリを追加することもできます。

アプリをインストールするにはマイクロソフトが運営する「Microsoft Store」を利用しましょう。タスクバーのMicrosoft Storeアイコンをクリックすると起動します。Microsoft Storeではカテゴリ別にアプリが探せるほか、キーワードからアプリを検索することができます。

Microsoft Store以外の場所からでもアプリをダウンロードしてインストールできます。インターネット上に配布されているページにブラウザーでアクセスして、プログラムを直接ダウンロード、インストールする方法です。Microsoft Storeとは異なり、多くは「.zip」などの圧縮ファイルや「.exe」などのプログラムファイルからインストールします。

Microsoft Storeからアプリをダウンロードする

Microsoft Storeが運営して配信アプリを管理しているため、危険なプログラムをダウンロードしてしまうことはほとんどありません。

ウェブサイトからアプリをダウンロードする

ブラウザーでアクセスできるサイトからダウンロードすることもできます。しかし、悪意のあるウイルスソフトも多いので注意が必要です。

Microsoft Storeのアプリをインストールしよう

1 Microsoft Storeを起動する

タスクバーにあるMicrosoft Storeのアイコンをクリックすると、Microsoft Storeが起動します。ダウンロードしたいアプリを探しましょう。

2 アプリをインストールする

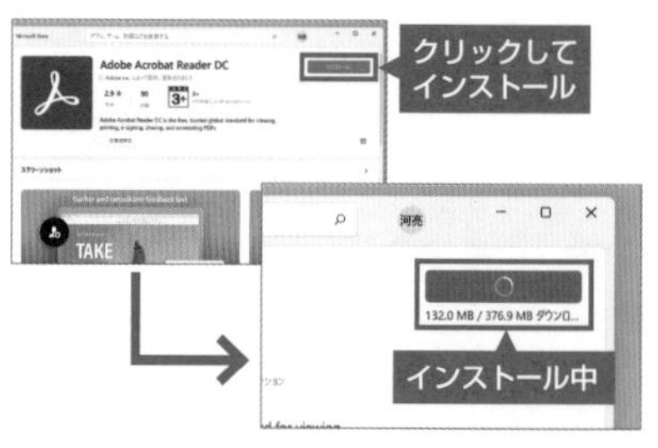

アプリ名横にある「インストール」ボタンをクリックするとダウンロードとインストールが始まります。サイズが大きなアプリの場合は時間がかかるのでしばらく待ちましょう。

3 インストールしたアプリを起動する

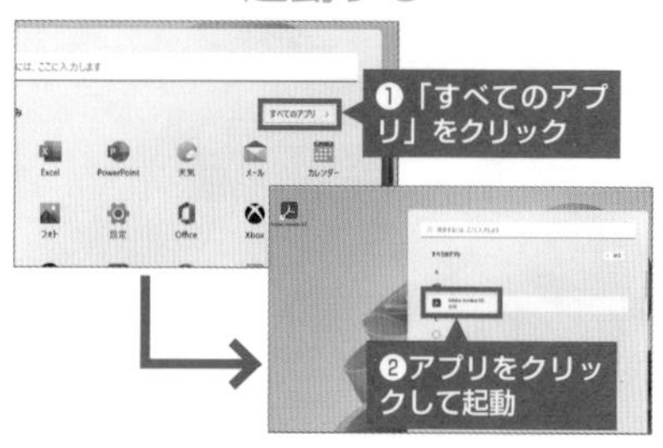

インストールしたアプリを起動するには、スタートメニューから「すべてのアプリ」を開き、追加したアプリ名を探してクリックしましょう。

ストアアプリ以外のアプリを入れるなら？

ウェブ上にあるアプリをインストールするには、いったんパソコンにプログラムファイルをダウンロードする必要があります。そのあとでプログラムファイルを実行することでインストール作業が始まります。

1 ダウンロードサイトにアクセスする

ブラウザーでアプリを配布しているサイトにアクセスしたら、サイト上に表示されているダウンロードボタンをクリックします。

2 プログラムファイルを開く

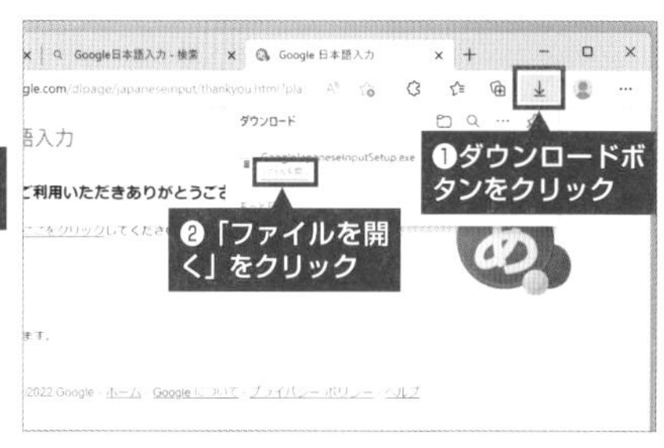

ファイルがダウンロードされます。Edgeブラウザーの場合、右上のダウンロードボタンをクリックし、「ファイルを開く」をクリックします。

3 変更を許可する

「このアプリがデバイスに変更を加えることを許可しますか?」というメッセージが表示されます。「はい」をクリックしましょう。

4 インストールが始まる

アプリのインストールが始まります。さまざまな確認画面が表示されますが、基本的には「はい」を押して進めていけば完了します。

CHECK!!

ウイルスファイルに要注意

ブラウザ経由でダウンロードできるアプリには、ウイルスなど危険なプログラムが混入されている場合が非常に多いです。そのため、ダウンロード前には、ウイルス対策（48ページ参照）ができているか確認しましょう。

ここがポイント

毎回現れる確認画面をスキップする

アプリをインストールしようとすると必ず表示される「このアプリがデバイスに変更を加えることを許可しますか?」という確認画面が煩わしく感じることがあります。この画面を出さないようにするには、スタートメニューの検索ボックスに「uac」と入力し、「ユーザーアカウント制御設定の変更」画面を起動します。変更の通知設定で「通知しない」に設定すると確認画面が現れなくなります。

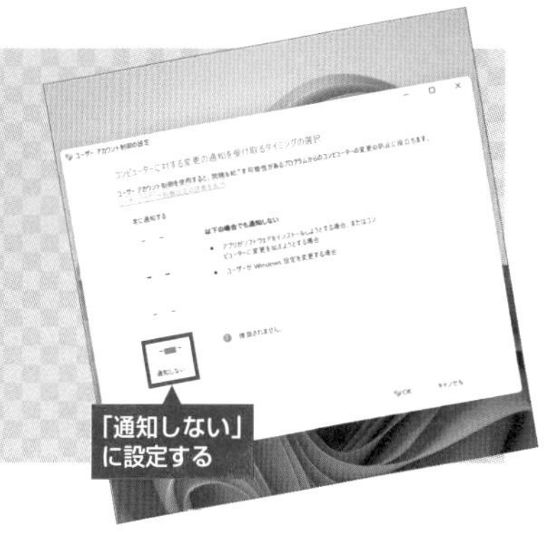

アプリを削除するには？

1 検索でアプリ名を入力する

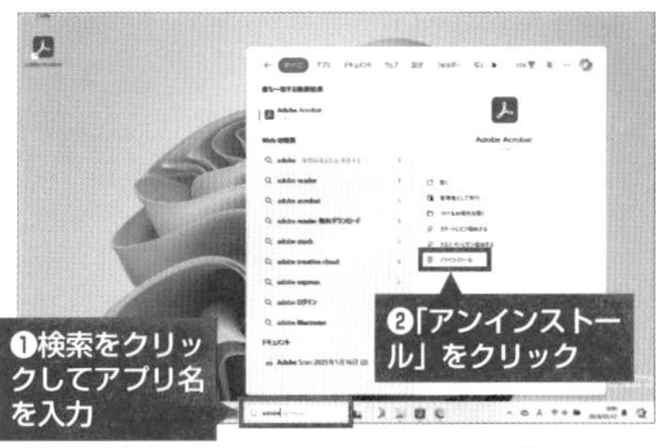

タスクバーから検索ウィンドウを開き、削除したいアプリ名を入力します。アプリを選択し、右下にある「アンインストール」をクリックします。

2 「アンインストール」をクリック

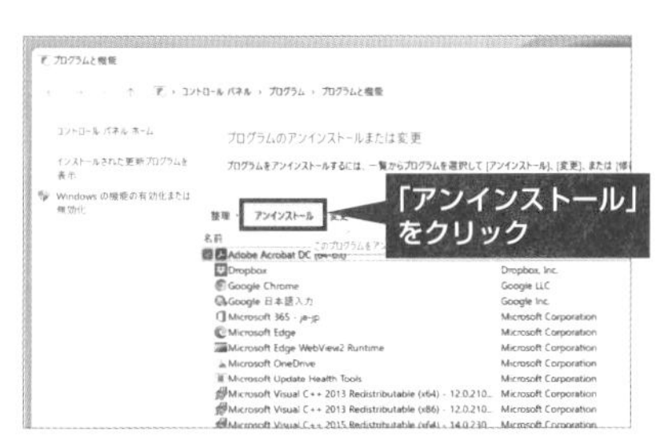

「プログラムのアンインストールまたは変更」という画面に移動します。「アンインストール」をクリックしましょう。

3 「はい」をクリック

アンインストールするかどうかの確認画面が表示されます。「はい」をクリックするとアプリがパソコンから削除されます。

ウイルス対策をしっかりしよう

ウイルスがパソコンに侵入するとどうなるのか

パソコンを使う上で最も重要になるのがセキュリティ対策です。インターネット上には、侵入されるとパソコンの内部を破壊するだけでなく、パソコン内の大切な個人情報を外部に流出させる「ウイルス」がたくさん存在します。ウイルス感染を防ぐには、セキュリティ設定をきっちりする必要があります。

幸いなことにWindowsパソコンには、標準でウイルス対策ソフト「ウィンドウズセキュリティ」がインストールされているので、わざわざ高額なウイルス対策アプリを購入してインストールする必要はありません。なお、初期設定では、パソコンの電源を入れたときに自動で起動し、動作しています。

ただ、細かな設定を行う場合や、セキュリティ対策が有効になっているかどうか自分で確認するには、設定場所を把握しておいた方がよいでしょう。

ウイルスに感染するとどうなるのか

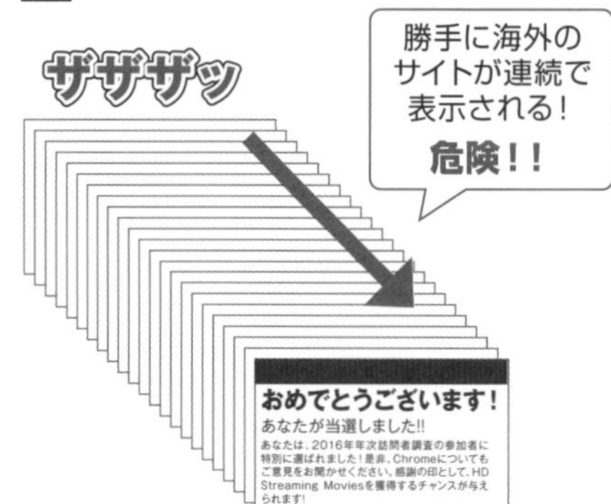

パソコンを使っていると、勝手にブラウザーが起動し、知らない海外のサイトが表示されるときはウイルスに感染している可能性があります。

メールアプリが勝手に動作をはじめ、連絡先に登録しているメールアドレスにウイルスファイルを送信して、知り合いに迷惑をかけます。

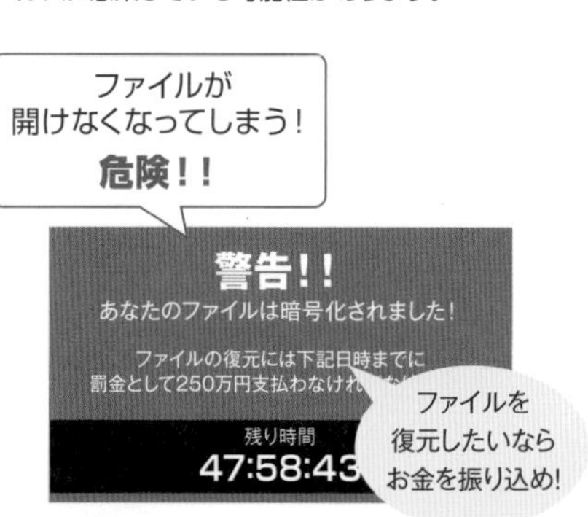

今、もっとも流行っているウイルスは「ランサムウェア」とよばれるものです。感染するとパソコン内の重要なデータにロックがかかり開けなくなり、身代金を払えと脅迫されます。

外部からネットを経由して、ハッカーと呼ばれる犯罪者がパソコンに侵入して、パソコン内の重要なデータや個人情報を抜き取られます。

Windowsセキュリティを開いてみよう

1 スタートメニューを開く

タスクバーからスタートメニューを開き、「設定」をクリックします。

2 プライバシーとセキュリティを開く

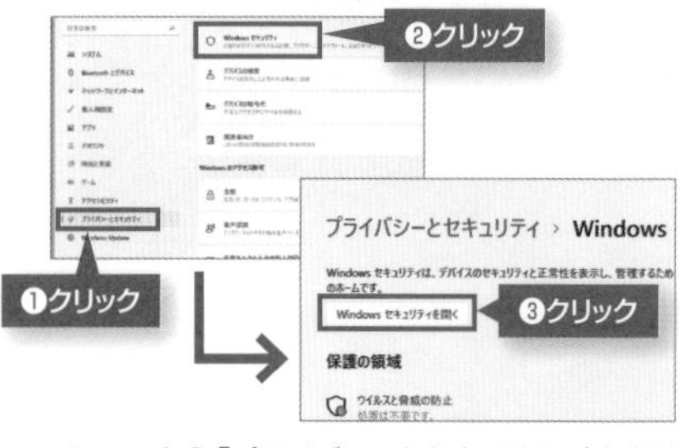

メニューから「プライバシーとセキュリティ」をクリックし「Windowsセキュリティ」をクリックします。続いて「Windowsセキュリティを開く」をクリックしましょう。

3 セキュリティの状態を確認

パソコンのセキュリティ状態を確認できます。標準設定では緑色のチェックマークが入っています。緑色のチェックマークであれば問題はありません。

Windows Defenderを使ってみよう

Windowsにはウイルス対策アプリ「Windows Defender」がインストールされています。このアプリは自動で有効になっていますが、手動で使うこともできます。もし、パソコンに不調があったときは、Windows Defenderでパソコン内をスキャンしてみましょう。

1 Windowsセキュリティにアクセスする

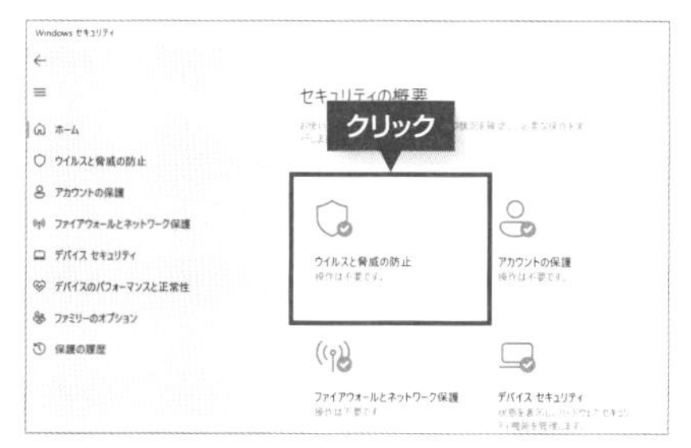

Windowsセキュリティを開き、「ウイルスと脅威の防止」をクリックします。

2 「クイックスキャン」をクリック

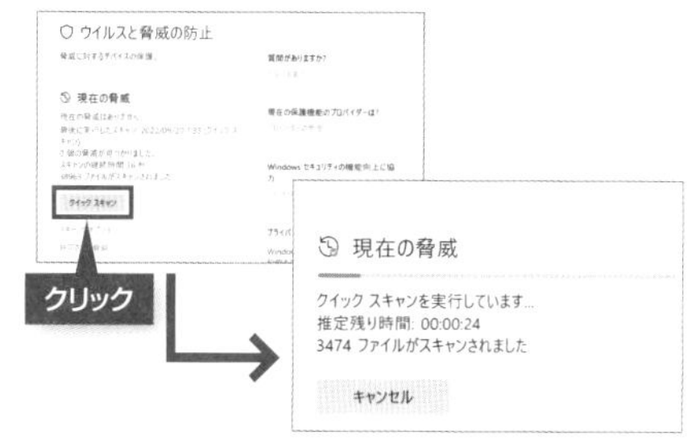

「クイックスキャン」をクリックするとパソコン内のデータのスキャンが始まります。終了まで数分から数十分かかることがあります。

3 ウイルスが発見された

ウイルスが発見された場合はこのような画面になります。「操作の開始」をクリックするとウイルスを削除してくれます。

4 ウイルスの脅威なし

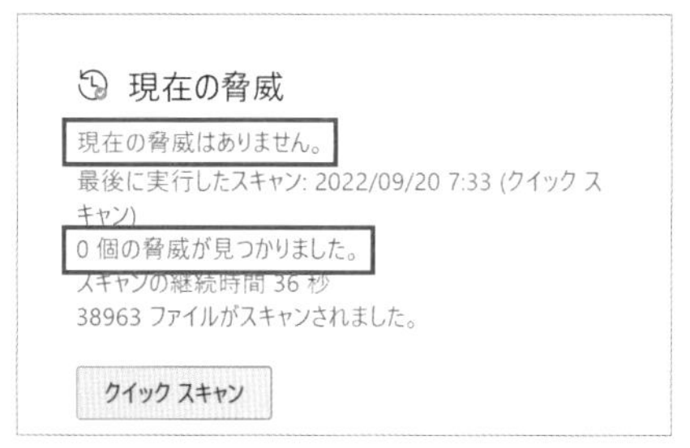

パソコン内にウイルスが検出されなかった場合は、「0個の脅威が見つかりました」「現在の脅威はありません」と表示されます。

CHECK!!

スキャンオプションも使いこなそう

「クイックスキャン」ボタン下にある「スキャンのオプション」をクリックすると、パソコン全体を細かくスキャンする「フルスキャン」や、特定の場所のみスキャンする「カスタムスキャン」などが利用できます。

ここがポイント

ブラウザーで表示される警告画面に注意

ウイルスの侵入経路で特に多いのがブラウザー経由です。ブラウザーで表示される「パソコンがウイルスに感染しています」という警告画面に従って進めていくと、ウイルスプログラムをインストールしてしまうことがあります。警告表示には従わないようにしましょう。また、「インストールが完了しました」と表示されるページはウイルスではないですが掲載される電話番号に連絡すると詐欺にあうことがあります。

4 赤いバツマークに注意

人から譲り受けたパソコンや何らかの設定変更をした機種は、赤いバツマークが付くことがあります。このときは、「有効にする」をクリックしましょう。

5 緑色のマークなら安全

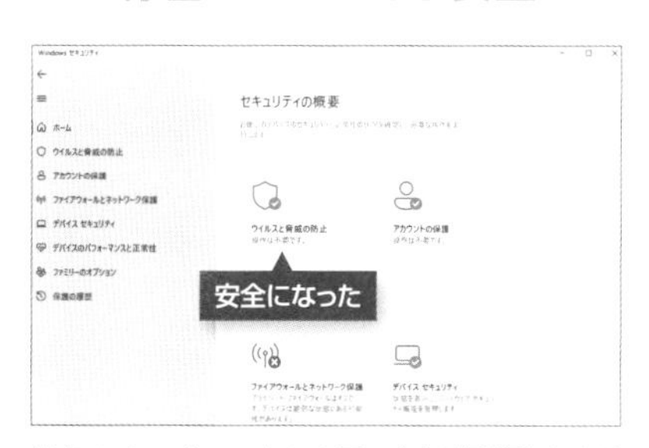

緑色のチェックマークに変更できれば問題ありません。

6 各項目の詳細設定画面

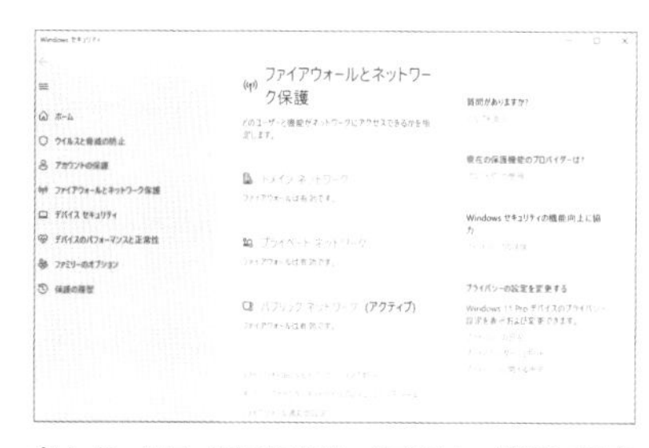

各セキュリティ項目をクリックすると、詳細な設定画面が開きます。手動で細かくセキュリティ設定の変更ができます。

パソコンの調子が悪くなってしまった？

ウイルスでなくてもパソコンにはさまざまなトラブルがある

ウイルスに感染しなくてもパソコンは、ただ長く使っているだけで調子が悪くなってきます。調子が悪くなる箇所はさまざまですが、最も多いのは、頻繁にアプリがフリーズする現象でしょう。これはストレージの空き容量が少なくなっていたり、アプリに割当てられたメモリが不足していたりすることが挙げられます。

これまで使っていたアプリが起動しなくなったり、変な動作をしはじめるトラブルもよくあります。各アプリの設定を知らない間に変更してしまったり、怪しいプログラムをインストールしてしまったことで起きるトラブルです。

パソコン自体が起動しなくなった、音は出るものの画面が表示されない、逆に画面は映るが音が出ないときはモニタやスピーカーなど周辺機器の調子が悪くなっているときもあります。

■フリーズで終了できない

「閉じる」ボタンや操作ボタンをクリックしても操作が進まない現象を「フリーズ」といいます。パソコン利用中に最もよく見られがちなトラブルです。

■アプリの動作や設定がおかしくなった

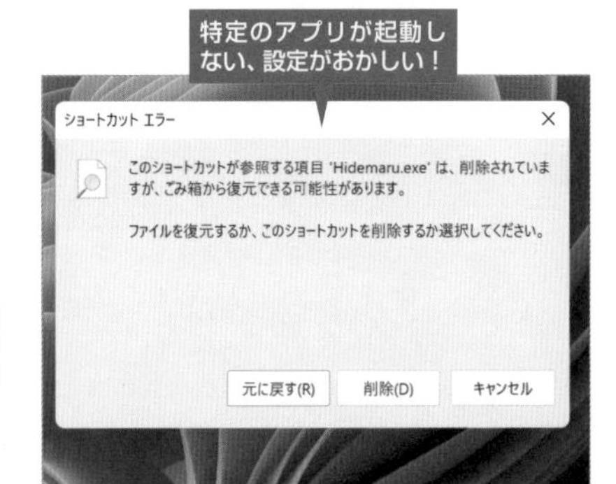

アプリアイコンをクリックしてもアプリが起動しなくなったり、いつも使っていた設定と異なるものになることもよくあるパソコンのトラブルです。

■周辺機器の動作がおかしい

パソコンは動いている感じなのに、なぜかモニタが真っ黒だったり、音が出なくなる場合は周辺機器のトラブルの可能性があります。

■Windowsのアップデートに失敗する

ストレージやインターネット回線にトラブルがあるとWindowsのアップデートが正常に行なえないことがあります。

調子がおかしくなったらとりあえずやってみる6つのこと

1 パソコンの再起動

パソコン全体の動作が遅くなったり、アプリがうまく動作しなくなった場合、まずはパソコンを再起動させましょう。

2 周辺機器を取り外して再起動

長い間パソコンを使っていると、帯電によりパソコンが不調になることがあります。電源を落とし電源のコードをすべて外し、10分ほど放置して放電しましょう。

3 ディスクのエラーチェックを実行

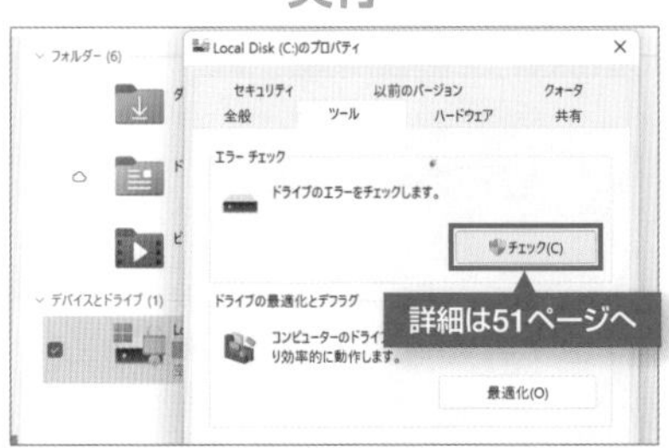

詳細は51ページへ

ストレージにトラブルがあるときは、データの保存、バックアップ、ほかにウインドウズのアップデートなどができなくなります。ディスクエラーのチェックを行いましょう。

フリーズしたときの対処法を覚えよう

フリーズにはアプリが固まった場合とパソコン全体が動かなくなった場合の2種類があります。アプリが固まった場合はタスクマネージャーで特定のアプリを終了しましょう。パソコン全体が固まった場合は、パソコンを強制終了させましょう。

1 タスクマネージャーを起動する

アプリ使用中に突然アプリウインドウがフリーズした場合は、スタートメニューを右クリックして「タスクマネージャー」を選択します。

2 アプリを右クリックして終了させる

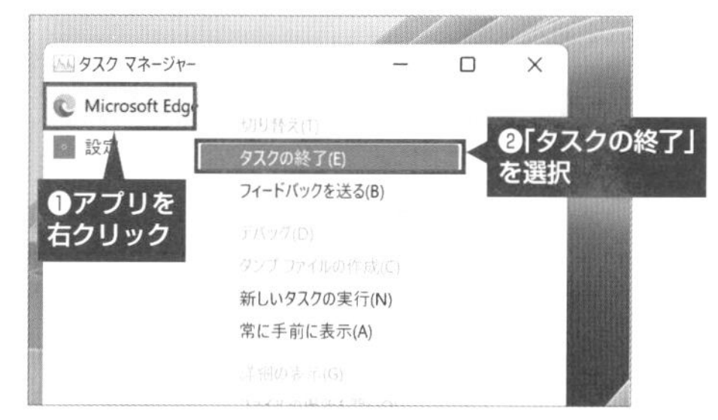

フリーズしているアプリを右クリックして「タスクの終了」を選択しましょう。アプリが強制終了されます。

3 強制終了のショートカット

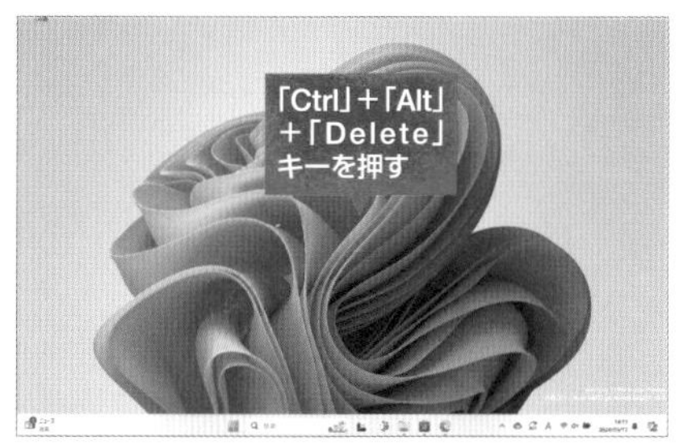

パソコン全体が操作できなくなった場合は「Ctrl」+「Alt」+「Delete」キーを同時に押してみましょう。

4 セキュリティオプション画面

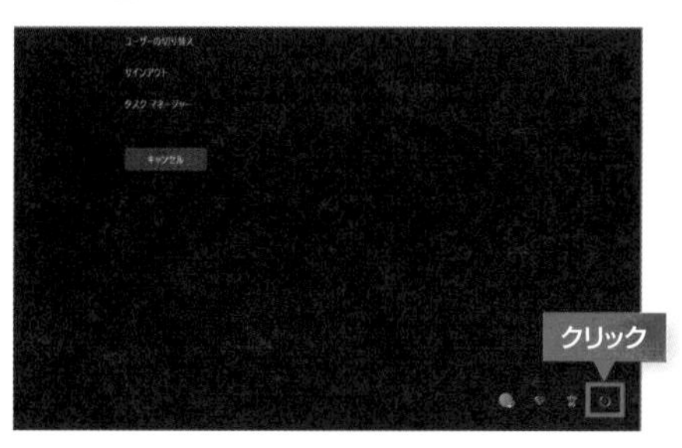

セキュリティオプション画面が起動します。右下にある電源ボタンをクリックします。

5 再起動する

メニューが表示されるので「再起動」をクリックしましょう。パソコンが再起動します。

ここがポイント

ストレージが正常かチェックするには?

Windowsにはストレージにトラブルがあるかをチェックする「エラーチェック」という機能が搭載されています。問題を検出するとエラーの自動修復や不良箇所の回復も行ってくれます。エラーチェックを利用するには、エクスプローラーを起動し、チェックしたいストレージを右クリックし「プロパティ」をクリックします。「ツール」タブを開き「チェック」をクリックすると、ストレージのチェックができます。

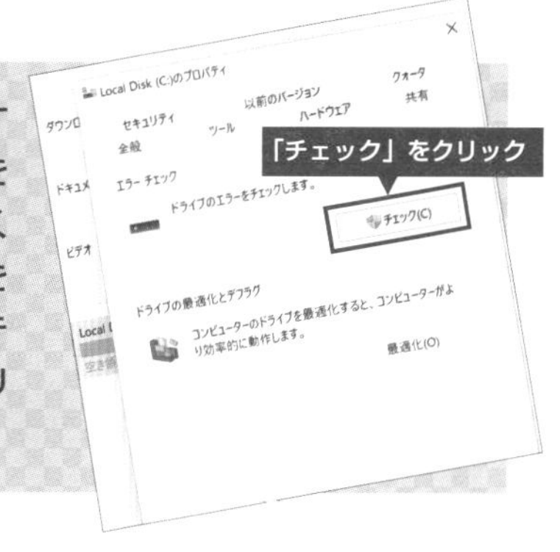

4 ストレージの空き容量を確認する

ストレージの空き容量が残り少ないと動作が遅くなる原因になります。余計なファイルはできるだけ削除することで動作が速くなります。

5 Windowsのアップデートが背後で動いていないかチェック

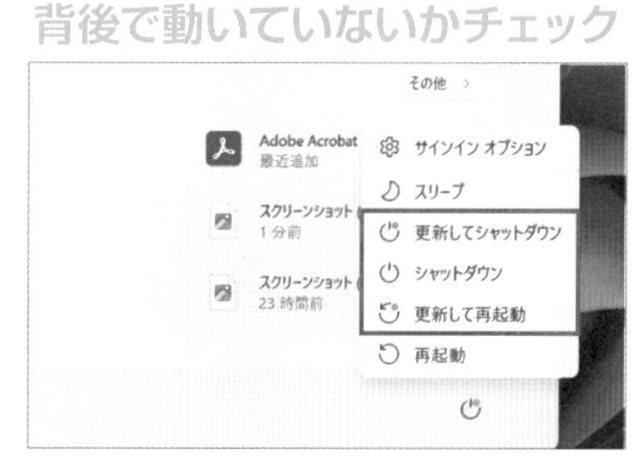

ウィンドウズアップデートが自動更新になっていると、背後で勝手に動作するためパソコンの動作が遅くなったり、勝手にパソコンがシャットダウンしてしまいます。設定を見直しましょう(102ページも参照)。

6 システムの復元を使ってみる

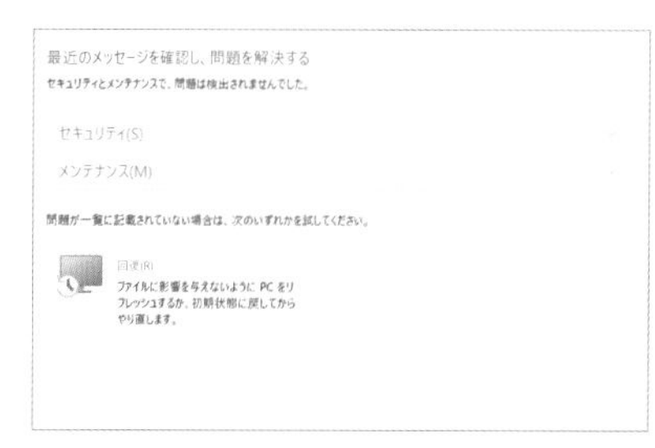

どうしても直らない場合はシステムの復元機能(次ページ参照)を使って、パソコンの調子が良かったころの時期に戻すことができます。

システムの復元で調子がよかった状態に戻そう

アプリの設定やWindowsの設定が変わってしまい、以前の状態に戻したいときや、再起動してもパソコンの動作が常に不安定なときは「システムの復元」を行いましょう。バックアップを作成した日時のパソコンの状態に戻すことができます。まずは復元ポイントを作成しましょう。

1 スタートメニューから「設定」を開く

タスクバーのスタートメニューを開き、「設定」を選択します。

2 「バージョン情報」を開く

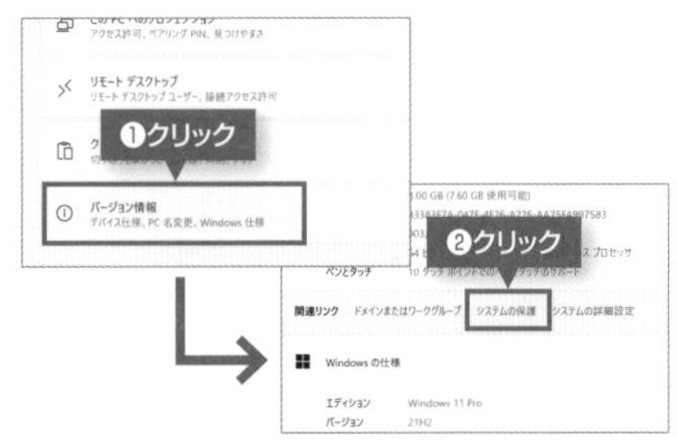

「システム」画面から「バージョン情報」を選択します。続いて「システムの保護」を選択します。

3 標準ではオフになっている

システムのプロパティ画面が表示されます。標準では保護設定が無効になっていて利用できないため利用できるように変更します。「構成」をクリックします。

4 システム保護を有効にする

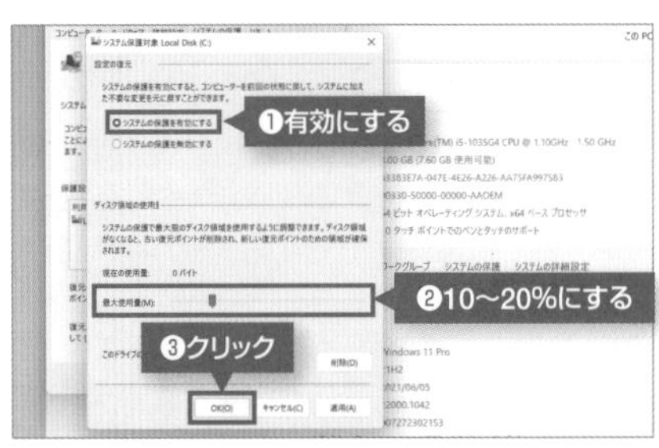

「システム保護を有効にする」を選択して「OK」をクリックします。ディスク領域の最大使用領域は10%〜20%にしておきましょう。

5 復元ポイントを作成する

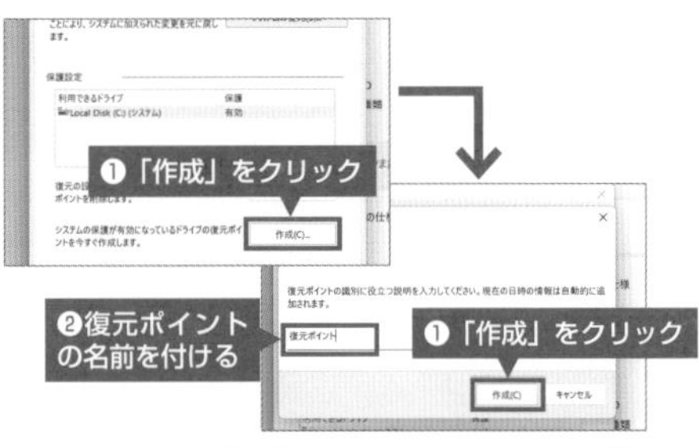

元の画面に戻ると「有効」になっています。続いて「作成」をクリックして復元ポイントを作成しておきましょう。

ここがポイント

復元ポイントは自動で作成される

復元ポイントを有効にすると、Windowsアップデート時やOSの新規インストール、システムの復元の実行前、特定のアプリケーションインストール時などに自動でポイントが作成されます。もちろん自分で好きなときに作成することもできます。調子がいいころのパソコンの状態、特に初期化した直後は自分で復元ポイントを作成しておくとよいでしょう。

システム復元画面で「別の復元ポイントを選択する」をチェックすると復元ポイントを選べます。

作成した復元ポイントで復元を行う

❶ 「システムの復元」をクリック

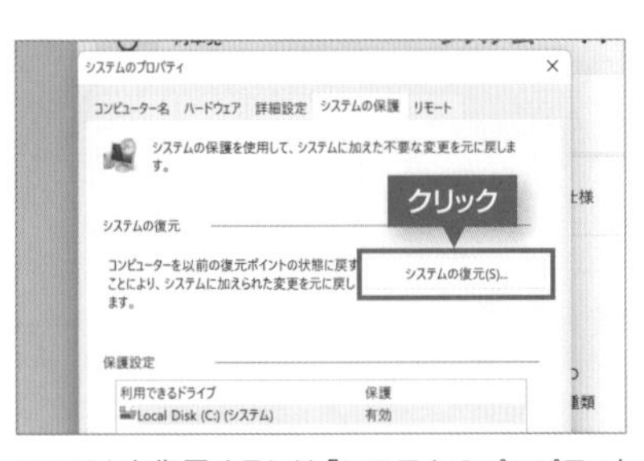

システムを復元するには「システムのプロパティ」画面で「システムの復元」をクリック。

❷ 次へをクリック

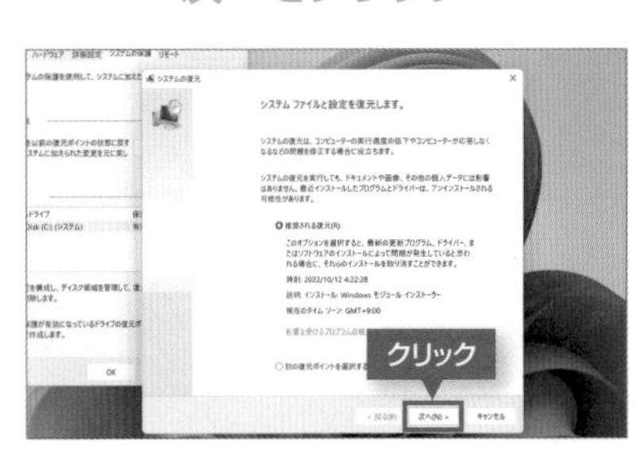

システムファイルと設定の復元画面が表示されます。「次へ」をクリック。

❸ 復元ポイントを指定する

作成しておいた復元ポイントを指定して「次へ」をクリックすれば復元が始まります。

3章

標準アプリを使いこなす

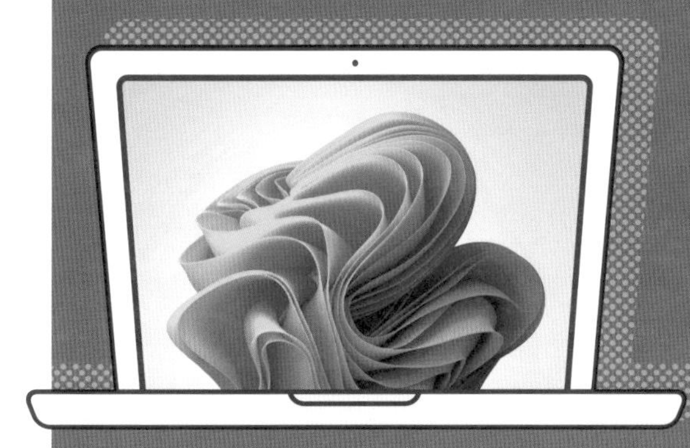

快適なブラウザー「Edge」でWebページを見よう

ブラウザーにはEdgeを使おう

パソコンでインターネットを見るには「ブラウザー」と呼ばれるアプリを使う必要があります。Windowsには「Edge」と呼ばれるブラウザーアプリが最初からインストールされています。

Edgeは、タスクバーにあるEdgeアイコンをクリックして直接起動するほか、メールやメッセージに記載されているリンクをクリックすると起動します。

Edgeにはネットを快適に閲覧するためのさまざまな機能が搭載されています。複数のウインドウをタブ形式で整理して、常に1つのウインドウ内で作業ができるようになっています。

Googleやヤフー!ニュースなどよく見るページは「ブックマーク（お気に入り）」に追加しておきましょう。検索したりアドレスバーにURLを入力をする必要がなくなり、ブックマークから素早く開けるようになります。

Edgeの画面を把握しよう

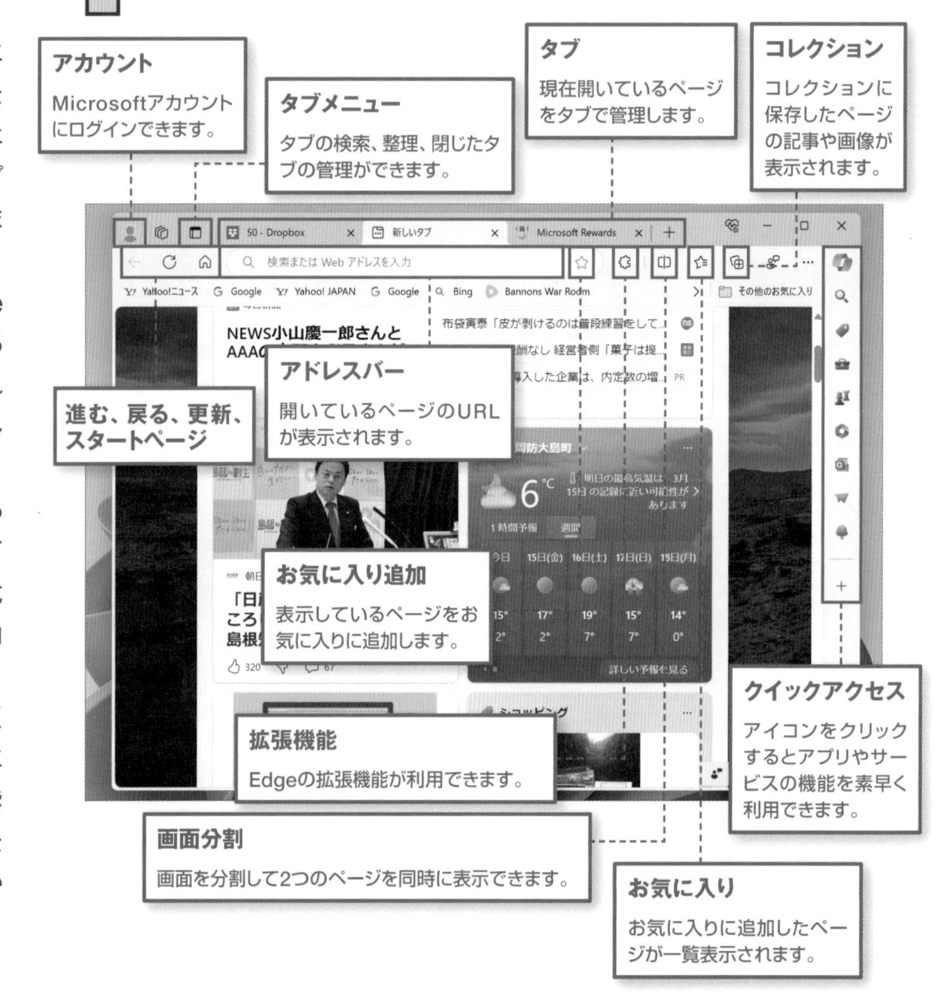

Edegを使ってみよう

① タスクバーから起動する

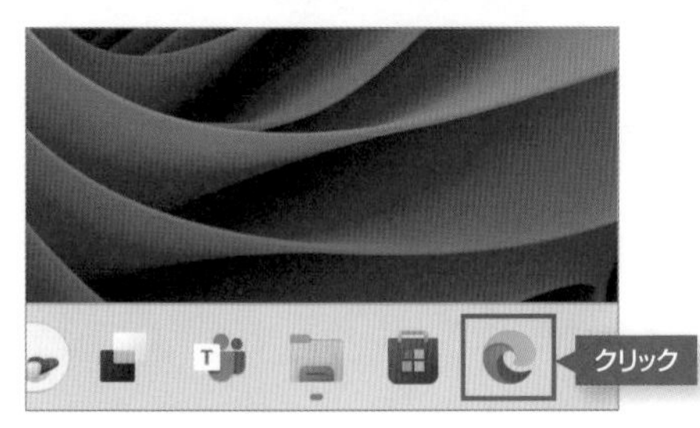

タスクバーにあるEdgeアイコンをクリックします。

② 検索キーワードを入力

Edgeが起動します。最初に表示されるページに検索ボックスが表示されます。検索したい言葉を入力しましょう。

CHECK!!

URLを直接入力することもできる

アドレスバーはもともとはページのURL（https://〜）を入力してアクセスするための入力ボックスです。もし、目的のサイトのURLを知っているなら直接URLを入力しましょう。ページを開くことができます。

タブの使い方を学ぶ

複数のページを効率よく閲覧するには、タブを利用しましょう。ウィンドウ内で複数のページを切り替えて閲覧できるようになります。また、タブでページを管理することで、デスクトップにウィンドウが散らからないというメリットもあります。

1 右クリックからタブを開く

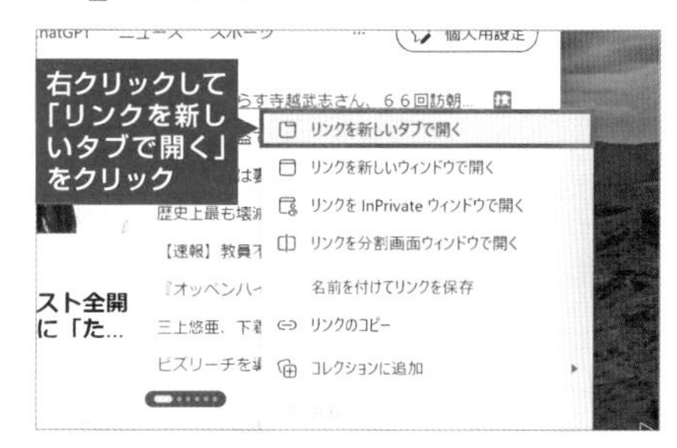

タブでページを開くには、リンクを右クリックして「リンクを新しいタブで開く」をクリックしましょう。

2 新しいタブで開く

現在開いているタブの横に新しいタブができます。新しいタブをクリックしましょう。

3 タブを閉じる

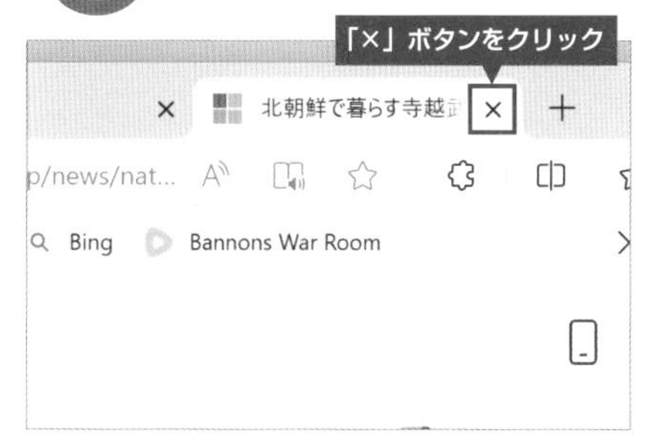

タブを閉じるには、タブ横にある「×」ボタンをクリックしましょう。タブが閉じて前の画面に戻ります。

4 新しいタブを作る

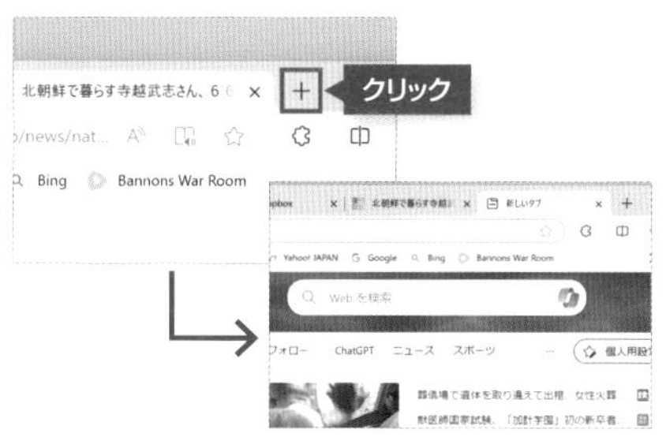

また、タブ横にある追加ボタンをクリックすると、新しいタブが作成されます。

5 タブを別のウインドウにする

タブを別のウィンドウに分離させることもできます。タブを上下にドラッグするとタブが新規ウィンドウとして分離されます。

ここがポイント

URLの入力は半角英数字が基本

アドレスバーにURLを直接入力する際は、半角英数字で入力しましょう。検索キーワードと違い、全角文字で入力すると訪問したいページにアクセスできません。自分が半角を打っているのか、全角を打っているのかわからないこともあります。文字の見た目では、全角は幅広く、半角は幅が狭くなっています。また、全角入力しているときは変換候補が表示されますが、半角入力時は表示されません。

3 検索結果画面が表示される

検索結果画面が表示されます。興味のあるページのリンクをクリックしましょう。

4 前のページに戻る

クリックしたページが開きます。検索結果画面に戻りたいときは、戻るボタンをクリックしましょう。

5 Edgeを終了する

Edgeを終了するにはウィンドウ右上の閉じるボタンをクリックしましょう。

検索テクニックをマスター！

目的のページにたどりつくには、検索サイトでキーワードを入力する際のコツが必要です。複数のキーワードを入力して検索の精度を上げるなどして、余計なサイトを検索結果に表示させないようなテクニックを覚えましょう。

1 アドレスバーにキーワードを入力する

Edgeではアドレスバーが検索ボックスの役割を果たしています。アドレスバーをクリックしましょう。

2 キーワードを入力する

検索したいキーワードを入力し、「Enter」キーをクリックしましょう。

CHECK!!

検索候補をクリックして検索するのも良い

アドレスバーでは検索キーワードの文字を入力するたびに、下部によく検索されがちな検索候補が表示されます。入力予定の検索ワードがあればクリックすると、すぐに検索結果画面に移動できます。

3 キーワードを複数入力する

キーワードの後にスペースを入れることで、複数のキーワードを組み合わせることができます。検索効率が良くなるので覚えておきましょう。

4 時間を絞り込む

検索結果画面にある時間指定メニューで「24時間以内」と指定すれば、24時間以内に作成された記事だけが表示されます。最新情報を探すときに便利です。

ここがポイント

Bingより Google検索が おすすめ

Edgeのアドレスバーや最初のページで検索するとBingという検索エンジンの結果が表示されて、検索精度がいまいちなことがあります。そこで、検索精度の高いGoogleの検索エンジンを利用しましょう。アドレスバーに「https://www.google.co.jp」と入力するか「Google」と検索すればGoogleのサイトにアクセスできます。お気に入りに登録しておくとアクセスが楽になります。

Edgeを使いやすくカスタマイズする

文字が小さくて読みづらかったり、デザインが気に入らないと感じる場合はカスタマイズしましょう。「設定」画面ではEdgeの外観のカラーをカスタマイズできるほか、文字の大きさを変更したり、ホームページボタンを追加するなどEdgeのさまざまな設定変更ができます。

1 ツールバーの設定を変更する

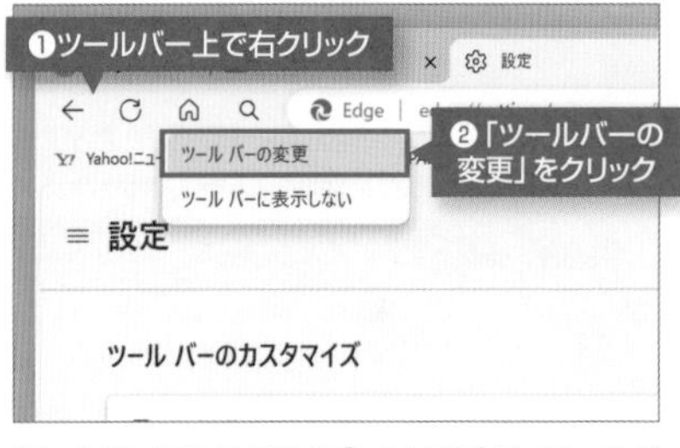

ツールバーをカスタマイズしたい場合は、ツールバー上で右クリックし、「ツールバーの変更」をクリック。

2 外観を変更する

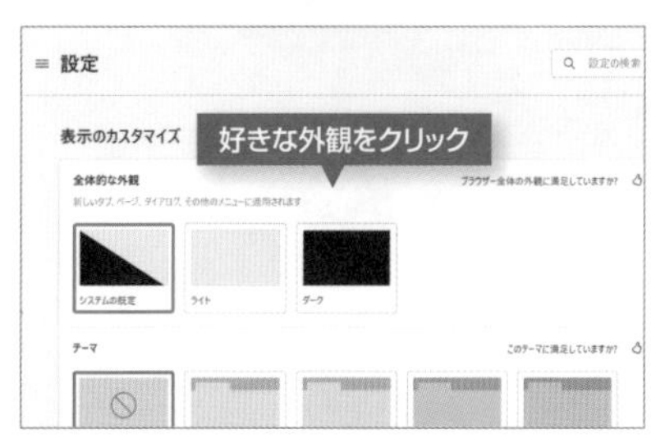

設定画面が表示されます。外観を変更したい場合は「表示のカスタマイズ」で使用したい外観をクリックしましょう。

よく見るページをお気に入りに登録する

YouTubeやニュースサイトのように1日に何度もアクセスするサイトは、毎回、URLを入力したり検索で探すのは面倒です。「お気に入り」に登録しておきましょう。お気に入りフォルダからクリック1つで目的のページにアクセスできるようになります。

1 ウェブページを表示する

お気に入りに登録したいウェブページを表示し、アドレスバーの右にあるお気に入り追加ボタンをクリックします。

2 お気に入りに登録する

お気に入り追加画面が表示されます。「完了」をクリックすると、お気に入りに登録されます。

3 お気に入りからサイトを開く

お気に入りボタンをクリックしましょう。登録したお気に入りが一覧表示されます。アクセスしたいサイト名をクリックしましょう。

4 お気に入りを編集する

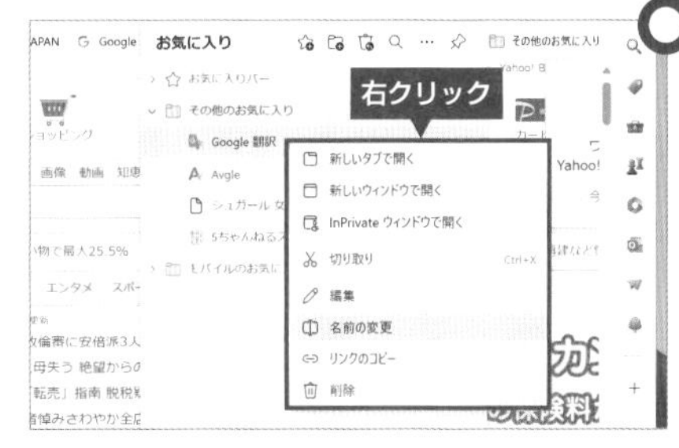

お気に入り画面で右クリックすると、登録したサイトの名称を変更したり、削除するなど、さまざまな編集ができます。

CHECK!!

お気に入りバーを表示する

ツールバーを右クリックして「ツールバーの変更」をクリックすると設定画面が表示されます。設定画面で「お気に入りバーの表示」を有効にするとツールバーの下にお気に入りが表示され、より素早くアクセスできるようになります。

ここがポイント

Edgeの拡張機能とは？

Edgeは標準でもさまざまな機能が搭載されていますが、「拡張機能」をインストールすることで、さらに機能を追加することができます。拡張機能は、マイクロソフトのウェブページからインストールしましょう。Edge画面右上の「…」をクリックし、「拡張機能」→「拡張機能」→「Microsoft Edgeの拡張機能を検出する」からインストールできます。

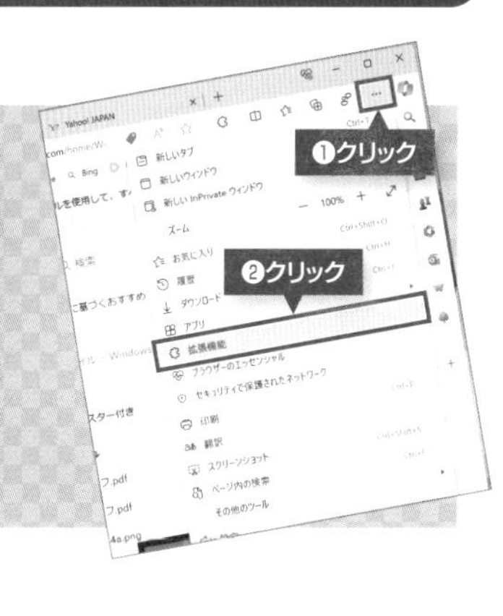

3 ページの文字を拡大する

ページの文字を大きくしたい場合は「ページのズーム」で拡大率を変更しましょう。

4 ホームボタンを有効にする

「外観」画面で下にスクロールして「ホームボタン」を有効にします。するとツールバーにホームボタンが追加されます。

5 頻繁にアクセスするURLを指定する

隣の「ボタンのURLを設定」をクリックし、毎日アクセスするサイトのURLを設定しましょう。ホームボタンを押すと指定したURLを開けます。

履歴を使って ページを表示してみよう

過去に閲覧したページを再び見たいときは「履歴」から目的のページを探しましょう。履歴画面を開くと過去に閲覧したページを時系列に探すことができます。また、うっかりタブを閉じてしまったときに、閉じたタブを再表示する機能もあります。あわせて覚えておきましょう。

1 「…」から「履歴」をクリック

ブラウザー右上の「…」をクリックして、「履歴」を選択します。

2 「すべて」を開く

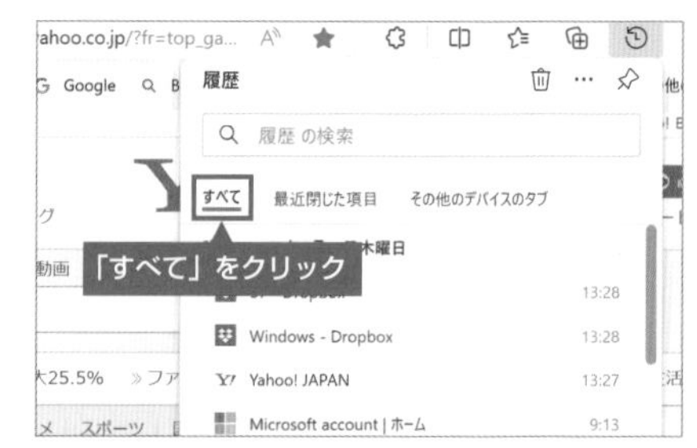

履歴画面が表示されます。「すべて」タブをクリックすると今日の日付の新しい順番からこれまで閲覧したページがすべて表示されます。

3 「最近閉じた項目」を開く

「最近閉じた項目」はタブを閉じた後、そのタブで開いていたページを再度開きたくなったときに便利です。

4 今閉じたタブを開く

うっかり閉じてしまったタブを開き直したいときは、タブを右クリックして「閉じたタブを再度開く」をクリックしましょう。

5 閲覧履歴を残したくない場合は?

パソコンを他人と共用している場合など、閲覧履歴を削除したい場合は、閲覧履歴画面の右上にあるゴミ箱アイコンをクリックしましょう。

ここがポイント

ダウンロードしたファイルはどこに?

Edgeでファイルをダウンロードすると、標準では「ダウンロード」フォルダに保存されています。エクスプローラーを起動したら「PC」→「ダウンロード」と移動して開いてみましょう。

また、ダウンロード直後はツールバーのダウンロードボタンにファイル名が表示されますが、ファイル名横にあるフォルダをクリックするとファイルの場所を開いてくれます。

知っておくと便利な Edgeのちょっと上級なテクニック

1 履歴を残さないプライベートモード

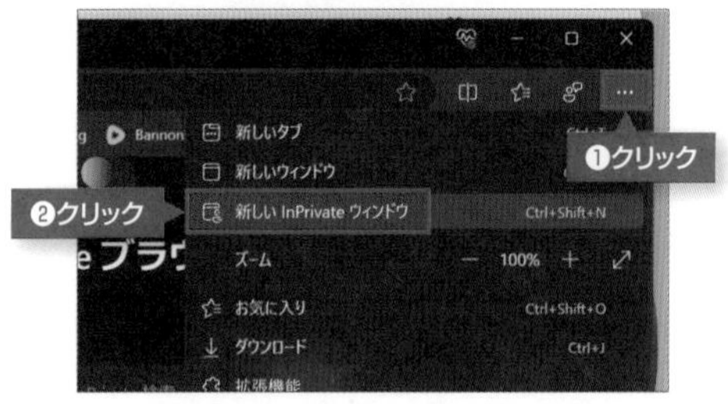

ブラウザー右上の「…」から「新しいInPrivateウィンドウ」をクリックすると閲覧情報を残さない黒いブラウザーが利用できます。

2 アドレスバーの検索エンジンを変更する

ブラウザー右上の「…」から「設定」を開き、設定メニューから「プライバシー、検索、サービス」→「アドレスバーと検索」→「アドレスバーで使用する検索エンジン」をほかの検索エンジンに変更できます。

3 Webページ内での検索

表示しているページ内から特定キーワードを検索したい場合は、ブラウザー右上の「…」から「ページ内の検索」を選択し、キーワードを入力しましょう。

サイトのパスワードを管理する

インターネットをしているとIDとパスワードを入力する機会が多くなります。Edgeにはウェブサイトで入力したIDとパスワードの組み合わせを自動で保存する機能があります。活用すれば自分でメモして覚えておく必要はなくなります。

1 「…」から「設定」をクリック

パスワードを自動保存するには、ブラウザー右上の「…」から「設定」を選択します。

2 「パスワード」をクリック

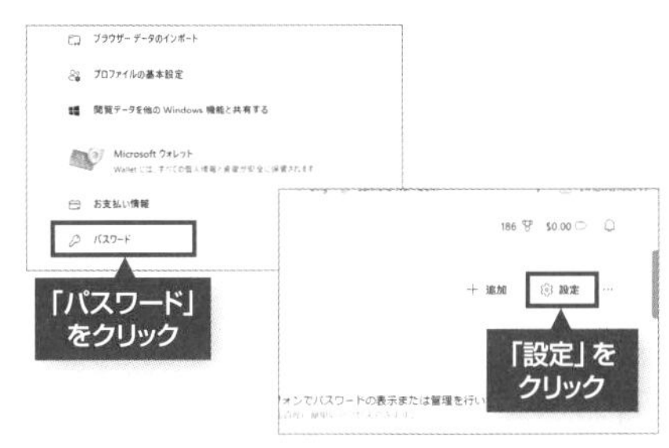

設定画面から「パスワード」を選択します。次の画面で右上にある「設定」をクリックします。

3 パスワードを自動的に保存する設定にする

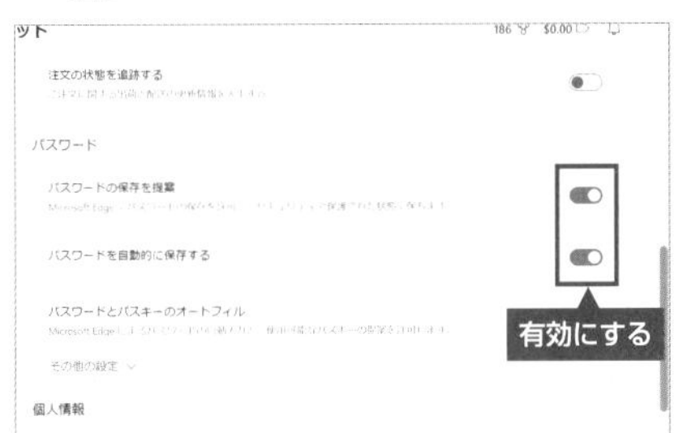

「パスワードの保存を提案」と「パスワードを自動的に保存する」を有効にしましょう。

4 パスワードを管理する

保存したパスワードを編集したり削除したいときは、パスワード設定画面で下へスクロールし、編集したいパスワードのサービスをクリックします。

5 パスワードを削除・編集する

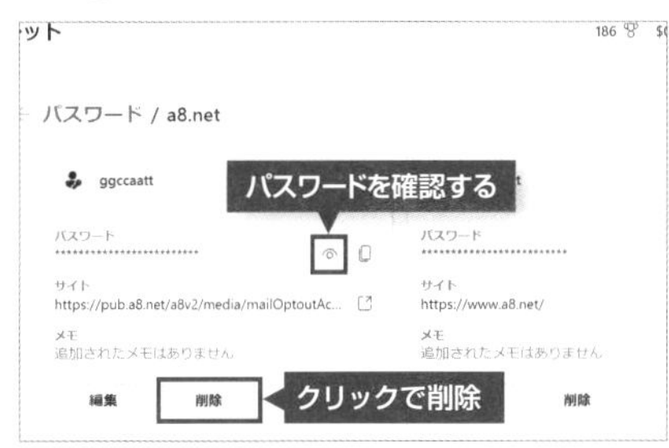

パスワードの編集画面が表示されます。ブラウザに記録したパスワード情報を消去したい場合は「削除」をクリック。目玉ボタンをクリックするとパスワードを確認することもできます。

ここがポイント

Google Chromeも使いやすく優れたブラウザーだ

Edgeが使いにくいと感じている人は、Google Chromeというブラウザーに乗り換えるのもよいでしょう。特にスマホでAndroidを使っている人であれば、同じGoogleアカウントを使うことでスマホのブラウザーに登録した内容をパソコンと常に一緒にすることができます。Google Chromeは、Google Chromeのサイトにアクセスしてダウンロードする必要があります。無料で利用できます。

4 WebページをPDF化する

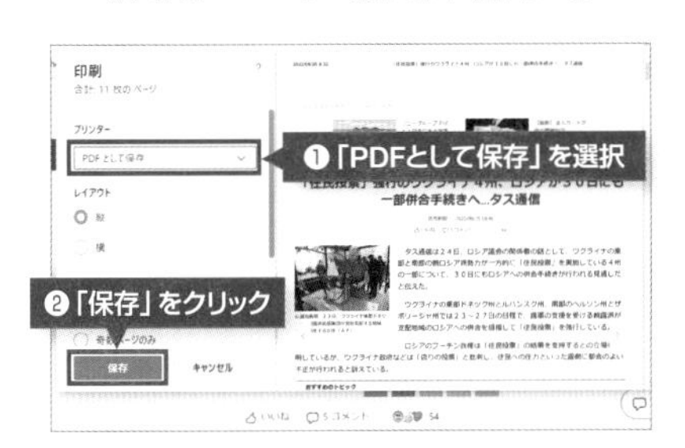

ブラウザー右上の「…」から「印刷」を選択して、「プリンター」で「PDFとして保存」を選択して「保存」をクリックすると表示しているページをPDFとして保存できます。

5 英語のページを翻訳する

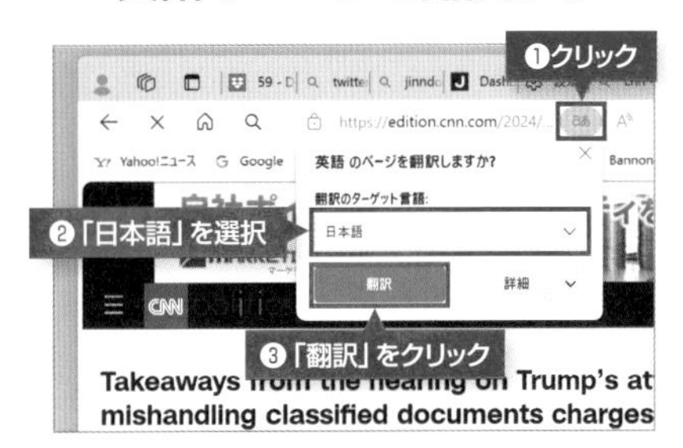

海外のページを開くと、アドレスバー横に翻訳ボタンが表示されます。「翻訳のターゲット言語」で「日本語」を選択して「翻訳」をクリックすると日本語化します。

6 ページを共有する

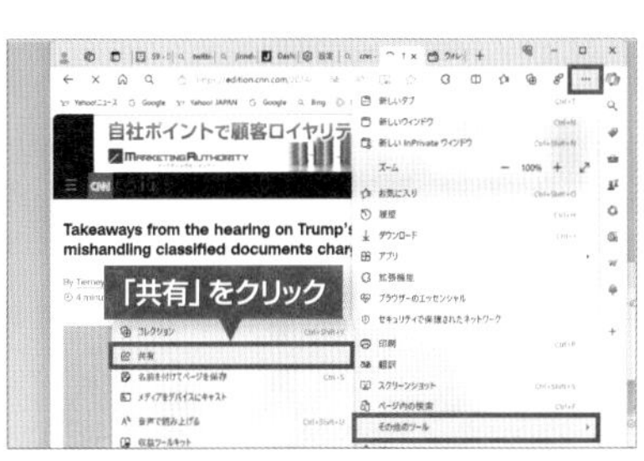

表示しているページをメールやSNSに共有するには、ブラウザー右上の「…」から「その他のツール」→「共有」を選択して共有先のSNSを選択しましょう。

メールの送受信は「Outlook」アプリを使おう

「Outlook.com」のデスクトップ版アプリが登場!

パソコンでメールをやり取りするためには、メールアプリが必要です。Windowsにはいくつかメールアプリが搭載されていますが、初めてメールを始めるなら「Outlook」がおすすめです。Outlookは、ブラウザで使う無料メールサービス「Outlook.com」と同じように使え、デスクトップ上で直接操作できます。また、Outlookでは、受け取ったメールを手動でフォルダに分けたり、ルールを作って受信時に自動で分類できるなど高度な機能がたくさんあります。GmailやYahooメールを利用していれば、それらのメールも受信できます。

ほかにWinodwsには「メール」アプリが搭載されていますが、このアプリは、2024年にサポートが終了され、更新されなくなります。今まで「メール」アプリを使っていた人も乗り換えるといいでしょう。

「メール」アプリとは

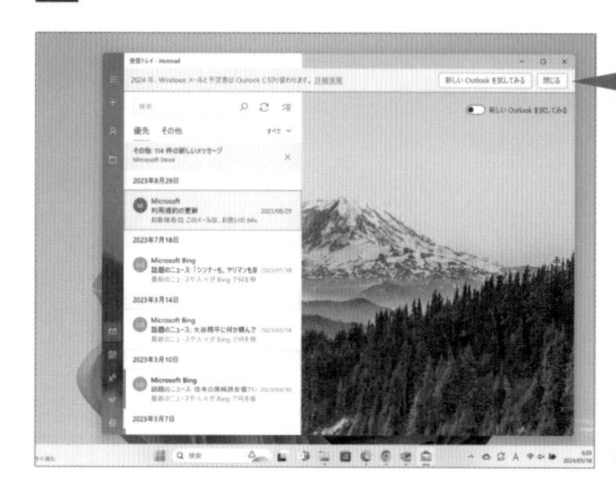

初めてメールアプリを使うユーザーは、「メール」アプリを使いがちだが、最低限の機能しかなく2024年でサポートは終了される。

「Outlook」とは

「Outlook」はブラウザで利用する「Outlook.com」のデスクトップアプリ版で非常に多機能です。Gmail、iCloud、YahooなどのIMAP方式のメールサービスに対応のほか、POP方式のメールサービスにも対応しています。

メールのアカウントを登録しよう

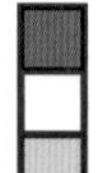

1 「すべてのアプリ」からOutlookを選択する

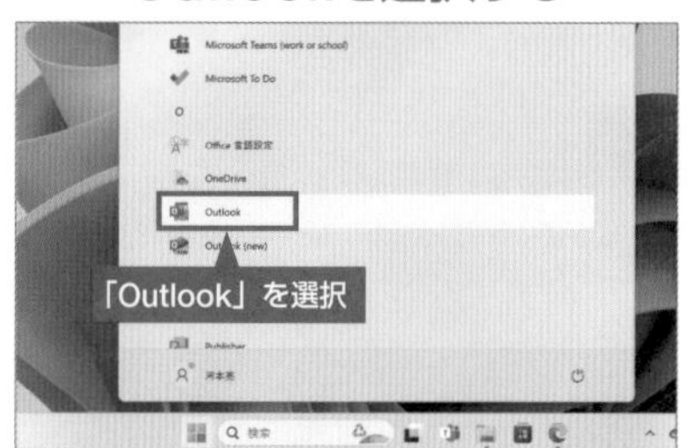

Outlookアプリを利用するには、スタートメニューから「すべてのアプリ」を開き、「Outlook」または「Outlook(new)」を選択しましょう。どちらを選択してもかまいません。

2 マイクロソフトアカウントを入力する

メールアドレス入力画面が表示されます。ここでは、マイクロソフトのメールアドレスを例に入力します。

3 Outlookアプリが起動する

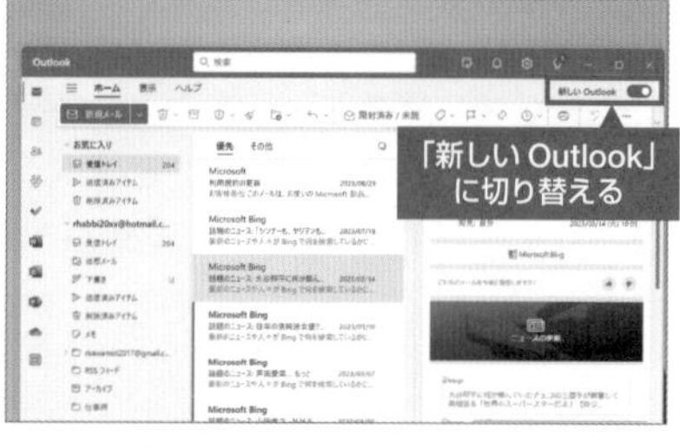

Outlookが起動します。古いOutlookを使っている場合は、右上の「新しいOutlook」を有効にすれば、最新のOutlookにインターフェースが変更します。

会社や自宅のパソコンのメールアドレスを登録する

会社のメールや、自宅のインターネット契約時にプロバイダーから発行してもらったメールアドレスを利用するには、受信メールサーバーと送信メールサーバーを手動で入力する必要があります。手元に発行してもらったサーバー情報のメモを用意して設定をしましょう。

1 「高度なセットアップ」を選択する

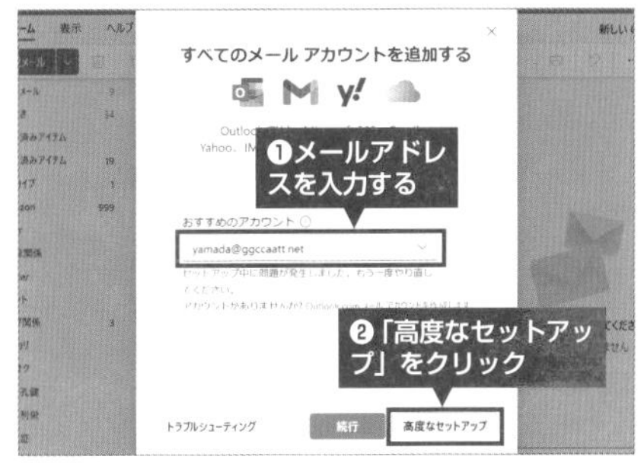

アカウント追加画面で利用するメールアドレスを入力後、表示される「高度なセットアップ」をクリックします。

2 「IMAP」を選択する

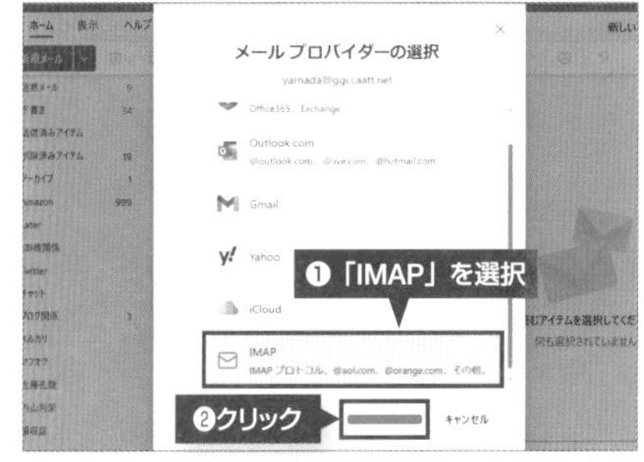

メールプロバイダーの選択画面で、一番下にある「IMAP」を選択して、青いボタンをクリックします。

3 メールサーバーの情報を入力する

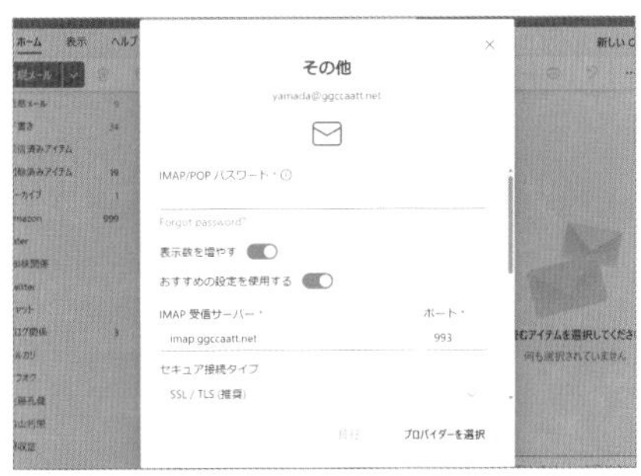

メールサーバの設定画面が表示されるので、プロバイダーから発行されたサーバーのアドレス、アカウント名、パスワードなどの情報を入力しましょう。

CHECK!!

POPとIMAPの違いとは

POPはサーバにあるメールをダウンロードして管理しますが、IMAPはダウンロードせず、サーバ上でメールを管理します。1台のパソコンでしかメールを受信しないならPOPで問題ありませんが、複数のデバイスで共有するならIMAPを選択しましょう。

4 メールサーバーの設定完了

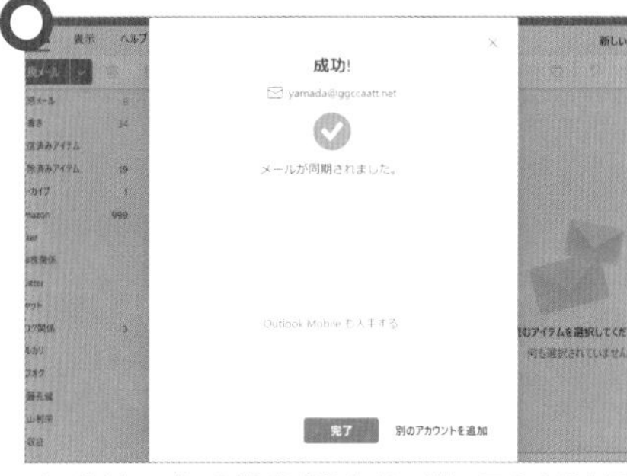

メールサーバーの設定がうまくいくと、このような画面が表示され、アカウントが追加されます。

もう「メール」アプリは使えないの?

「メール」アプリは2024年にサポートが終了します。使っていた人にとっては、Outlookと比較すると機能は見劣りするものの、シンプルで使いやすく、機能もわかりやすいアプリです。ただ、サポート終了後にはセキュリティの問題が発生する可能性もあるので、早めに本書で解説した「Outlook」アプリなどに移行した方が安心です。

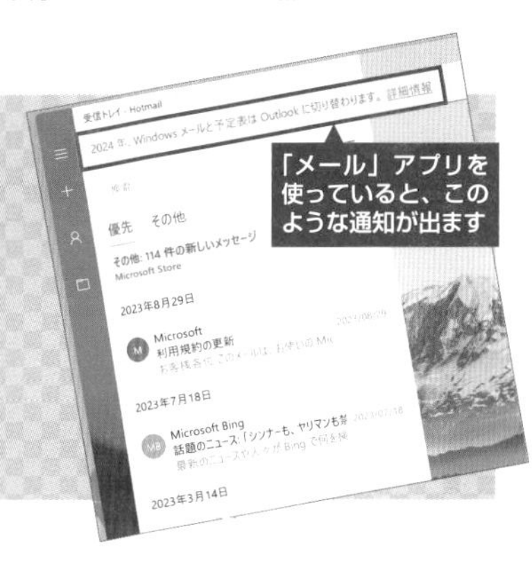

4 ほかのメールアドレスを追加する

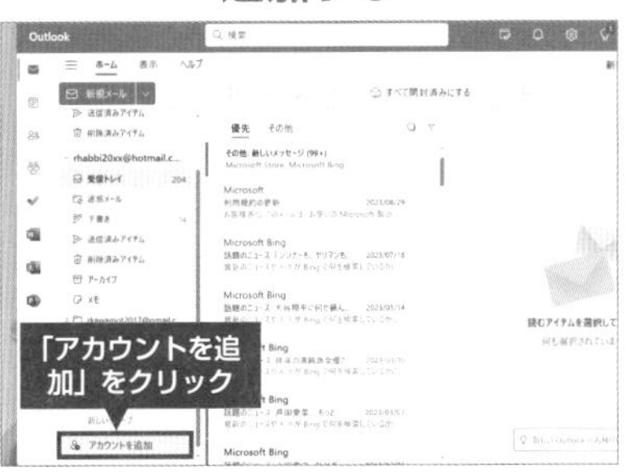

アプリ起動後、ほかのメールアドレスを追加したい場合は、「アカウントを追加」をクリックします。

5 ほかのメールアドレスを入力する

メールアカウント追加画面が表示されます。Gmail、Yahooメールなどほかに利用しているメールアドレスがあれば入力しましょう。

6 メールアドレスが追加された

メールアドレスが追加されます。アカウント名をクリックすると、フォルダが展開されます。

受信メールをチェックする

メールが届くと画面右下やタスクトレイにあるOutlookのアイコンから通知してくれます。Outlookアプリを起動し、受信トレイを開きましょう。届いたメールを選択すると内容を読むことができます。届いたメールにはフラグをつけたり、削除するなどさまざまな操作ができます。

1 受信したメールの通知

メールが届くと画面右下から通知されます。通知をクリックするとOutlookアプリが起動して対象のメールを表示できます。

2 受信トレイを直接開く

手動でOutlookアプリを起動して、届いたメールを閲覧する場合は、左の受信トレイをクリックすると、受信したメールが開くことができます。

3 重要なメールにフラグをつける

重要なメールにはフラグ（旗のマーク）をつけましょう。メールを開いてツールバーにあるフラグボタンをクリックすると、マークがつきます。

4 フラグをつけたメールを表示する

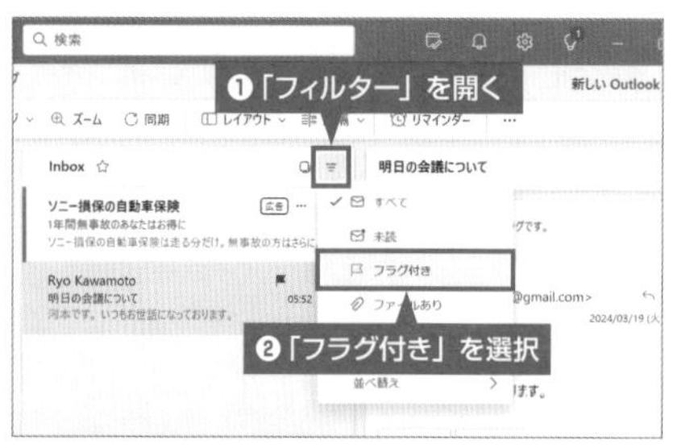

フラグをつけたメールのみを表示するには、受信トレイ右上の「フィルター」メニューを開き、「フラグ付き」をクリックしましょう。

5 添付ファイルを保存する

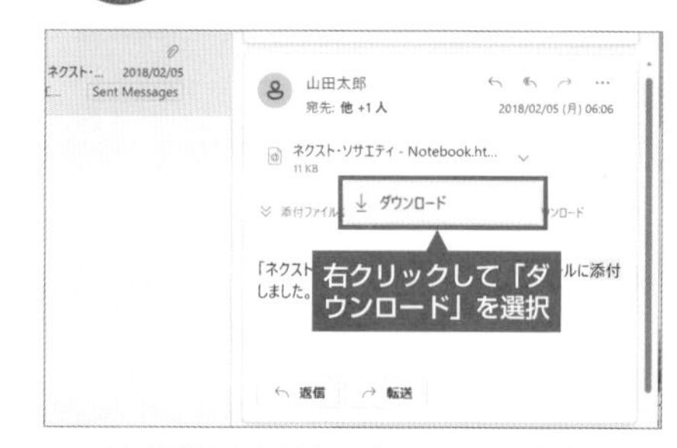

メールに添付された写真などのファイルを保存したい場合は、右クリックして「ダウンロード」を選択しましょう。

ここがポイント

メールの通知をカスタマイズする

標準では新着メールが届いたら画面右下から通知してくれますが、うるさい通知音をオフにしたかったり、表示形式をわかりやすいものに変更したいときがあります。メールの通知に関する設定は「通知設定」画面で変更できます。画面右下の時刻を右クリックして「通知設定」を開き「メール」の項目を開きましょう。ここで、通知に関するさまざまな設定変更ができます。

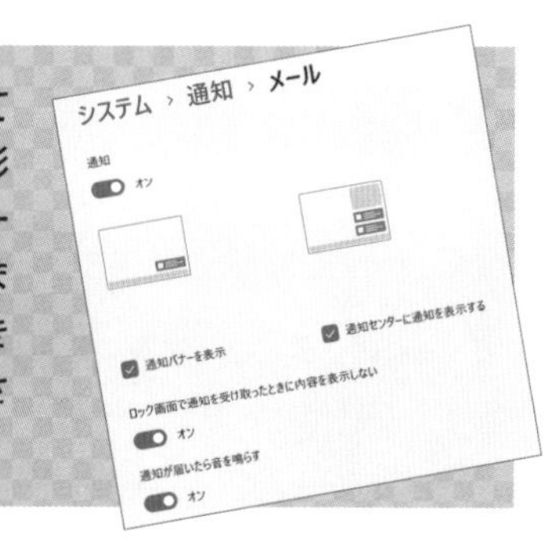

受信したメールに返信しよう

メールを受信したら次にやることは？

Outlookアプリでは、受信したメールを読むだけでなく、相手に返信したり、ほかの人に転送することができます。メールに返信するにはメールを開いたあと上部メニューにある「返信」をクリックしましょう。返信メールの作成画面が表示されるので、返信文を入力しましょう。

1 「返信」をクリック

メールに対して返信するには、メールの上部にあるメニュー、もしくは下のボタンから「返信」をクリックします。

2 返信文を作成して送信する

返信作成画面が表示されます。返信文を入力して「送信」をクリックすると、相手に返信メールを送ることができます。

メールを送信してみよう

自分でメールを作成して送信することもできます。文字によるメッセージだけでなく、写真や文書ファイルを添付することもできます。また、複数の人に同じメールを一斉に送信することもできます。練習として、自分のメールアドレスに送ることも可能です。

1 メールを作成する

アプリ左上にある「新規メール」ボタンをクリックします。

2 宛先を入力する

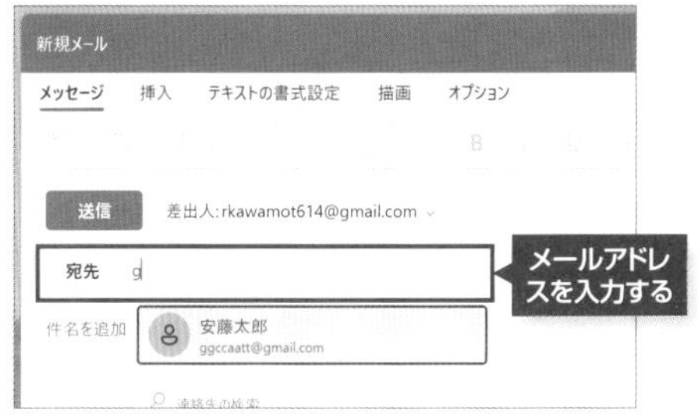

「宛先」に送信先のメールアドレスを入力しましょう。複数の人に送信する場合は、続けてメールアドレスを入力しましょう。

3 件名と本文を入力して送信する

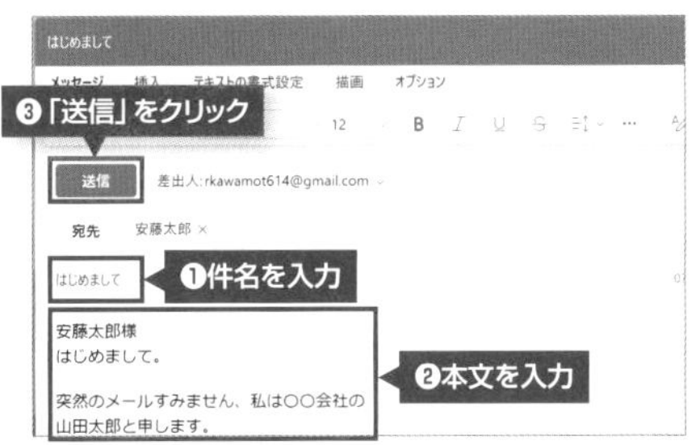

「件名」にメールの件名を入力し、その下に本文を入力します。最後に「送信」をクリックすればメールを送信できます。

4 ファイルを添付したり署名をつける

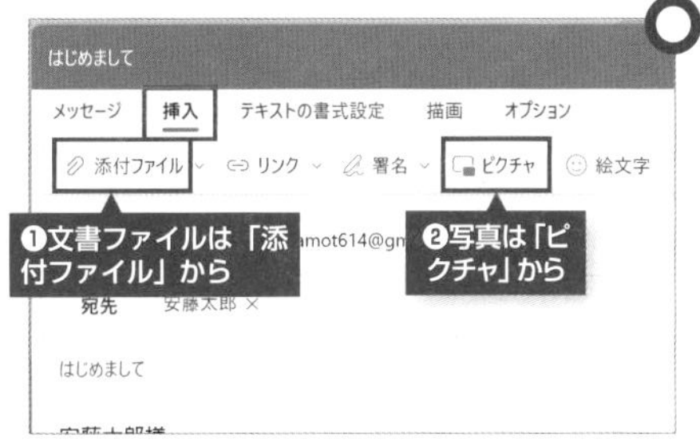

メール作成画面上のメニューから「挿入」をクリックすると、メールにさまざまなファイルを添付できます。署名の追加も行えます。

CHECK!!

添付の写真のサイズには注意しよう！

添付する写真サイズが大きすぎると受信する側にとって迷惑です。サイズを小さくするには添付の写真を選択し、メニューの「図の形式」からサイズを選択しましょう。写真サイズは大きくても3MBぐらいまでが目安です。

ここがポイント

複数人にメールを送る「CC」と「BCC」とは？

「宛先」欄の下にある「CCとBCC」をクリックすると、CCもしくはBCCが表示されます。CCに入力したメールアドレスは、送信したメンバー全員にメールアドレスが表示されます。一方、BCCに入力したメールアドレスは、送信したメンバーにメールアドレスが表示されることはありません。他人のメールアドレスを伏せて一斉に同じメールを送信したい場合は「BCC」を使いましょう。

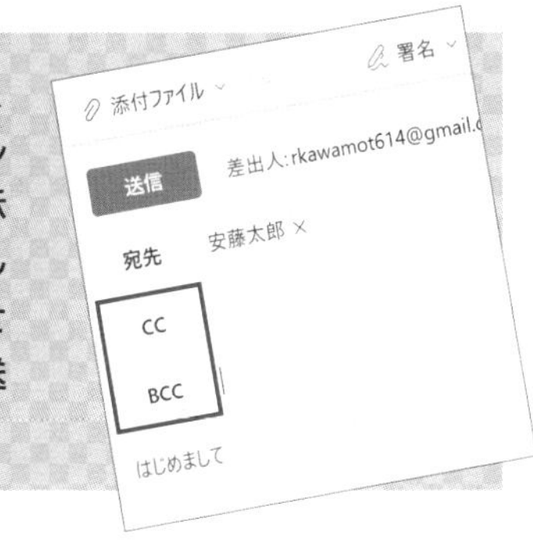

CHECK!!

送信するメールに署名をつける

送信するメールに署名をつけたい場合は、アプリ上部にある設定アイコンをクリックして「設定」画面から「署名」画面を開き、署名を追加しましょう。新規メッセージ用の署名と返信用のメールの署名を使い分けることができます。

3 ほかの人にメールを転送する

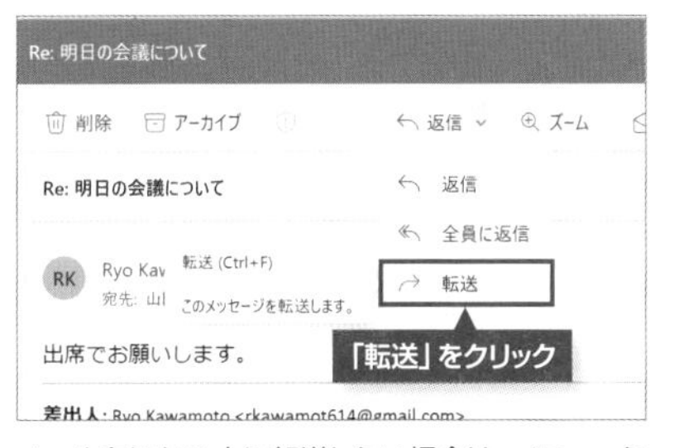

メールをほかの人に転送したい場合は、メニューから「転送」をクリックしましょう。

4 転送先のメールアドレスを入力する

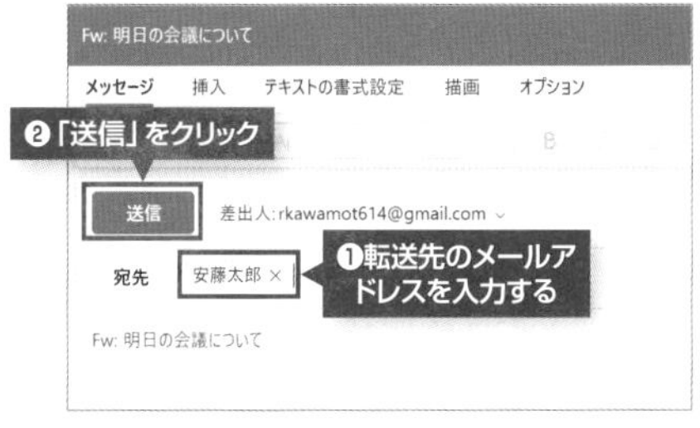

転送の場合は、転送先のメールアドレスを入力する必要があります。「宛先」にメールアドレスを入力して「送信」をクリックしましょう。

見たいメールを検索する

探したいメールがあるときに、過去のメールを1つ1つ開いて探すと手間がかかります。検索機能を使いましょう。キーワードを入力すれば、キーワードと関わりのあるメールをすぐに見つけることができます。宛先、差出人、件名などさまざまな条件で検索対象を絞り込むことができます。

1 差出人で検索

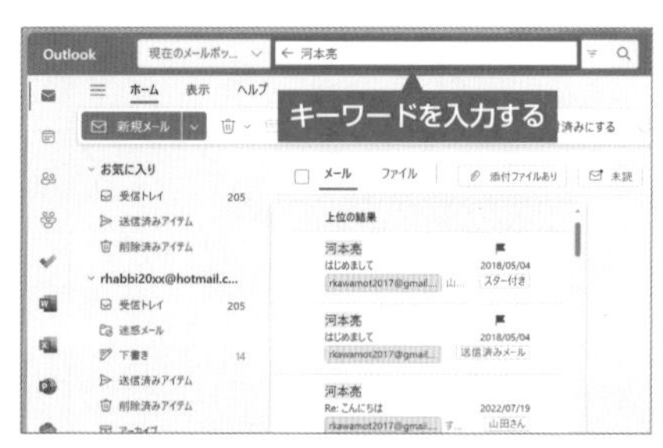

Outlookアプリ上部にある検索ボックスにキーワードを入力しましょう。たとえば、差出人の名前を入力すると、その差出人のメールだけを探すことができます。

2 本文や件名のキーワードで検索

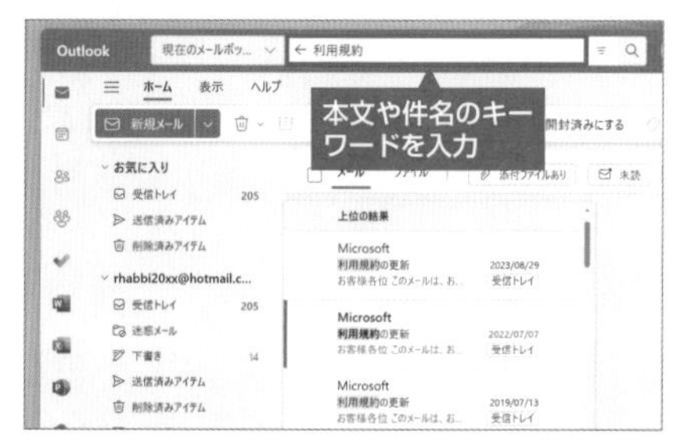

メール本文に記載されていそうな単語や、件名に記載されていそうな単語から目的のメールを探すのもよいでしょう。

3 日付を指定してメールを検索する

特定の期間に送受信したメールのみ検索したい場合は、検索ボックス右側にあるフィルタボタンをクリックし、検索対象とする日時を指定しましょう。

4 特定のフォルダーを指定する

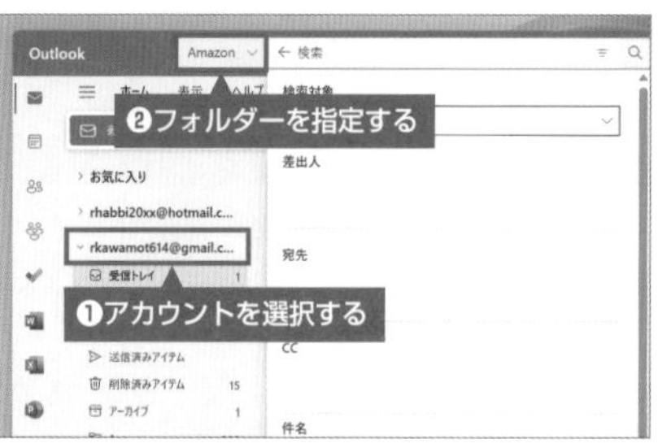

特定のメールフォルダーに検索対象を絞りたい場合は、対象のメールアカウントを選択後、検索ボックス左側にあるメニューからフォルダーを選択しましょう。

5 複数のキーワードで検索

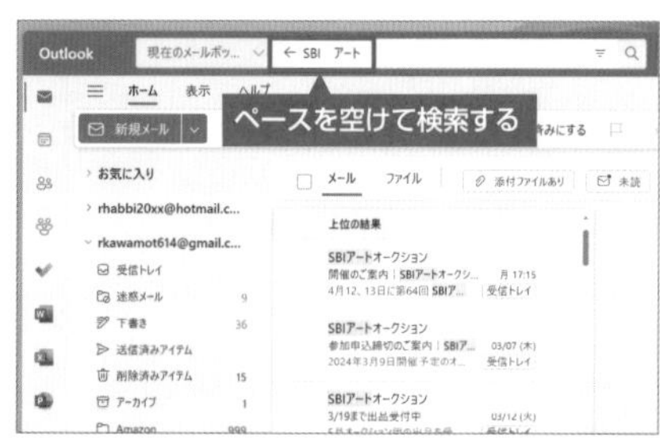

キーワードの後にスペースを空けることで、複数のキーワードを組み合わせて検索することもできます。

ここがポイント

複数のメールをまとめて操作するには?

複数のメールをまとめて削除したり、特定のフォルダーに移動したいときは選択モードを利用しましょう。受信トレイ右上にある選択モードボタンをクリックすると、メールの横にチェックボックスが表示されます。まとめて処理したいメールにチェックを入れることで、削除や移動などの操作ができます。

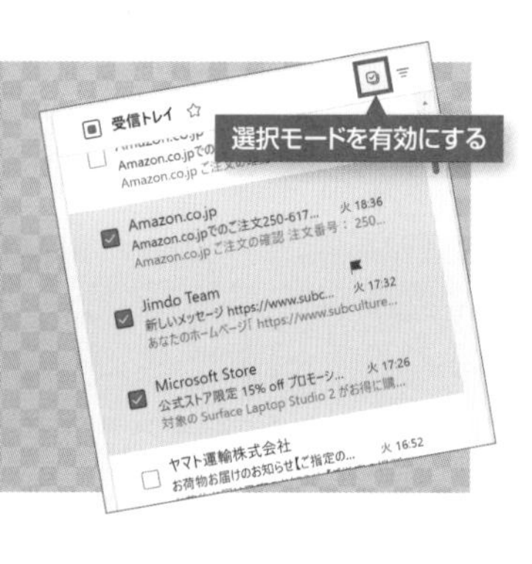

メールをさらに便利に利用するテクニック

1 迷惑メールに分類する

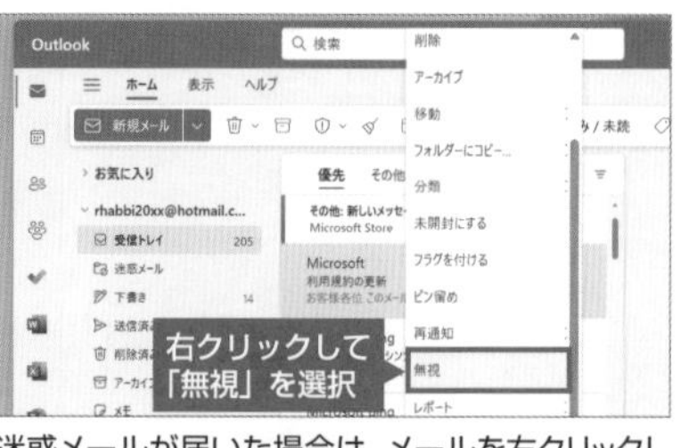

迷惑メールが届いた場合は、メールを右クリックして「無視」を選択すると、これ以降は同じメールアドレスからのメールについては自動的に「削除済みアイテム」に振り分けられます。

2 不要なメールを削除する

「削除」をクリック

不要なメールを削除したい場合は、メールを右クリックして「削除」をクリックしましょう。ゴミ箱に移動し、30日を過ぎると自動で削除されます。

3 メールをアーカイブに移動する

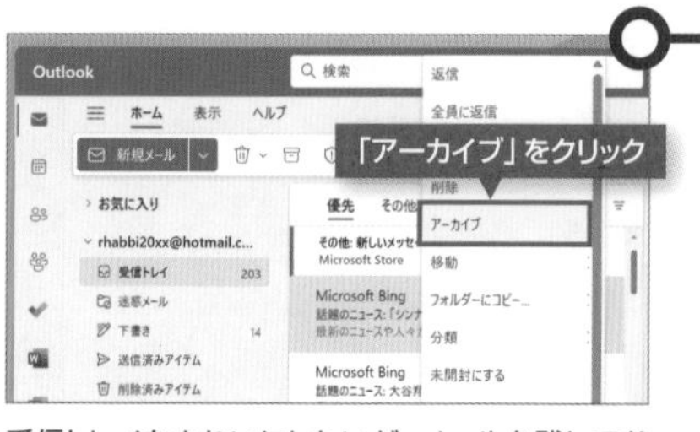

受信トレイをきれいにしたいが、メールを残しておきたいときは、右クリックして「アーカイブ」に移動しましょう。アーカイブ内のメールは削除されず、検索で探すこともできます。

フォルダーを使って
メールを分類する

受信したメールが溜まってきたら、フォルダーを使って分類しましょう。フォルダーには好きな名前をつけることができるので、差出人や内容ごとに分類しておくのがおすすめです。受信トレイからフォルダーへの分類は「移動」メニューで簡単に行なえます。

1 フォルダーを作成する

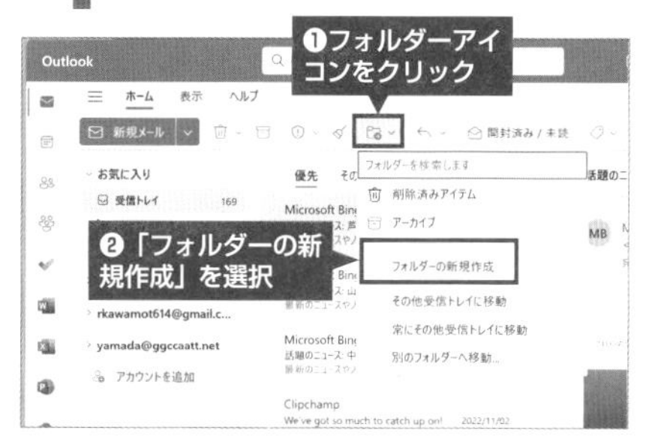

ツールバーにあるフォルダーアイコンをクリックして「フォルダーの新規作成」をクリックします。

2 フォルダー名を入力

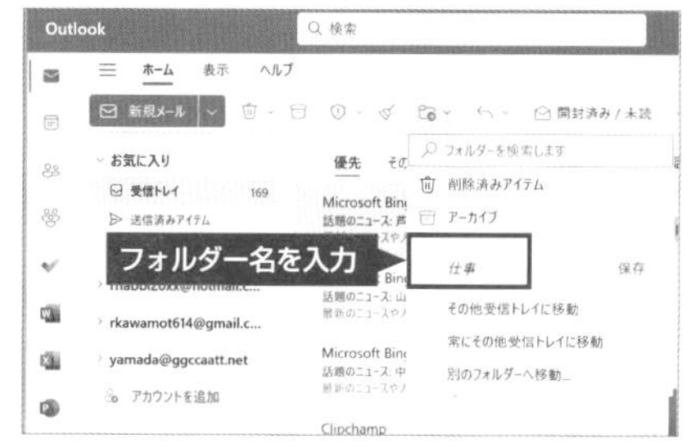

フォルダー名入力ボックスが表示されるので、好きなフォルダー名を入力し、「保存」を押します。

3 フォルダーが作成された

フォルダー一覧に作成したフォルダーが追加されます。

4 右クリックから「移動」を選択

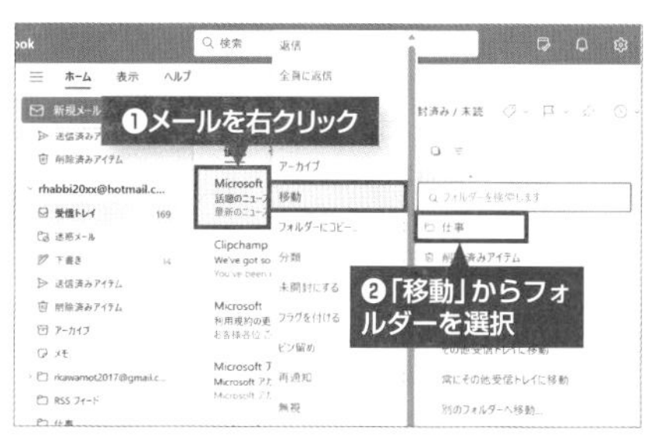

フォルダーにメールを移動するには、メールを右クリックして「移動」を選択し、移動先のフォルダーをクリックしましょう。

5 ドラッグしてフォルダーに移動する

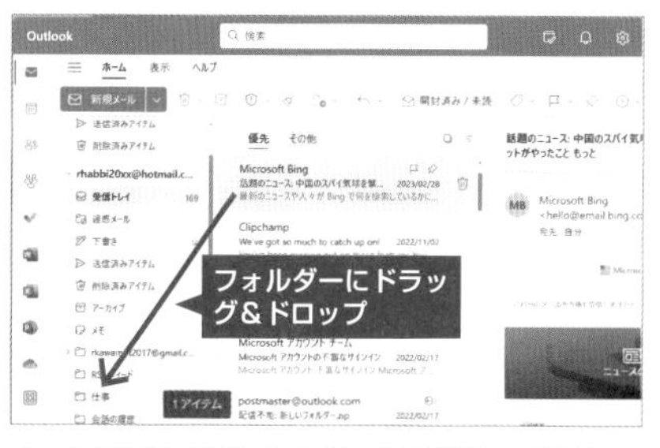

メールを左側にあるフォルダーに直接ドラッグ&ドロップして移動することもできます。

ここがポイント

複数の端末でメールを確認するならブラウザ版も便利！

もし、複数の端末で同じメールを送受信するならブラウザ版Outlookを使うのもよいでしょう。ブラウザならWindows以外のどのコンピュータやスマホからでもインターネット接続があれば、ブラウザ経由でメールの確認や送信が可能です。また、ブラウザ版は常に最新の状態で利用できる点も魅力的です。アップデートを気にする必要がなく、新機能やセキュリティ修正が自動的に適用されます。

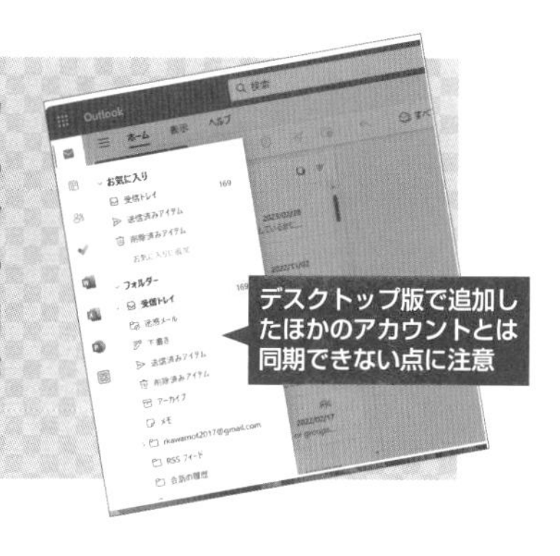

CHECK!!

添付されたファイルが開けないときは？

メールに添付されたファイルを開こうとすると開かないことがあります。特定のファイルを開くには対応したアプリが必要になります。Microsoft Storeからインストールすると開けるようになることがあります。

4 受信を拒否する

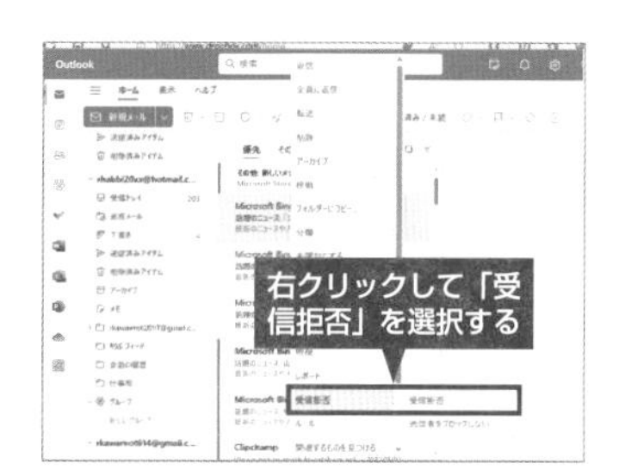

特定のメールアドレスからメールの受信そのものを拒否したい場合は、右クリックして「受信拒否」をクリックしましょう。以後、メールが届かなくなります。

5 受信拒否を取り消す

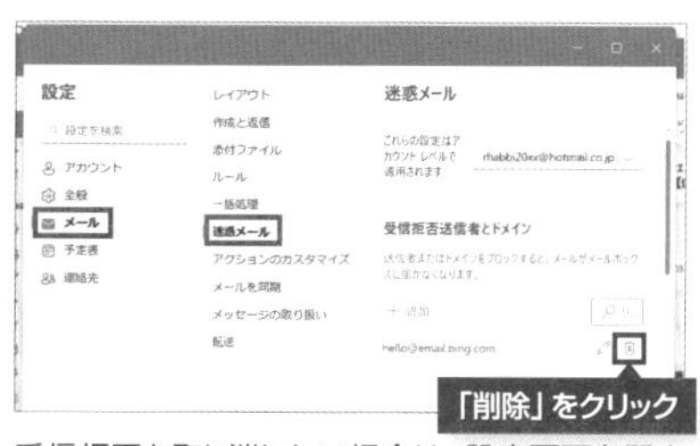

受信拒否を取り消したい場合は、設定画面を開き「メール」→「迷惑メール」と進み「受信拒否送信者とドメイン」にあるリストから対象のメールアドレスを選択して削除をクリックしましょう。

デジカメの写真は「フォト」で完璧!

標準のフォトアプリでできることは?

Windows 11には、パソコンに保存している写真を画面に表示する「フォト」というアプリが内蔵されており、標準では写真ファイルをダブルクリックしたときに自動的にフォトアプリで開く設定なっています。

フォトアプリは、ただ写真を表示させるだけでなく、写真の明るさや色合いを調整する機能や、必要な部分だけを切り取るトリミング機能、大きな写真のサイズを小さく圧縮する機能を備えています。撮影した写真を加工し、メールやSNS上にアップしたいときに便利です。

また、アルバムを作成して写真を分類することもできるので、デジカメやスマホから写真を取り込んで分類・整理するのに役立ちます。パソコンとスマホをUSBケーブルなどで接続するだけでフォトがスマホの内容を読み取り、写真をまとめてスマホから読み込んでくれます。

フォトアプリでできること

■スマホやデジカメからの写真取り込み

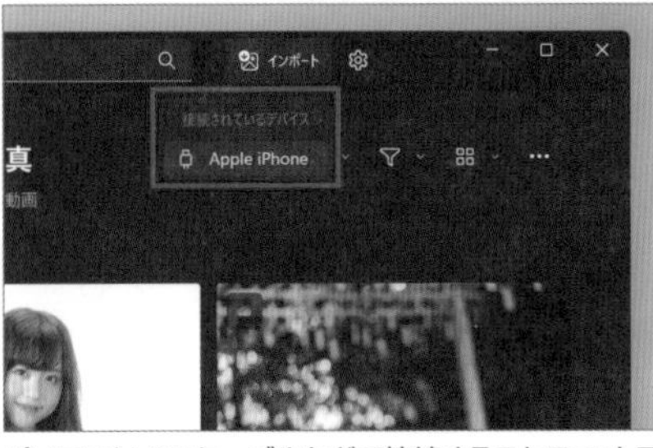

パソコンとUSBケーブルなどで接続することでフォトアプリが端末内の写真を自動で取り込んでくれます。

■パソコン内の写真をスムーズに閲覧

フォトアプリに登録した写真であれば、フォルダー上よりスムーズに写真を連続して閲覧できます。

■アルバムで写真を管理

フォルダーに入れて写真を分類することもできます。また、スライドショーなどアルバムならではの便利機能があります。

■写真のレタッチ

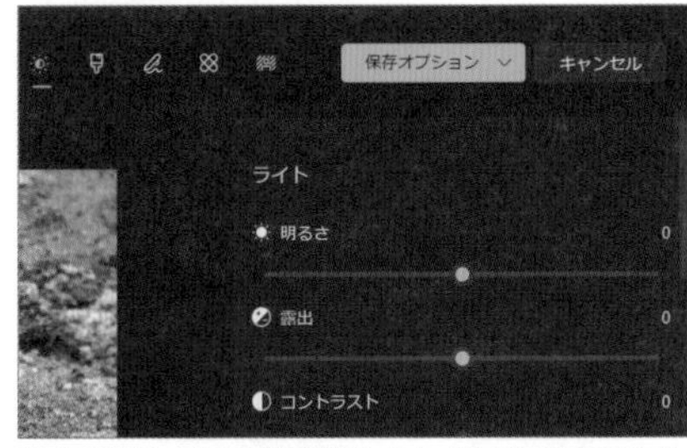

写真の明るさや彩度を調節したり、傾きや角度の変更、トリミングなどができます。

デジカメやスマホから写真を取り込もう

① インポートアイコンをクリックする

パソコンとデバイスをケーブルで接続したら、フォトアプリ右上にあるインポートアイコンをクリックし、「接続されているデバイス」から端末を選択します。

② デバイスに通知が送信される

初めて接続する場合は、PCとデバイスを接続してよいかどうかの確認が行われます。この画面が出たらデバイス側で、接続の許可を行いましょう。

CHECK!!

スマホ側で読み込みできるようにしておこう

スマホがiPhoneの場合、パソコンとiPhoneを接続すると、iPhoneの画面に「アクセスを許可しますか」と表示されます。このとき「許可」を選択しないとインポートできないので注意しましょう。

スマホからインポートしようとしてもできない場合は？

Androidスマホにある写真をインポートしようとすると「問題が発生しました」と表示されることがあります。これは、USBの設定がファイル転送になっていないためです。インポートできるようにAndroidスマホ側の設定を変更しましょう。

1 Androidでインポートしようとすると…

インポートしようとしてこのような画面が発生する場合は、スマホ側の設定を変更する必要があります。

2 Androidの設定アプリを開く

Andoridの「設定」アプリを開き、「接続済みのデバイス」へと進みます。Andoridの機種によってメニューはやや異なります。

3 パソコンとの接続設定を選択する

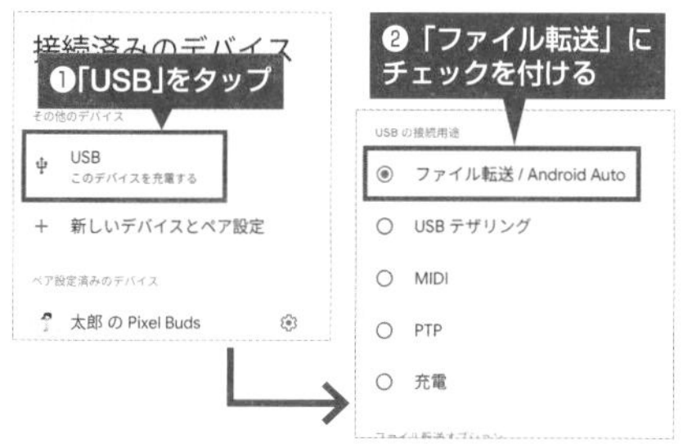

USBケーブルでパソコンとスマホを接続している場合は「USB」という項目をタップします。USBの接続用途で「ファイル転送」にチェックを入れます。

4 「インポート」をクリックする

フォトアプリでインポート作業をし直しましょう。デバイス名をクリックして「インポート」をクリックします。

5 スマホのインポートが可能に

これでトラブルなくスマホのインポート画面に移行できます。

ここがポイント

パソコン上のフォルダーを「フォト」に追加するには？

フォトはデジカメやスマホ内の写真だけでなく、パソコン上にあるフォルダーを追加することもできます。サイドメニューから「フォルダー」を選択しましょう。フォルダー選択ウィンドウが表示されるので、「フォルダーを追加する」をクリックして、追加したいフォルダーを選択しましょう、

3 すべての写真をインポートする

インポート設定画面が表示されます。すべての写真をインポートする場合は「すべて選択」を選択して「○項目の追加」ボタンをクリックしましょう。

4 特定の写真だけをインポートする

特定の写真だけをインポートする場合は、「選択～」を選択したあと、インポートする写真にチェックを付けて「○項目の追加」をクリックしましょう。

5 OneDriveに保存される

インポートした写真は、OneDriveに保存されています。エクスプローラーを起動してOneDriveを開きましょう。OneDriveについては、82ページからの記事で解説しています。

フォトで写真を閲覧する

フォトアプリに写真を登録すると、撮影日時の近い写真から上に順に縮小表示され、下にスクロールすると過去の写真をさかのぼって探すことができます。また、検索画面で写真に関するキーワードを入力して写真を探すことができます。

1 「すべての写真」を開く

登録した写真を時系列で探すには、サイドメニューから「すべての写真」をクリックします。撮影日時の近い写真が上に表示されます。

2 スライドバーを上下に動かす

アプリ右端にあるスライドバーを上下にスクロールすると、写真を切り替えることができます。下に行くほど撮影日時の古い写真が表示されます。

3 検索で写真を探す

アプリ上部にある検索ボックスにキーワードを入力すると、関連のありそうな写真だけを表示してくれます。

4 フォルダーから写真を探す

サイドメニューから「フォルダー」を選択すると、フォトアプリに登録したフォルダーが一覧表示され、フォルダー別に写真を探すことができます。

5 表示形式を変更する

「すべての写真」画面で、右上の表示アイコンをクリックすると、サムネイルの表示形式を変更することができます。

ここがポイント

ビューワー画面で複数の写真を並べて閲覧する

「すべての写真」にある縮小写真をクリックするとビューワーが起動します。ビューワーの左下にあるアイコンをクリックすると次の写真や前の写真が縮小表示され、キーボードの左右矢印キーでスムーズに写真を切り替えることができます。また、Shiftキーや Ctrlキーを押しながら写真クリックすると、選択した写真を並べて閲覧することができるようになります。

お気に入りに写真を登録する

頻繁に閲覧する写真は「お気に入り」に登録しましょう。お気に入りに登録すると、サイドメニューの「お気に入り」画面から目的の写真を素早く見つけられます。お気に入り画面は「すべての写真」と同様の操作で利用でき、撮影日、作成日、変更日などで並び替えることができます。

1 お気に入りに登録する

お気に入りに登録したい写真を開き、上部メニューからお気に入りアイコンをクリックしましょう。

2 お気に入り写真を確認する

サイドメニューにあるお気に入りボタンをクリックすると、お気に入りに登録した写真のみ表示されます。

写真をレタッチしてみよう

フォトアプリのビューワー画面には、写真をレタッチする機能が搭載されています。色味や明るさを調節してきれいな写真に加工しましょう。また、傾きを調整したり余計な部分をトリミングすることもできます。補正後は、オリジナル写真を残したまま補正写真を保存することができます。

1 画像編集ボタンをクリック

画像を編集するにはビューワーで写真を開いたら、上部メニューにある画像編集ボタンをクリックします。

2 色調を補正する

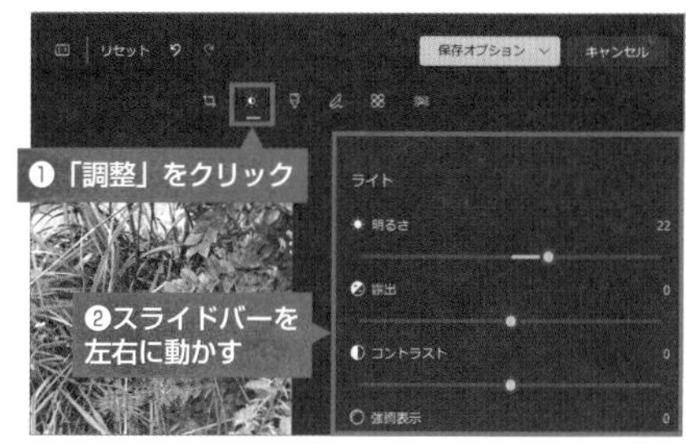

明るさや色調を補正するには、上部メニューから「調整」をクリックします。右側に表示されるメニューのスライドバーを左右に動かして補正しましょう。

3 写真をトリミングする

写真をトリミングするには「トリミングする」を選択します。写真四方の枠をドラッグするとトリミング範囲を調節することができます。中央の「自由」から指定アスペクト比でトリミングができます。

4 写真の傾きを調節する

写真下部にあるスライドバーを左右に動かすと傾きの微調整ができます。また、左にある回転ボタンで90度回転、右にある反転ボタンで上下左右に写真を反転できます。

5 加工した写真を保存する

写真を加工後、右上にある「コピーとして保存」をクリックすると、オリジナルの写真を残しつつ加工した写真を保存できます。共有したい人に送りましょう、

ここがポイント

フィルターを使って見栄えのよい写真に補正する

自分で補正する自信がない場合は「フィルター」を利用しましょう。好きなフィルターを選択するだけで見栄えの良い写真に補正してくれます。フィルターは10種類以上利用できるほか、使用するフィルターごとに強さを調節することができます。また、フィルター画面にある「自動補正」ボタンをクリックすれば、パソコン側で自動で良い色調にレタッチしてくれます。

写真をほかの人と共有する

「フォト」に登録されている写真をほかの人と共有するには、共有メニューを開きましょう。フォトでは、OneDriveのリンク送信機能を利用して、リンク(URL)を知っている人なら誰でも閲覧できるように設定することができます。特定のユーザーのみ閲覧できるようにすることもできます。

1 OneDriveを使用して共有する

共有したい写真を右クリックして、メニューから「共有」→「OneDriveを使用」を選択します。

2 URLをコピーする

リンクの送信画面が表示されます。「コピー」をクリックすると、共有リンクのURLがクリップボードにコピーされます。共有したい人に送りましょう、

動画や音楽を再生するにはどのアプリを使う?

微妙に機能に差がある標準のメディアプレイヤー

動画や音楽をパソコン上で再生するにはメディアプレイヤーアプリが必要になります。Windows 11では標準で「メディアプレーヤー」「Windows Media Player(従来版)」「映画&テレビ」の3つのプレイヤーがインストールされています。

メディアプレーヤーは、Windows 11にインストールされているプレイヤーで最も使いやすいプレイヤーです。ライブラリ機能を搭載しており、登録した動画や音楽をビジュアル的に管理できます。

Windows Media Player従来版は古くからWindowsに搭載されているメディアプレイヤーです。さすがにインターフェイスが古く、使い勝手は良くないものの、音楽CDから音源をパソコンをインポートできる機能は貴重です。「映画&テレビ」はテレビ番組や購入した映画を視聴するプレイヤーです。

メディアプレーヤーのインターフェース

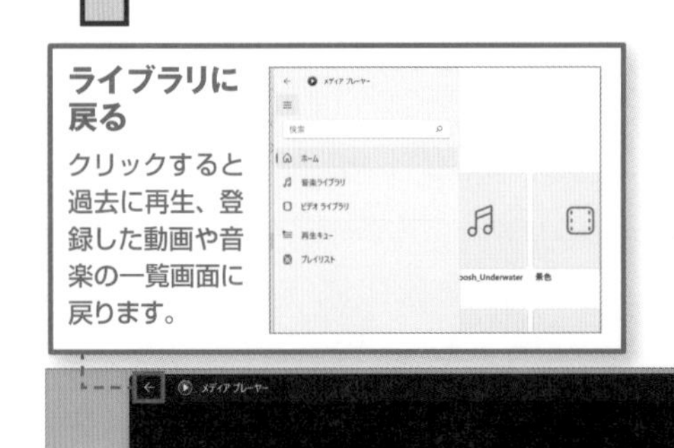

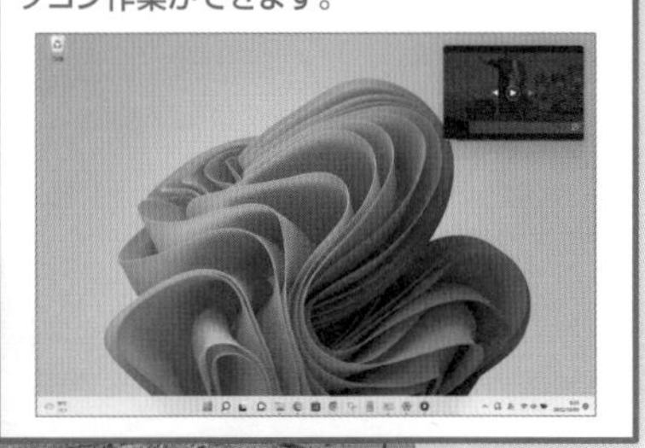

Windows 11に内蔵されているプレイヤーで最も使いやすいメディアプレイヤーです。通常、パソコン上にある動画や音楽を実行するとこのプレイヤーで再生されます。

Windows Media Player従来版で音楽CDをパソコンにインポートする

1 Windows Media Playerを起動する

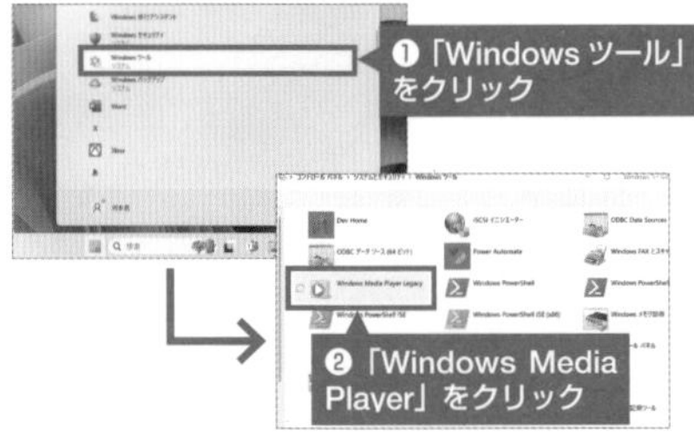

スタートメニューから「すべてのアプリ」→「Windowsツール」を開き、「Windows Media Player Legacy」をクリックします。

2 音楽CDを再生する

パソコンのCDドライブに音楽CDをセットすると、プレイヤー左側に音楽CD名が表示されます。クリックすると楽曲が表示され、再生できます。

3 音楽CDを取り込む

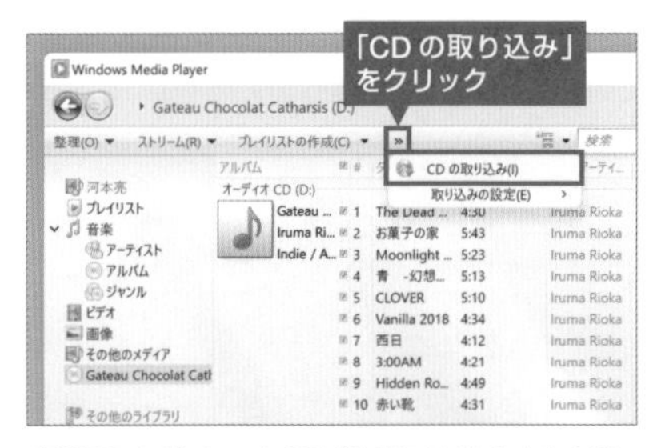

音楽CDをパソコンに取り込むには「>>」をクリックして「CDの取り込み」をクリックします。

あらゆるファイルを再生できる便利なプレイヤー

Windows標準のプレイヤーでは再生できないファイルがあります。その場合のおすすめは「VLC Media Player」です。非常に多機能であらゆる動画フォーマットに対応しています。DVDやブルーレイの再生もできます。アプリは公式サイトからダウンロードしましょう。

1 公式サイトからダウンロード

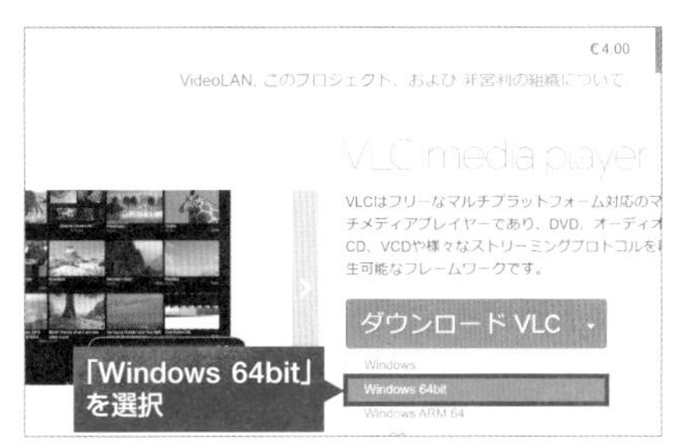

VLCの公式サイト（https://www.videolan.org/）にアクセスしたら「ダウンロードVLC」横の「▼」をクリックし「Windows 64bit」を選択します。

2 プログラムファイルをインストール

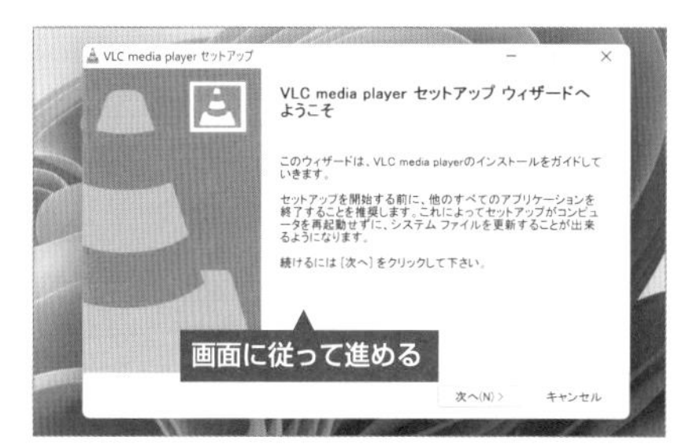

プログラムファイルがダウンロードされるので、ダウンロード後インストールしましょう。画面に従っていくだけでインストールは完了します。

3 ファイルを再生する

VLC Media Playerを起動したら、再生したいファイルをドラッグ&ドロップしましょう。ファイルが再生されます。

4 ディスクを開く

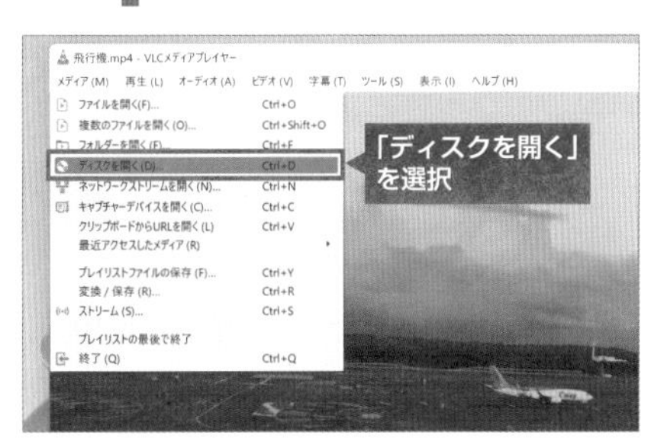

ドライブにセットしたDVDやブルーレイディスクを再生したい場合は、メニューの「メディア」から「ディスクを開く」を選択します。

5 ディスクを選択して再生する

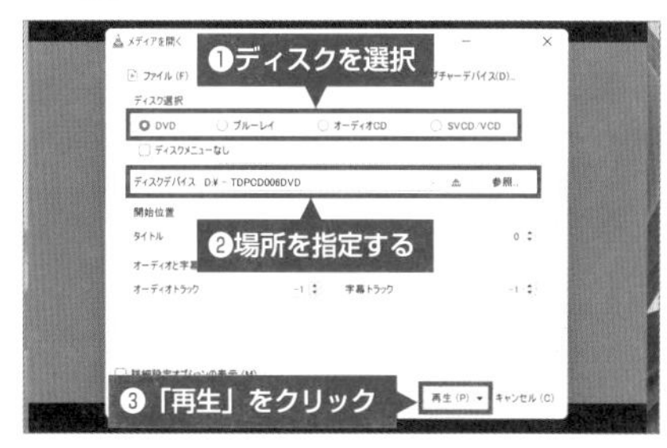

選択するディスクの種類、ドライブの場所を指定し、「再生」をクリックするとディスクを再生することができます。

！ ここがポイント

ファイルの関連付けを指定のプレイヤーにする

初期設定では動画や音楽ファイルを実行すると特定のプレイヤーで再生するようになっています。常にVLC Media Playerで再生させたい場合は関連付けを変更しましょう。スタートメニューから「設定」→「アプリ」→「既定のアプリ」と進み「VLC Media Player」をクリックし、関連付けを変更したいファイルの拡張子をクリックし、VLC Media Playerを指定しましょう。

---

4 取り込みオプションの設定

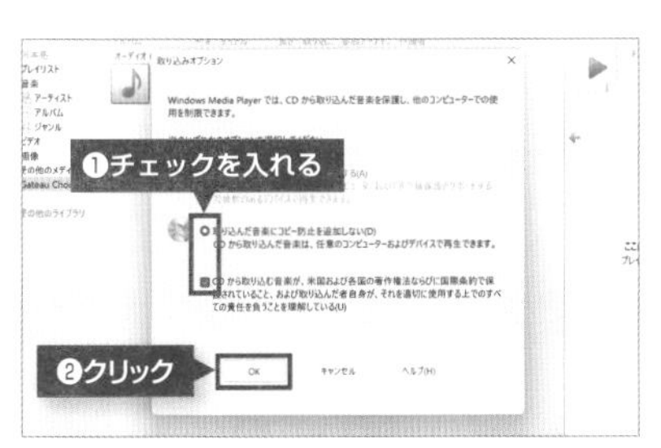

「取り込んだ音楽にコピー防止を追加しない」「CDから取り込む音楽が～」にチェックを入れて「OK」をクリックします。

5 取り込み開始

パソコンへの取り込みが始まります。取り込みが終了するには少し時間がかかるので待ちましょう。

5 取り込み完了

取り込みが完了したら、「音楽」から「アルバム」をクリックしましょう。音楽CDの内容が保存されています。

手軽に動画編集ができる「Clipchamp」

Windows標準の動画編集アプリ

パソコンでは動画編集もおこなえますが、初めて動画編集に挑戦する人であればWindows標準の「Clipchamp」を使うのがおすすめです。動画作成の手順は、動画の素材となる写真や動画(クリップと呼びます)を登録していき、画面下にある編集画面「ストーリーボード」を使って編集作業を行います。

ストーリーボードでは、登録した素材の順番を並べ替えたり、各クリップの再生時間を設定することができます。ストーリーボード上に編集ツールがあり、指定したクリップにテキスト(字幕)を入れたり、フィルターなどのエフェクトをかけることができます。

フォトアプリと連携しているので、フォトアプリで作成したスライドショーをそのままClipchampで編集するのもおすすめです。また、ビデオエディターで出力したファイルは、スマホやタブレット端末に転送できます。

Clipchampの画面構成を把握しよう

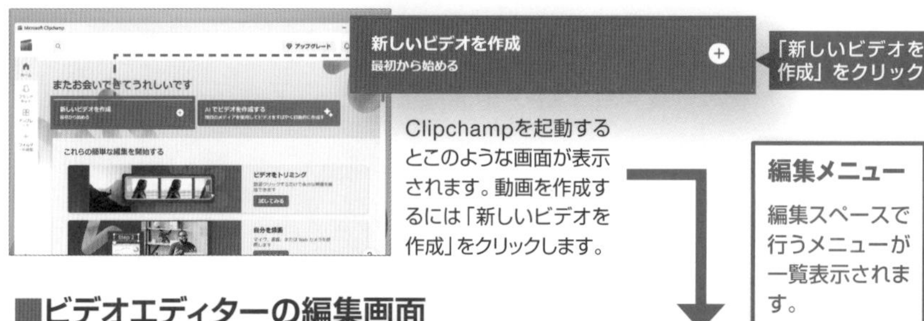

Clipchampを起動するとこのような画面が表示されます。動画を作成するには「新しいビデオを作成」をクリックします。

編集メニュー
編集スペースで行うメニューが一覧表示されます。

■ビデオエディターの編集画面

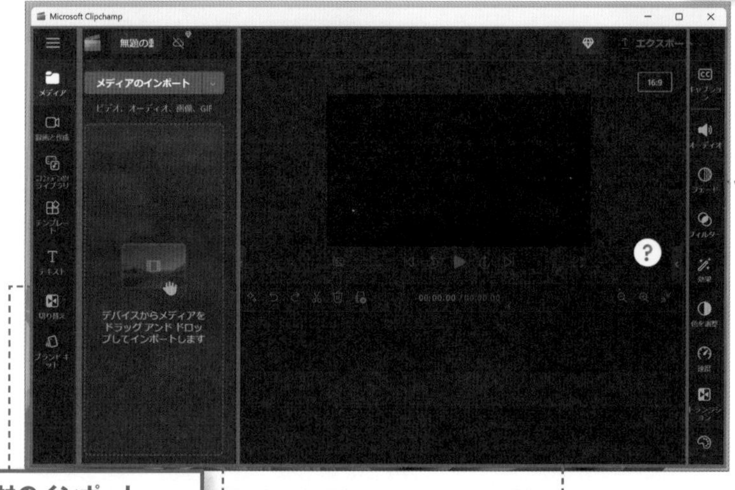

素材のインポート
パソコン上にあるファイル、スマホやタブレット上のファイル、テンプレートなど利用する素材元を選択します。

素材
実際に動画作成に利用する素材がカテゴリ別に表示されます。

編集スペース
取り込んだ素材を実際に編集するエリアです。動画の長さを調整したり、色調を変更したり、音声を挿入したりします。

動画編集の素材を準備しよう

1 素材を登録する

Clipchampの「メディアのインポート」から「ファイルを参照」をクリックし、利用する写真、音楽、動画などを登録しましょう。

2 ファイル形式ごとに分類される

登録したファイルは動画、オーディオ、画像で分類されますが、「すべてのメディア」で登録したファイルを一覧表示することもできます。

3 スマートフォンから読み込む

スマートフォンから直接、写真や動画などの素材を読み込むこともできます。「ファイルを参照」から「PC」と進み、接続しているデバイスを選択しましょう。

動画をトリミングして、統合させよう

Clipchampは非常に多様な使い方ができますが、ここでは動画ファイルから好きなシーンを抜き出したり、分割する方法を解説します。このアプリでは、複数の動画を結合したり、動画と写真を追加することもできます。

1 つまみを調整する

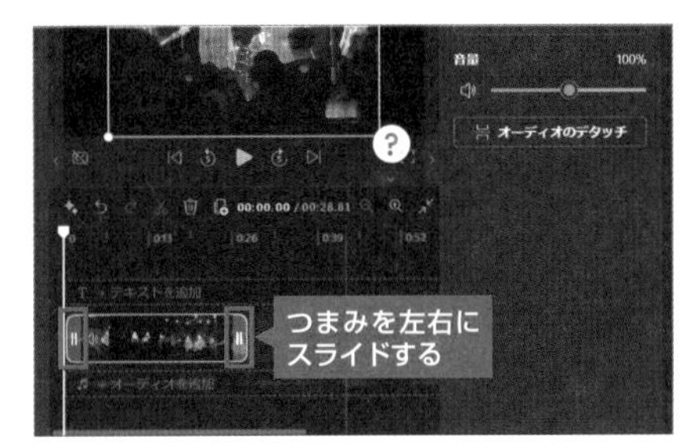

動画をストーリーボードに登録したら、シークバー両端のつまみをスライドさせて、切り取りたい範囲を選択しましょう。

2 白い棒でシーンを確認

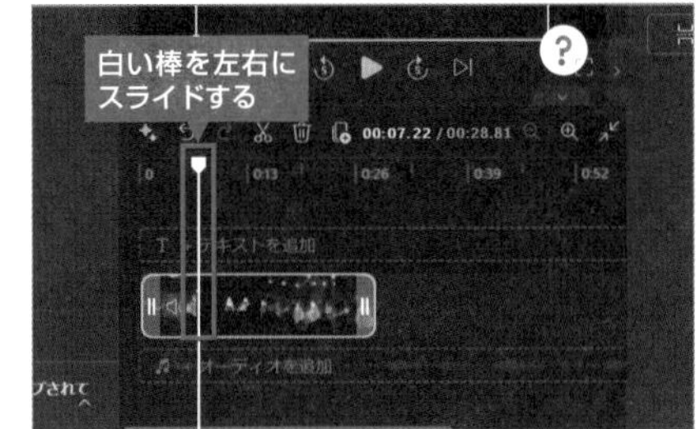

白い縦棒を左右にスライドすると、白い縦棒の部分が上に表示されます。切り出しの頭や末尾を調整しましょう。

3 動画を書き出す

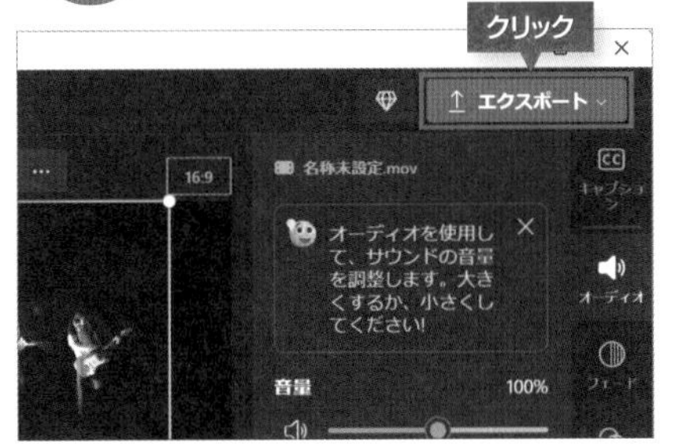

編集した動画を書き出して保存するには、右上の「エクスポート」をクリックします。

4 画質を指定する

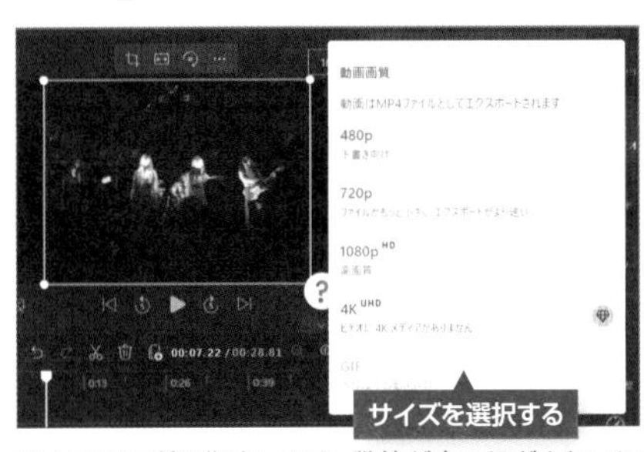

出力する画質を指定します。数値が高いほどきれいになりますが、サイズが大きくなります。

5 動画ファイルを出力中

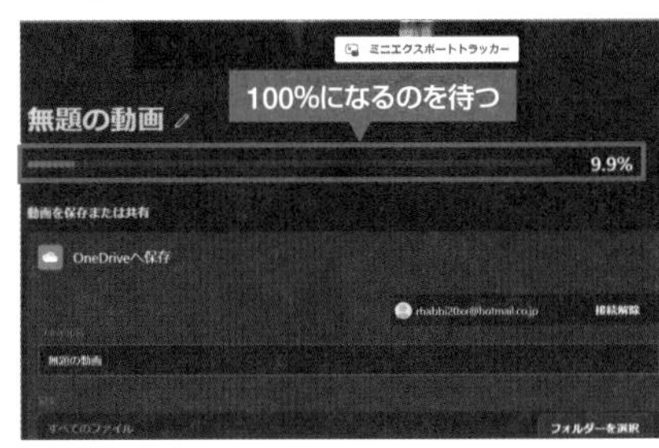

出力が始まります。出力には結構時間がかかります。中央のメーターが100%になるまで待ちましょう。その後、保存ボタンをクリックしましょう。

ここがポイント

無料の音楽やエフェクトを導入する

Clipchampには、無料で利用できる音楽やサウンド・エフェクトが内蔵されています。画面左メニューの「コンテンツライブラリ」をクリックするとファイル名が表示されます。再生ボタンをクリックすると視聴でき、追加ボタンでタイムラインに追加できます。また、音楽以外にも動画や画像など無料で利用できる素材があります。

テンプレートを使って動画を作成する

動画編集が苦手な人はテンプレート機能を使いましょう。テンプレートを使うことで、いちから編集するよりも早く、簡単に高度な動画編集ができます。 テンプレートを追加したら、変更したい箇所を選択して、オリジナルの動画や写真に入れ替えたり、テキストを編集しましょう。

2 動画の種類を選択する

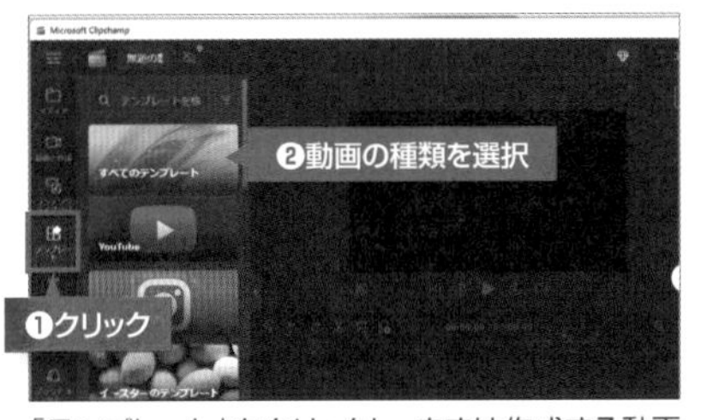

「テンプレート」をクリックし、まずは作成する動画の種類を選択しましょう。YouTube、Instagram、TikTokなどさまざまなサービスのテンプレートが選べます。

3 テンプレートを選択する

選択した動画の種類のテンプレートが表示されます。利用したいテンプレートをクリックして追加された素材を自由に編集しましょう。

意外に高機能で便利な「メモ帳」を使おう

軽快に動作し日本語で書けるメモ帳

パソコンでテキストを作成したり、ちょっとしたメモを取りたいときは「メモ帳」を使いましょう。メモ帳はWindowsに標準で付属しているテキストエディターで、Wordなどと異なり無料で利用することができます。

作成したメモは、好きな名前を付けて保存することができます。保存時のファイル形式は、Wordやワードパッドと異なり「.txt」という形式になります。.txtファイルは、さまざまなパソコン環境で最もよく使われる形式なので、ファイルが開けなくなるなどのトラブルが起きることはありません。

ただし、メモ帳は、標準設定では文字が小さくて読みづらかったり、長い文章だとウィンドウからはみだしてしまい、横にスクロールしないといけなかったり使いづらいです。しかし、設定を変更することでこうした問題は解消できます。ここでは、メモ帳を使いやすくする最低限の設定を解説します。

■メモ帳を起動する

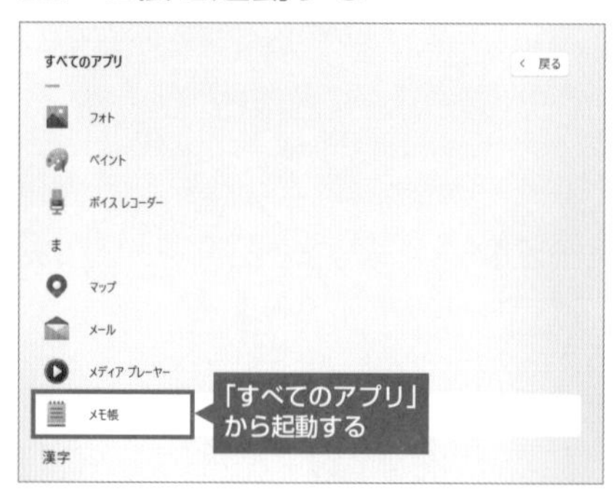

「メモ帳」はスタートメニューの「すべてのアプリ」の下の方にあります。

■タスクバーにピン留めしておこう

よく使うアプリなので、タスクバーにピン留めしておくといいでしょう。

■メモ帳で作成したテキストを保存する

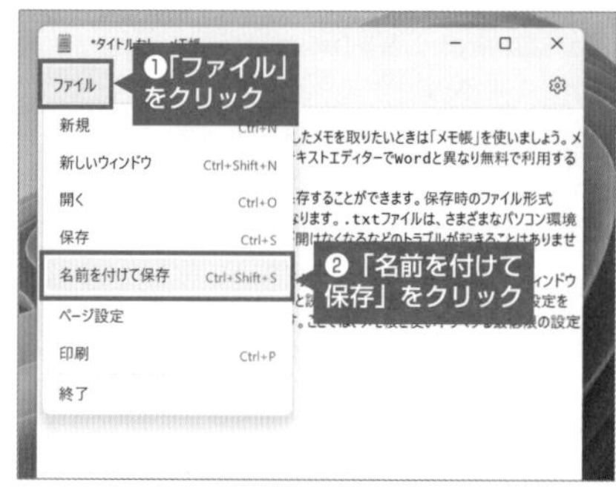

メモ帳で作成したテキストを保存するには左上の「ファイル」をクリックして「名前を付けて保存」を選択します。

■名前を付けて保存する

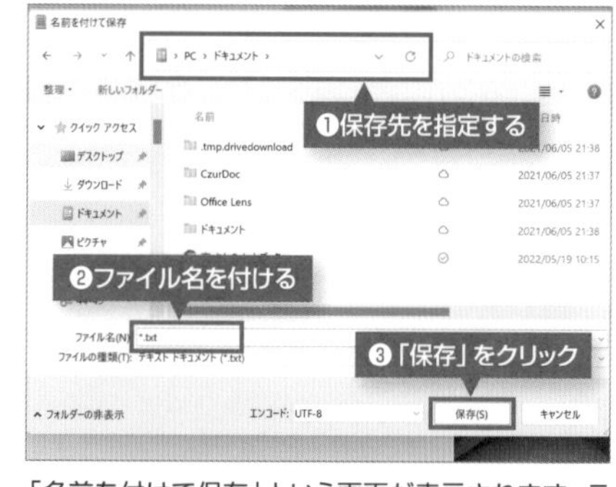

「名前を付けて保存」という画面が表示されます。テキストを保存する場所を指定し、ファイル名を付けて「保存」をクリックしましょう。

メモ帳を使いやすく設定変更する

1 文字を拡大する

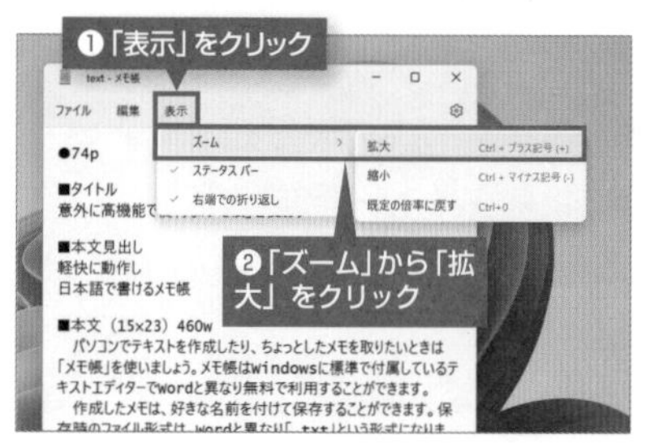

メモ帳の文字を拡大するには、メニューの「表示」から「ズーム」→「拡大」をクリックしましょう。クリックするごとに大きくなります。

2 右端での折返しを有効にする

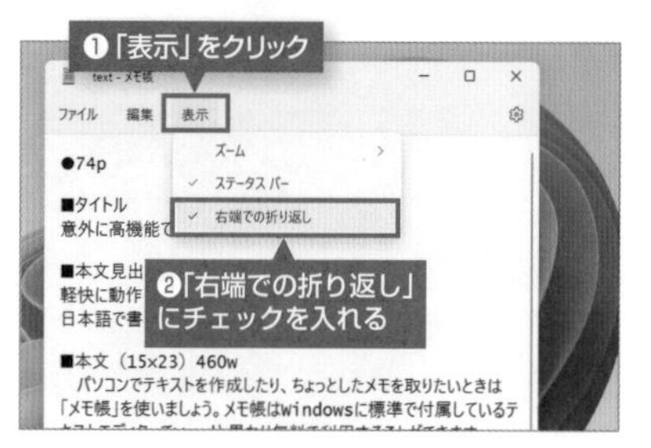

「表示」から「右端での折り返し」にチェックを入れると、テキストがウィンドウからはみ出すことがなくなります。

3 指定した単語を検索する

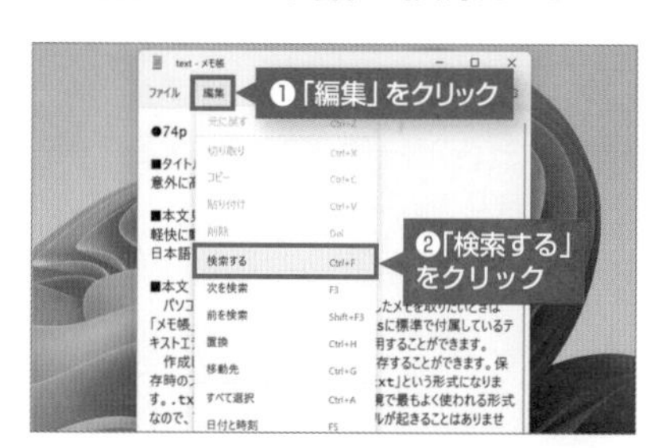

メニューの「編集」から「検索する」をクリックしてキーワードを入力すると、メモ帳内から入力したキーワードに合致する部分をハイライト表示してくれます。

4章

ネットのサービスを楽しもう

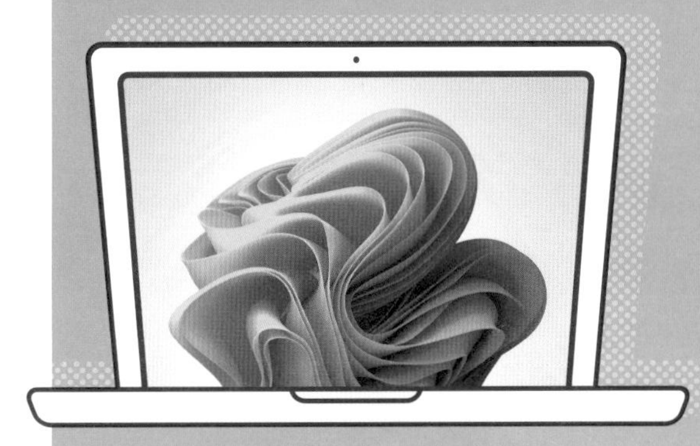

YouTubeで動画を見よう

無料であらゆるジャンルの動画を閲覧できる

YouTubeは、インターネット上で閲覧できる無料の動画サービスです。今ではスマホやテレビからでも閲覧できますが、もともとはパソコン上から楽しむ動画サービスであり、芸能、スポーツ、エンタメ、ニュースなどのあらゆるジャンルの面白い動画や音楽を楽しむことができます。

パソコンでYouTubeを利用するには、通常、ブラウザーを使ってYouTubeのウェブサイト（www.youtube.com)にアクセスします。YouTubeのサイトにアクセスしたら、興味のあるキーワードを入力しましょう。検索結果が表示されるので、見たい動画をクリックすると動画が再生されます。

なお、Googleアカウントでログインしていれば、チャンネル登録ができたりと、より快適にYouTubeが利用できます。

YouTubeのインターフェースを把握しよう

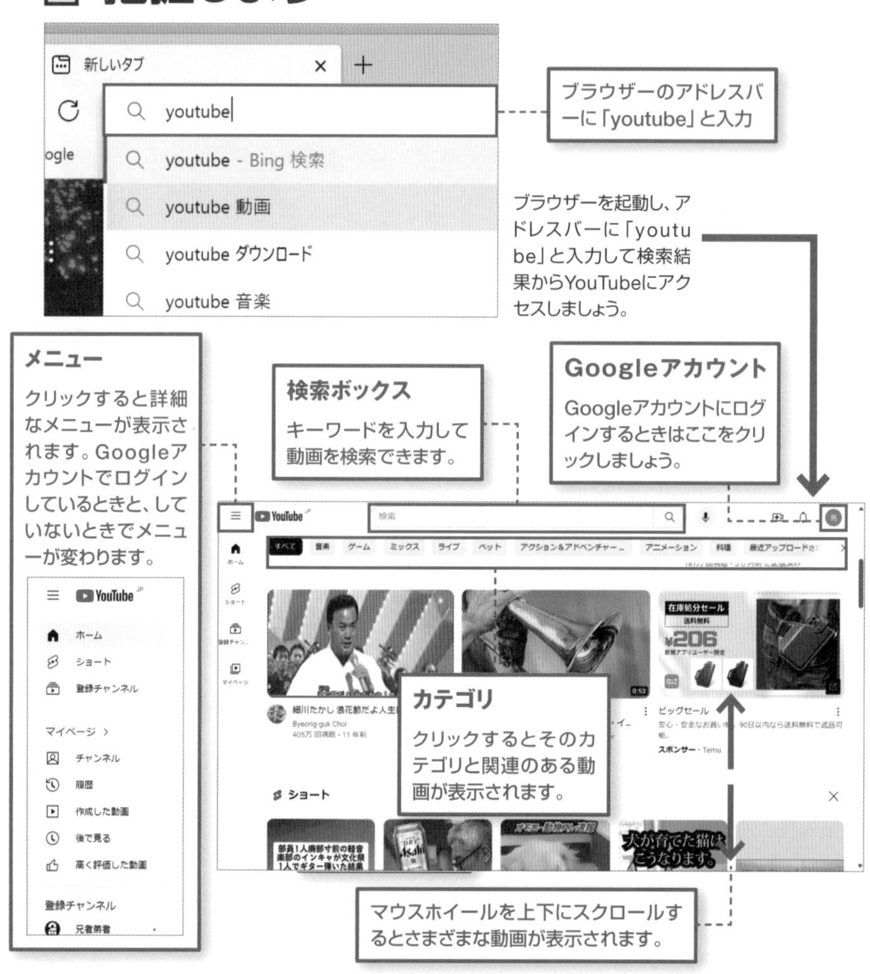

キーワード検索して動画を再生しよう

1 検索ボックスにキーワードを入力する

画面上部にある検索ボックスにキーワードを入力しましょう。検索候補が表示されるので適当なものをクリックします。または、右側の虫眼鏡ボタンをクリックします。

2 検索結果画面から動画を探す

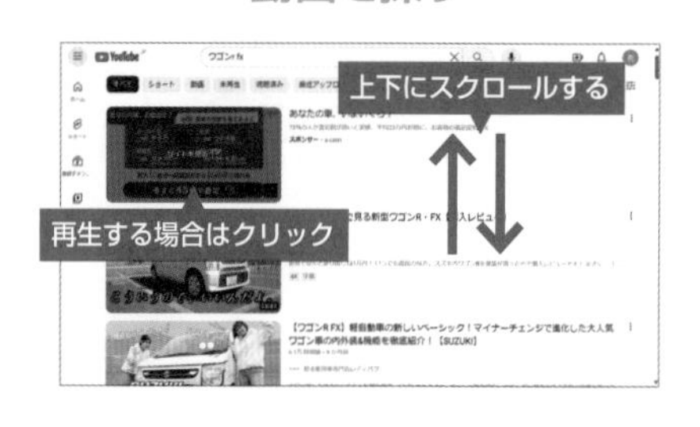

検索結果画面が表示されます。マウスホイールで上下にスクロールして、見たい動画を探します。動画を再生する場合はクリックしましょう。

3 動画が再生される

動画が自動的に再生されます。なお、動画の中には最初や再生中に広告が表示されることがあります。

検索で見たい動画を見つけるテクニック

YouTubeの検索結果画面には膨大な動画が表示されるため、見たい動画を探すのに時間がかかります。効率よく目的の動画を探すには、複数のキーワードを組み合わせたり、フィルタを活用するのがコツです。

1 複数のキーワードを組み合わせる

レシピや解説動画を探す場合は「大根　水やり」「オムレツ　作り方」といったように複数のキーワードを組み合わせましょう。

2 「公式」で検索する

ミュージシャンや著名人のライブ動画を探す場合は、「公式」と付け加えることで、高画質・高音質の動画が見つかりやすくなります。

3 フィルタで絞り込む

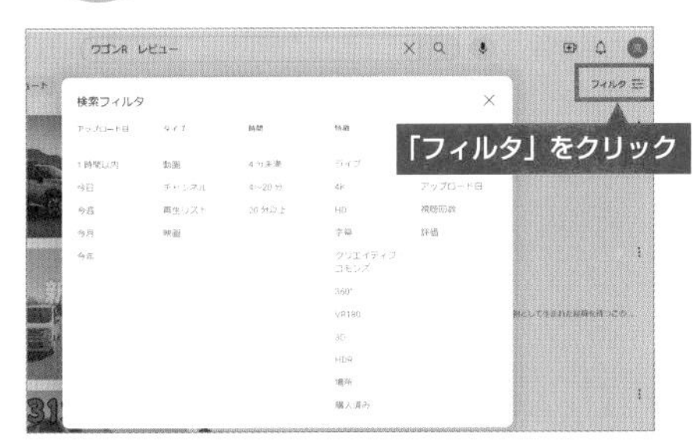

検索結果画面右上にある「フィルタ」をクリックすると、検索結果を絞り込むさまざまなフィルタが表示されます。アップロード日や動画の時間などで、絞りこんでいきましょう。

4 チャンネルから探す

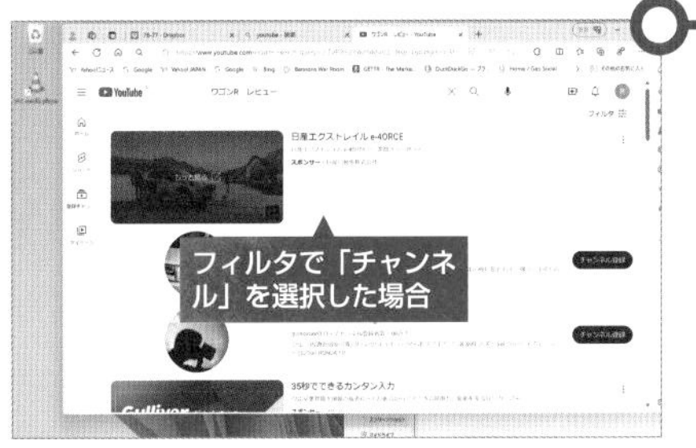

たとえばフィルタ画面で「チャンネル」を選択すると、公式の動画を配信しているチャンネルを見つけやすくなります。

CHECK!!

再生画面横にある関連動画から探そう

YouTubeの再生画面の横には、その動画と関連の高い動画がたくさんサムネイルで表示されます。もし、視聴中の動画と似たような動画を探している場合は、再生画面から探すのもコツです。

ここがポイント

Googleアカウントでログインすると機能がアップ

YouTubeは、無料で作れるGoogleアカウントでログインすることで、メニューにさまざまな機能が追加されます。たとえば、よく見るチャンネルがある場合はチャンネル登録していくことで、YouTubeを開くだけで自分好みの動画が自動的に表示されます。ログインするには、YouTube右上にある「ログイン」ボタンをクリックして、利用しているGoogleアカウントを入力しましょう。

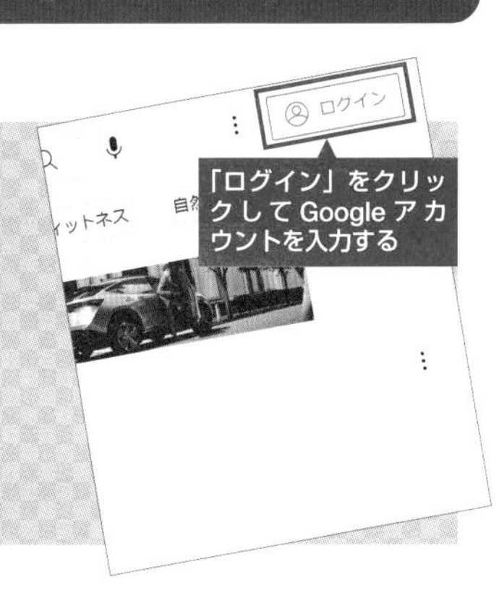

4 動画の再生位置を変更する

画面中央下にあるシークバーをドラッグすると再生箇所を変更できます。

5 動画の再生の終了

動画の再生が終了すると、そのままでは自動的に次の動画が再生されます。停止するには「キャンセル」をクリックしましょう。自動再生をオフにすることもできます。

6 YouTubeを終了する

YouTubeを完全終了するには、ウィンドウの「閉じる」ボタンをクリックするか、ブラウザーのタブを終了させましょう。

Amazonで お買い物を楽しもう

ネットでのお買い物は アマゾンが一番便利!

パソコンを使えばインターネット経由で買い物ができます。わざわざ外出しなくても届けてくれるので便利です。ショッピングサイトはたくさんありますが、最も人気なのは「Amazon」です。

Amazonは、書籍販売を中心に家電製品、日用品、食料品などあらゆるジャンルの商品を取り扱う世界最大のオンラインショップです。Amazonプライムの有料会員(年額プラン5,900円)になれば、ほとんどすべての商品を配送料無料で届けてくれます。送料の高さで買い物が億劫になることはありません。配送も早く、注文が完了すれば通常は2~3日で届きます。商品に問題があれば、返品することもできます。

またさまざまな業者がAmazonに出店して競争しあっているので、近くのスーパーや家電量販店よりも安く手に入ることがあります。

Amazonにアクセスしてみよう

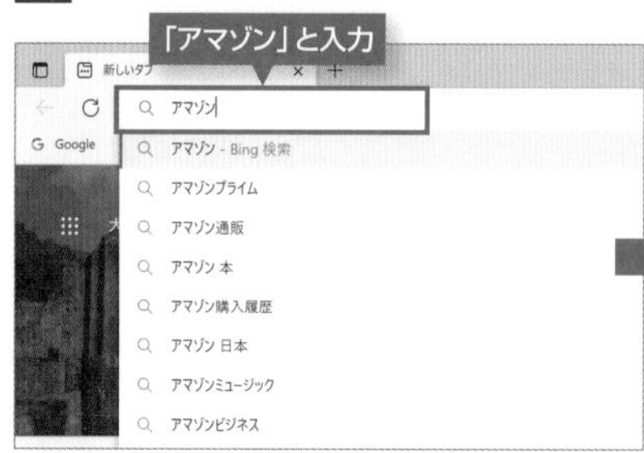

Amazonを利用するには、ブラウザーを使ってAmazonのサイト(www.amazon.co.jp)にアクセスする必要があります。ブラウザーを起動し、アドレスバーに「アマゾン」と入力して検索結果からアクセスしましょう。

これがAmazonのサイトです。買い物しなくても商品の閲覧だけなら無料でできます。

商品を検索して閲覧してみよう

Amazonで商品を探すには画面上部にある検索ボックスにキーワードを入力して、虫眼鏡ボタンをクリックしましょう。

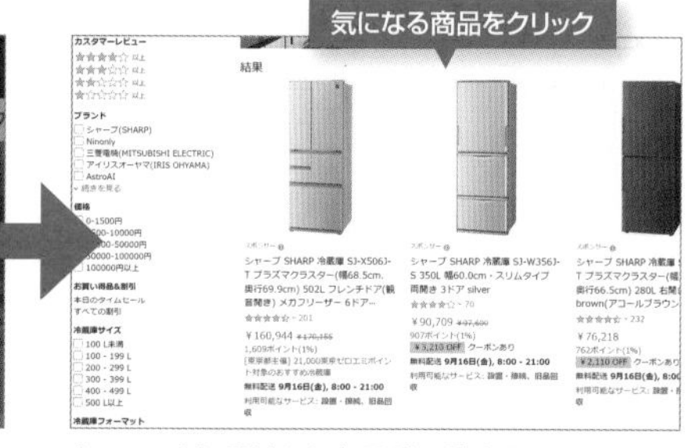

キーワードに関連した商品が一覧表示されます。商品をクリックすると、商品の詳細ページが開きます。

Amazonのアカウントを取得しよう

1 「新規登録はこちら」をクリック

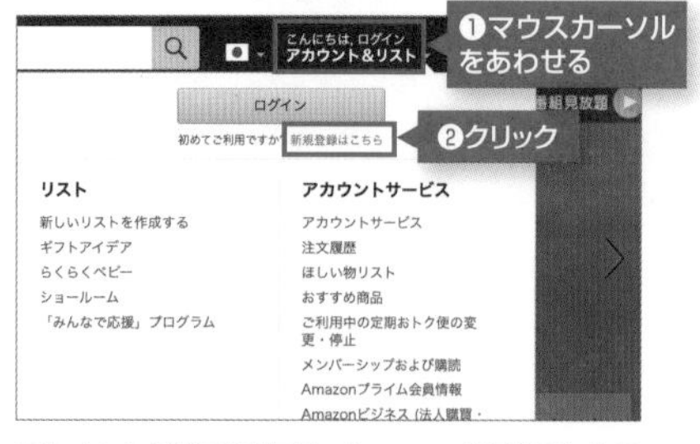

アカウント登録するには、Amazonの画面右上の「アカウント&リスト」にマウスカーソルあわせ「新規登録はこちら」をクリックします。

2 名前、連絡先(電話番号・メールアドレス)、パスワードを設定する

「名前」「ふりがな」「携帯電話番号またはメールアドレス」「パスワード」を設定しましょう。ひとまずの設定はこれだけです。

3 確認コードを入力する

入力した連絡先に確認コード(数字)が送られてくるので、確認コードを入力して「アカウントの作成」をクリックすればアカウント作成完了です。

実際に買い物をしてみよう

Amazonで初めて買い物する場合は、まず商品の送付先住所を入力する必要があります。続いて支払い方法を指定します。支払い方法は多様で、代金引換、クレジットカード、コンビニ決済など多様な方法が用意されています。

1 商品をカートに入れる

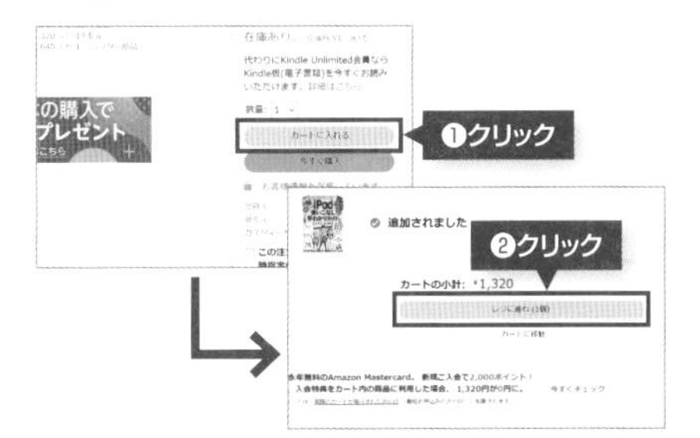

商品を購入するには、まず商品画面で「カートに入れる」をクリックします。続いて「レジに進む」をクリックします。

2 送付先を入力する

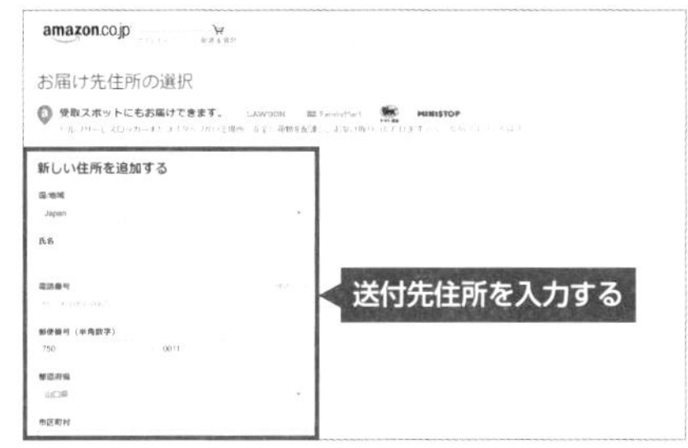

商品の送付先を入力します。「氏名」「郵便番号」「住所」「電話番号」など必要項目をきちんと入力しましょう。

3 支払い方法を指定する

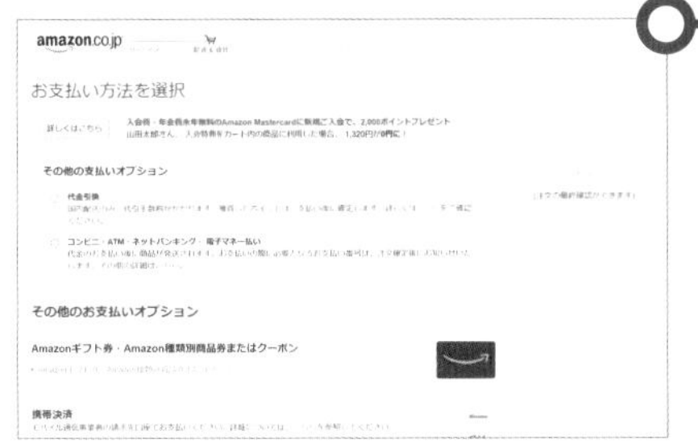

支払い方法を指定します。さまざまな方法が用意されてますが、携帯のキャリア決済やクレジットカードを使えば支払い手続きが楽です。

CHECK!!

Amazonギフト券があるならコード入力しよう

コンビニなどで購入できるAmazon用のプリペイドカード「Amazonギフト券」を使う場合は、「Amazonギフト券」をクリック後、表示されるコード入力欄にギフト券に記載されているコードを入力しましょう。

4 注文を確定する

最終確認画面です。請求金額を確認したら「注文を確定する」をクリックしましょう。後日、指定した住所に商品が配送されます。

ここがポイント

Amazonプライムに登録すべき人は?

月に1度程度しかAmazonを利用しないのであれば問題ないですが、毎週のように利用するのであれば有料会員サービス「Amazonプライム」はおすすめです。多くの商品の配送料が無料になるので、配送料の負担を大幅に抑えることができます。月額プラン(600円)と年間プラン(5,900円)が用意されており、初回登録時30日間(Prime Studentは半年間)は料金が発生せず、完全無料で利用できます。

配送料のほかにもメリットがあります。注文確定から3日以内に配達される「お急ぎ便」や値引きサービス「Amazonプライムデー」に参加できます。

登録したアカウント情報を確認・変更する

1 「アカウントサービス」をクリック

登録した住所や名前、支払い方法などさまざまな情報を変更したい場合は、「アカウント&リスト」にマウスカーソルを合わせ「アカウントサービス」をクリックします。

2 メニューから該当項目を選択する

登録した自分の情報に関するさまざまな項目が表示されます。送付先を変更したり、追加する場合は「アドレス帳」をクリックしましょう。

3 送付先を編集する

登録した住所情報が表示されます。変更する場合は「変更」をクリックします。別に住所情報を追加する場合は「新しい住所を追加」をクリックしましょう。

Googleマップで地図を大活用する

目的地までの電車、車徒歩での詳細経路を調べる

「Googleマップ」は世界中のスポット情報を調べるのに便利なウェブサービスです。ブラウザーでGoogleマップを開き、都市名や地名を入力すると、その場所周辺の地図を素早く表示してくれます。その場所周辺にある病院、学校、郵便局、警察といった日常生活に欠かせない施設の位置も教えてくれます。どこに何があるかわからないときは、Googleマップで調べましょう。

さらに、Googleマップでは検索結果画面で表示される経路ボタンをクリックすると、現在地からその場所までの最短経路、および予想される時間と距離が表示されます。自宅から目的地までの経路を示してくれるので、道に迷うことはありません。標準では電車など交通機関を利用した経路が表示されますが、徒歩や車を使った経路に切り替えられ、移動環境に合わせた経路を知ることができます。

Googleマップのインターフェースを把握しよう

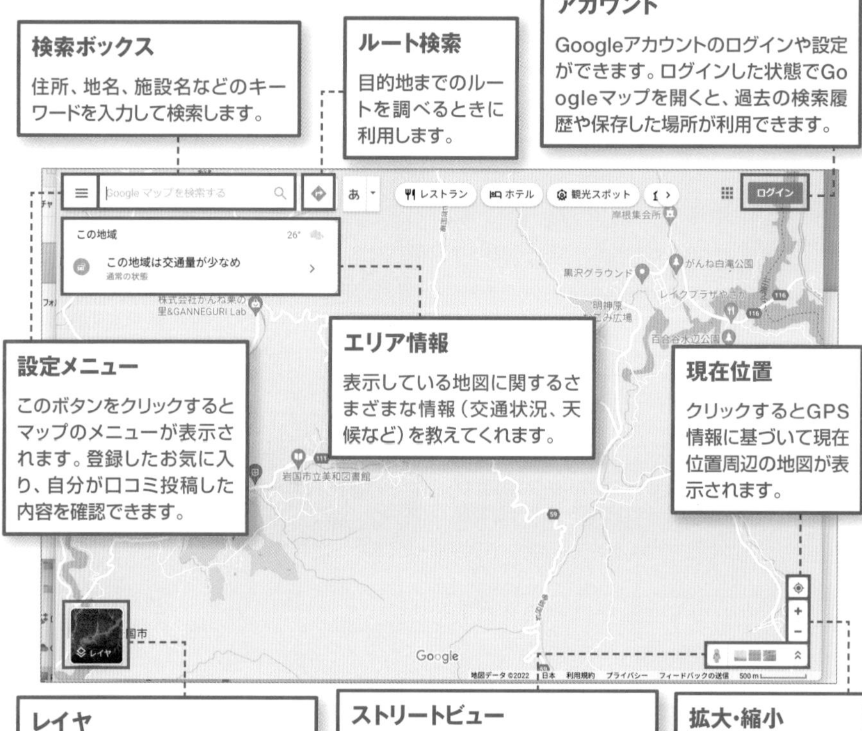

検索ボックス
住所、地名、施設名などのキーワードを入力して検索します。

ルート検索
目的地までのルートを調べるときに利用します。

アカウント
Googleアカウントのログインや設定ができます。ログインした状態でGoogleマップを開くと、過去の検索履歴や保存した場所が利用できます。

エリア情報
表示している地図に関するさまざまな情報（交通状況、天候など）を教えてくれます。

設定メニュー
このボタンをクリックするとマップのメニューが表示されます。登録したお気に入り、自分が口コミ投稿した内容を確認できます。

現在位置
クリックするとGPS情報に基づいて現在位置周辺の地図が表示されます。

レイヤ
クリックすると、地図が航空写真に切り替わります。また、地形図、交通状況、路線図などそのほかの地図にも切り替えられます。

ストリートビュー
右端の矢印ボタンをクリックすると、地図の中心付近で撮影された風景写真が表示されます。左端の人型アイコンをクリックすると、ストリートビューモードに切り替わります。

拡大・縮小
「+」で拡大、「−」で縮小表示します。

↑このGoogleマップは、ブラウザーのGoogle検索で地名などを検索すると表示される画面です。

Googleマップを使ってみよう

地図を拡大・縮小する

地図の拡大縮小は右下にある「+」「−」ボタンをクリックしましょう。マウスホイールを動かしても可能です。

2

地図を左右上下に動かす

地図の左側を表示させたい場合は右へドラッグ、地図の右側を表示させたい場合は左へドラッグします。

3

住所を検索する

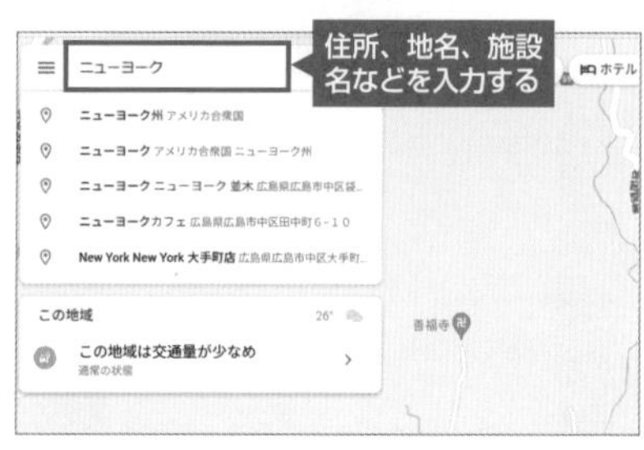

特定の地域や住所を調べたいときは、左上の検索ボックスをクリックしてキーワードを入力しましょう。

経路案内を使いこなそう

Googleマップでは指定した地区間の経路を検索できます。経路検索を行うには検索ボックス横にある「ルート」ボタンをクリックし、出発地と目的地を入力しましょう。Googleマップのおすすめのルートが表示され、移動時間、交通費、利用する交通機関などを細かく表示してくれます。

1 ルートボタンをクリック

検索ボックス横にある「ルート」ボタンをクリックします。

2 出発地と目的地を入力する

ルート検索画面が表示されます。上に出発地、下に目的地を入力して、横にある虫眼鏡ボタンをクリックします。

CHECK!!

現在地を出発地に設定するには？

現在パソコンを使っている場所から、目的地までのルートを調べたい場合は、出発地のボックスを空白にします。すると左下に「現在地」というボタンが表示されるのでクリックしましょう。現在地が入力されます。

3 経路や移動時間などが表示される

地図上に経路が表示されます。クリックすると経路の詳細情報が表示されます。移動手段を変更したい場合は、アイコンを切り替えましょう。

4 電車の経路を調べる

電車での経路を調べたいときは電車ボタンをクリックします。下に複数の電車の経路が表示されます。「詳細」をクリックするとさらに詳しい経路情報が表示されます。

ここがポイント

Googleアカウントにログインして便利なマイリストを作ろう

Googleアカウントでログインした状態でGoogleマップを利用すれば、さらに便利になります。たとえば、定期的に利用する店舗やお気に入りの観光地を開いたあと、情報画面にある「保存」をクリックすると、次回以降、メニュー画面にある「保存済み」から素早く目的の場所を開くことができます。

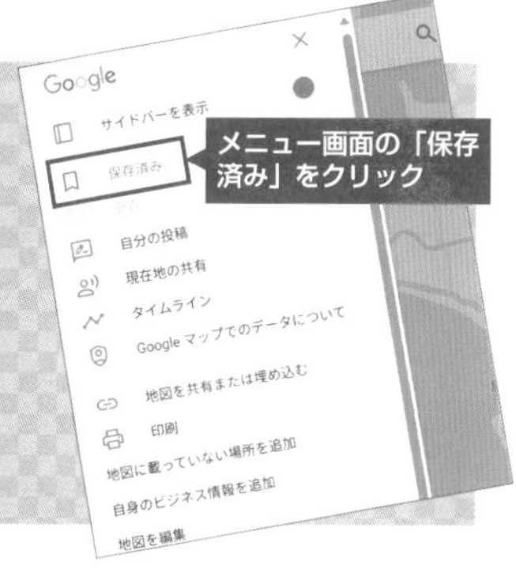

4 入力した住所の情報が表示される

入力した住所や地名の地図に自動的に切り替わります。また、画面左にはその地域に関する情報が表示されます。

5 衛星地図に切り替える

左下にある地図ボタンをクリックすると衛星地図に切り替わります。もう一度クリックすると元に戻ります。

6 レストランを探す

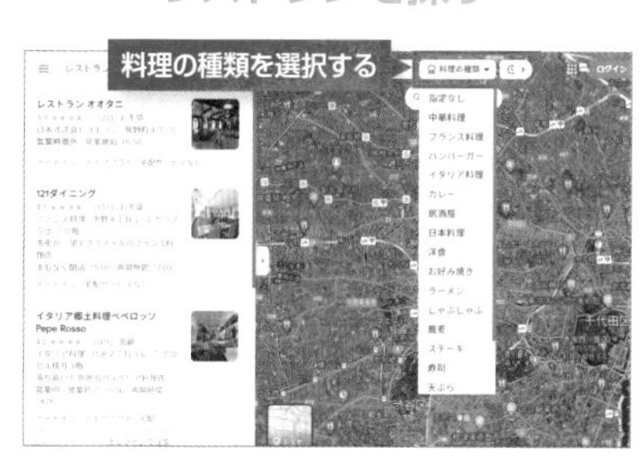

上部メニューの「レストラン」で「料理の種類」から好みの料理を選択すると、その料理に該当するレストランを一覧表示してくれます。

無料で使えるOneDriveでオフィスアプリを使う

さまざまな機能があるクラウドサービス「OneDrive」とは?

「OneDrive」は、マイクロソフトが提供しているクラウドサービスです。OneDriveに保存したファイルは自動的にインターネット上にアップロードされ保存されます。使っているパソコンではなくインターネット上に保存されるので、ネット接続環境さえあれば外出先のパソコンからでもアクセスできます。つまり、USBメモリなどにわざわざデータをコピーして持ち歩く必要はないのです。さらに、パソコンだけでなく、スマホやタブレットからでもアクセスできる非常に便利なサービスです。

OneDriveは、Microsoftアカウントを取得して、初期設定時にパソコンに登録していれば無料で利用できます。エクスプローラにある青い雲のアイコンをクリックするか、スタートメニューからOneDriveにアクセスできます。まだ、Microsoftアカウントを取得していない場合は、取得しましょう(22ページの記事参照)。

OneDriveの仕組み

メリット
- 大事なファイルをインターネット上に保存(バックアップ)しておける。
- ほかのパソコンやスマホからでもアクセスできる。
- Web版のオフィスアプリを使うことができる。
- 無料で利用できる。

OneDrive
ファイル
スマホやタブレットからでもダウンロードができる
パソコンのファイルをアップロード
外出先からファイルをダウンロード
タブレット　スマホ　自宅のパソコン　出先のパソコン

Web版のオフィスアプリを無料で使える

多くのパソコンにもともとインストールされているWordやExcelなどのオフィスアプリを利用するには有料のプロダクトキーが必要なります。しかし、OneDriveを利用すれば、ウェブ版のオフィスアプリを無料で利用できるようになります。ブラウザー上で操作するためパソコン版に比べると使い勝手は少し落ちますが、ファイルを閲覧したり少し編集するぐらいであれば問題ありません。

Microsoft 365
Office →
Outlook　OneDrive
Teams　Word
Excel　PowerPoint
OneNote　To Do
ファミリー...　予定表

OneDriveを使ってみよう

1 エクスプローラから開く

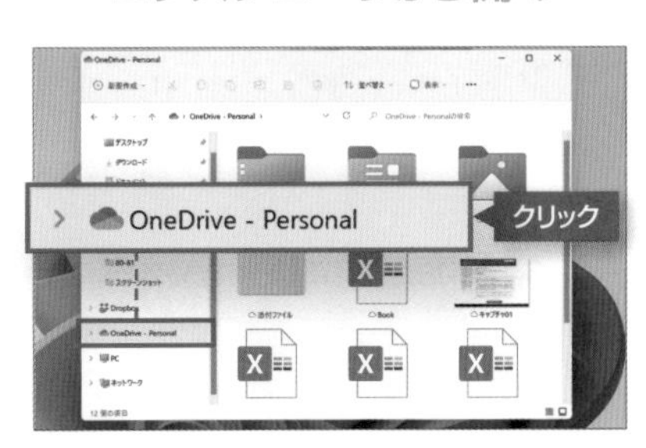

OneDriveを開くには、エクスプローラの左側にある青いOneDriveアイコンをクリックします。

2 スタートメニューから開く

スタートメニューの「すべてのアプリ」から「OneDrive」をクリックして開くこともできます。

3 ファイルをOneDriveに保存する

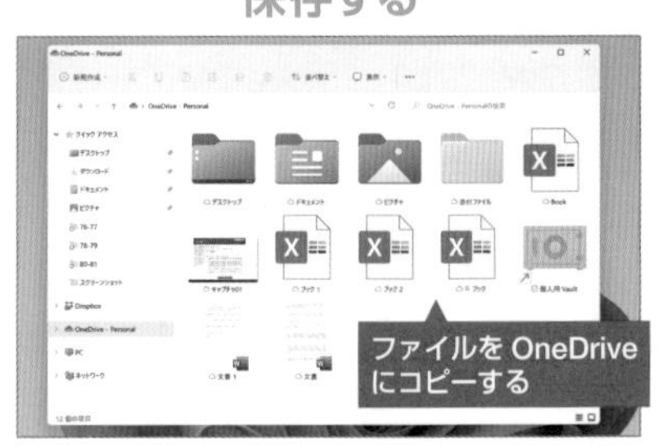

写真やオフィスファイル、外出先で見たい資料、重要なデータなどのファイルをOneDriveにコピーしましょう。

オンライン版OneDriveでオフィスアプリを使う

ブラウザーでアクセスするオンライン版OneDriveは非常に便利です。パソコンにオフィスアプリをインストールしていなくても、OneDriveに保存しているWord、Excel、Powerpointなどのオフィスファイルを開くことができます。

1 オフィスファイルを開く

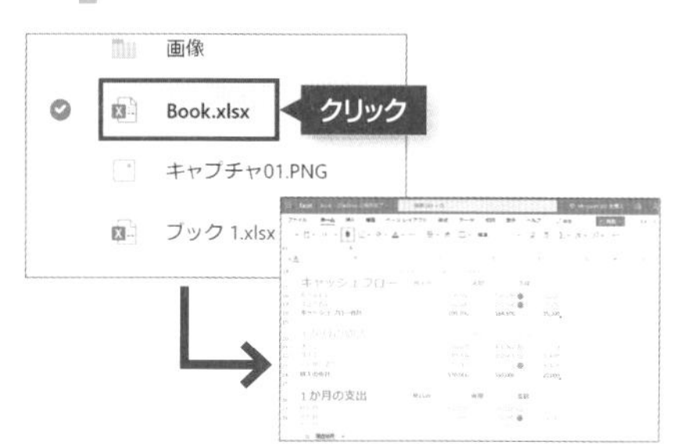

オンライン版OneDriveに保存しているオフィスアプリをクリックすると、ブラウザー上でファイルを開くことができます。

2 ファイルを編集する

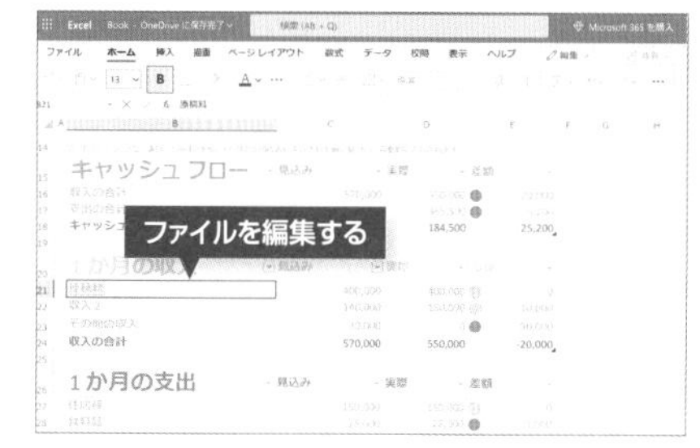

ファイルを閲覧するだけでなく、ブラウザー上でオフィスファイルを直接編集することができます。

3 ファイルを保存する

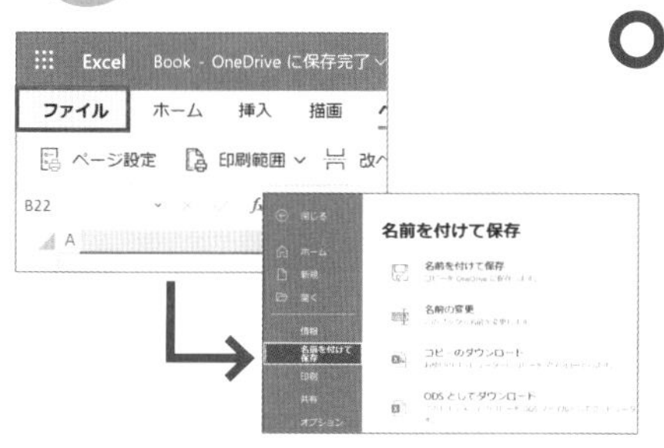

編集したファイルを保存するには、メニューから「ファイル」をクリックし、「名前を付けて保存」を選択すると保存できます（標準では自動保存になっています）。

CHECK!!

保存したファイルはダウンロードする必要がない

オンライン版OneDriveで編集して保存したファイルは、パソコン版のOneDriveに保存しているファイルにも同期され反映されます。わざわざダウンロードする必要はありません。

4 OneDriveに戻る

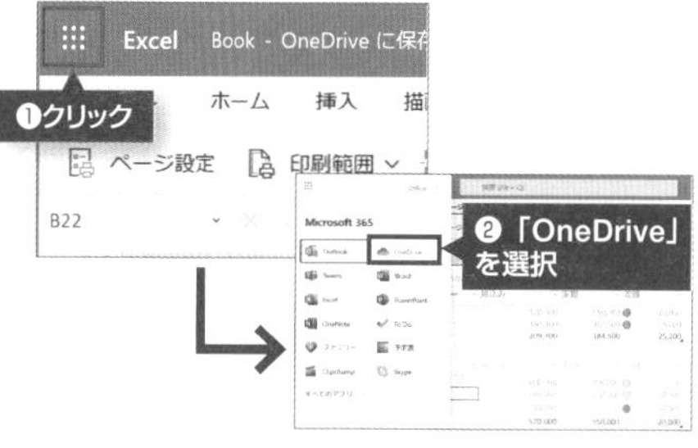

OneDriveの画面に戻るには、左上のメニューボタンをクリックし、メニューから「OneDrive」を選択しましょう。

ここがポイント

オンライン版のExcelで使えない機能は？

オンライン版Excelは無料で大半の編集機能が使えて便利ですが、利用できない機能もあります。代表的なのは複数の手順を記録し、ボタン1つで実行するマクロの編集・実行です。パソコン初心者で、毎日のようにオフィスアプリを使うことがないのであれば、マクロを使う機会はほとんどないのでそれほど心配はありません。

ほかに、一部図形が表示されなかったり、挿入するグラフのテンプレートが少なかったり、CSV形式のファイルが使えないなどのデメリットがあります。

4 ブラウザでOneDriveを開く

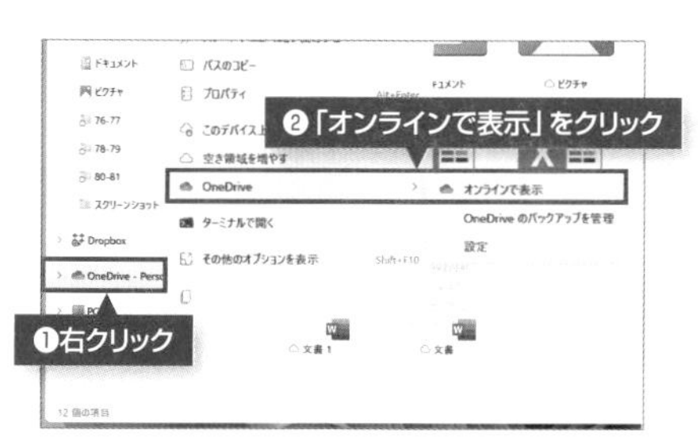

ネット上のOneDriveにアクセスするには、OneDriveを右クリックして「OneDrive」から「オンラインで表示」をクリック。

5 オンライン版OneDriveが開く

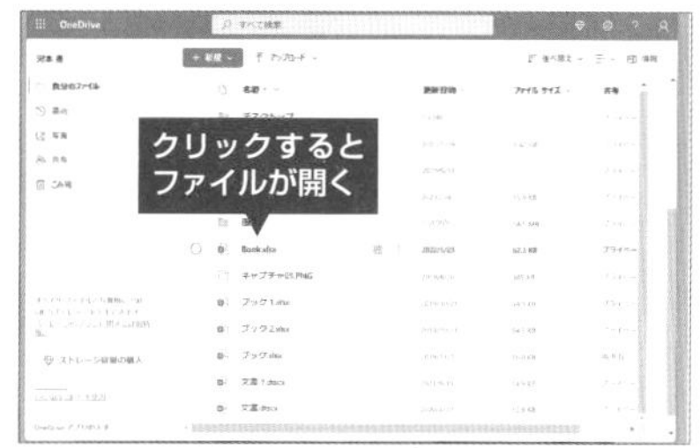

ブラウザーが起動してOneDriveが開きます。ファイル名をクリックするとブラウザー上でファイルが閲覧できます。スマホのブラウザーからも閲覧できます。

6 ファイルをダウンロードする

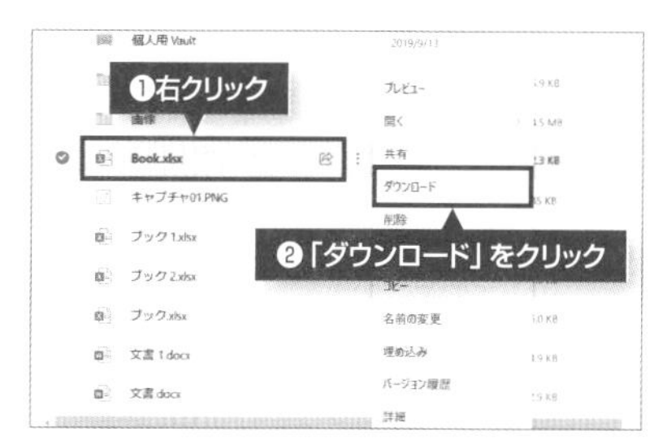

ファイルを操作するにはファイルを右クリックします。パソコンにダウンロードする場合は「ダウンロード」をクリックしましょう。

オンライン版Excelを使ってみよう

Excelでは、ただ表にデータを入力してまとめるだけでなく、入力した数字から簡単にさまざまな計算ができます。入力した日々の支出費からその月の総支出を計算したり、平均値を計算するときに便利です。

1 範囲選択した数値の合計を見る

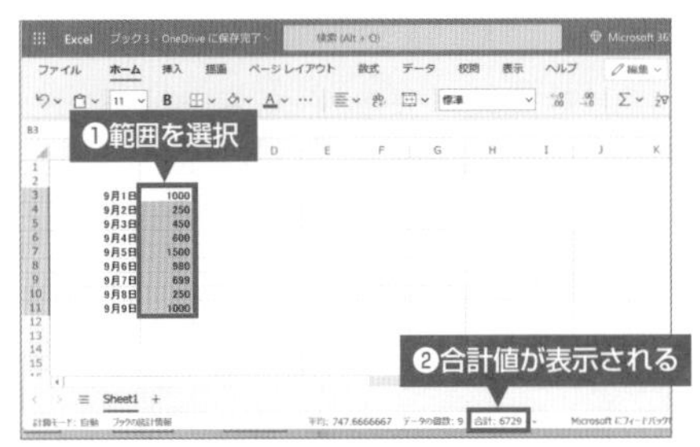

数字が含まれる範囲を選択すると、ステータスバーに合計値が表示されます。

2 「合計」ボタンをクリック

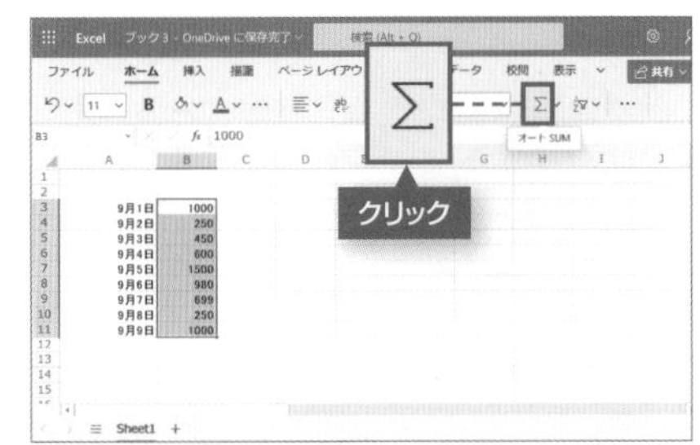

表示された合計値を入力したい場合は、範囲選択した状態でツールバーにある「合計」ボタンをクリック。

3 合計値が入力される

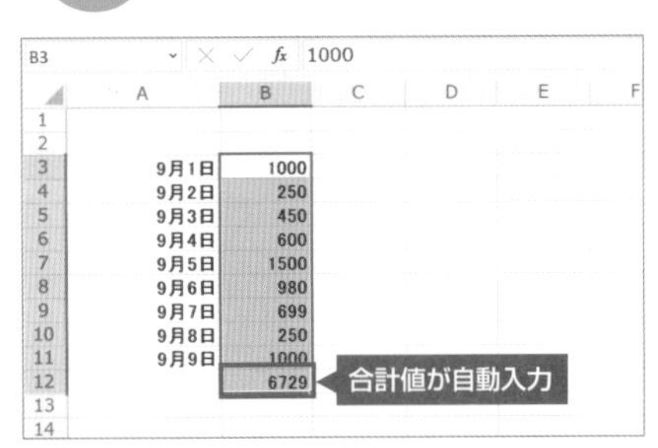

次の行、または列に合計値が自動で入力されます。

4 指定したセルに合計値を入力する

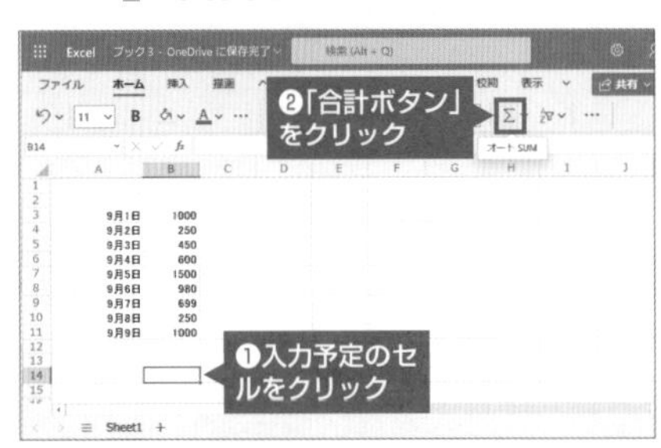

指定したセルに合計値を入力したい場合は、入力予定のセルボタンをクリックし、次に合計ボタンをクリックします。

5 合計値を出したいセルを選択する

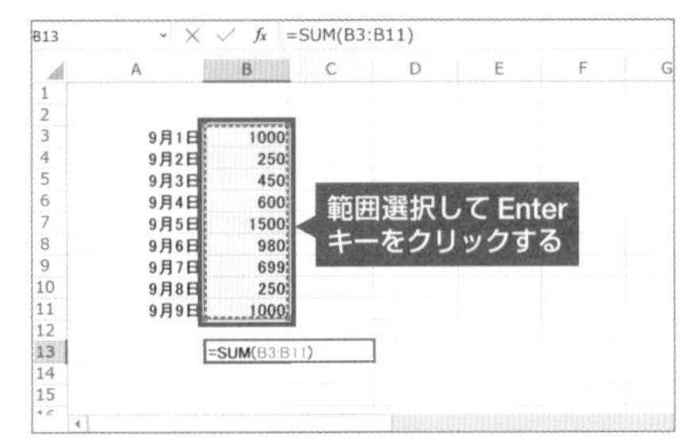

指定したセルに数式が入力されます。合計値を出したい範囲を選択して、Enterキーをクリックすると数値が入力されます。

ここがポイント

連続した数字を効率よく入力する

1、2、3……など連続数字を順番に入力する場合は、最初に「1」「2」など2つ以上の数字を入れ、そのセルの右下にマウスカーソルをあてます。Ctrlキーを押しながら連続して入力したい方向にドラッグしましょう。連続した数字が入力されます。

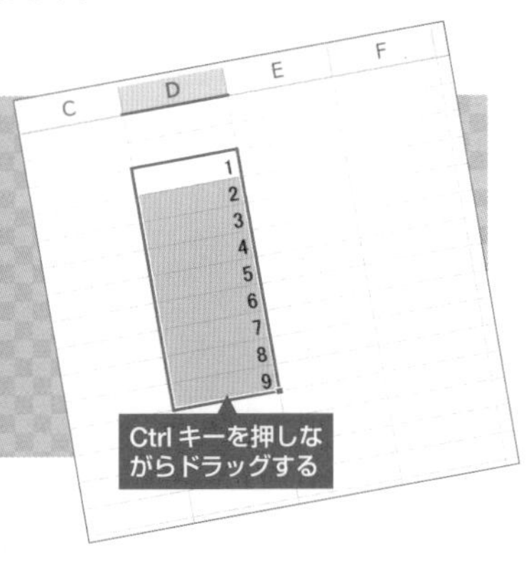

連続した数字の平均値や数値の個数を求める

① 他の項目を見る

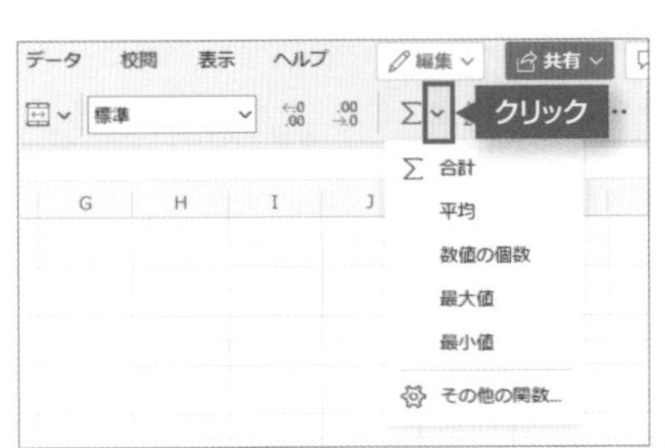

合計だけでなく平均値や最大値、最小値なども算出できます。合計ボタン横のメニューボタンをクリックします。

② 平均値を算出する

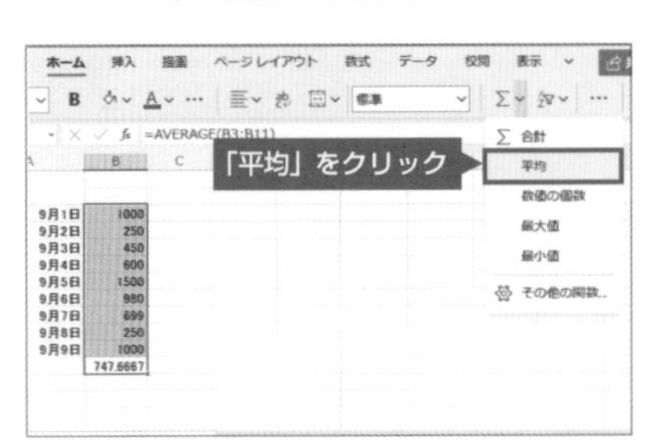

メニューから「平均」を選択すると、範囲選択した数値の平均値が算出されます。

③ 最大値を表示する

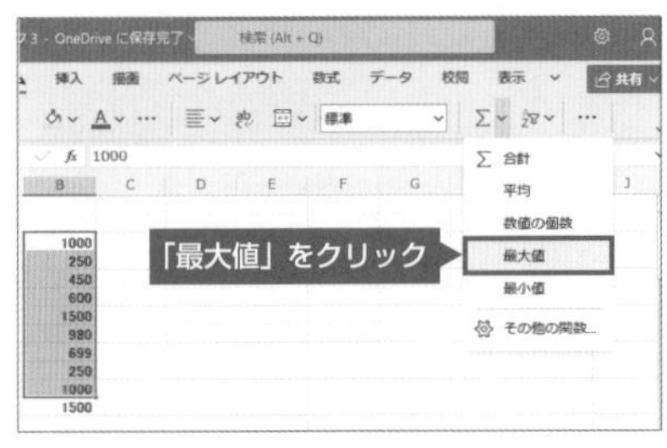

メニューから「最大値」を選択すると、範囲選択した数値から最大値を探して表示してくれます。

5章

さらに便利なテクニック

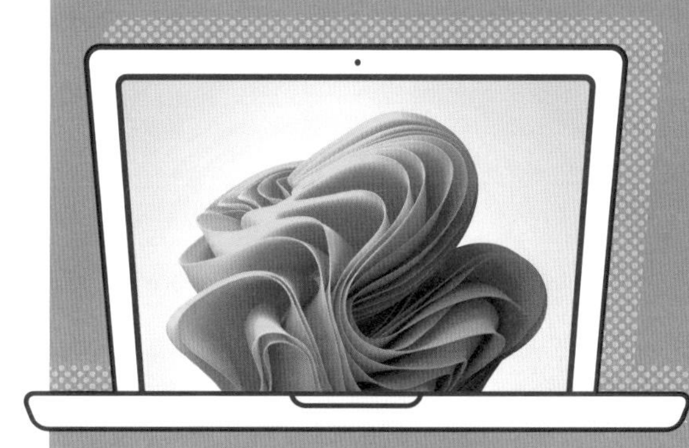

便利なウィジェットを使ってみよう

さまざまな情報を確認できるウィジェット機能

Windows 11では、「ウィジェット」という最新のニュースをチェックしたり、各種機能に素早くアクセスできる、便利な情報ウィンドウ機能を利用できます。

ウィジェット画面で配置されているウィジェットは、標準で用意されていて、さまざまなニュースや情報が配信される「ニュースフィード」と、ユーザーが自分で追加できる「ウィジェット」があります。この画面を使いやすく編集しておくことで、欲しい情報へ素早くアクセスできるため、パソコン自体の使い勝手が上がります。まずは自分の使いやすい情報が出るように、好みに合わせて編集してみましょう。

なお、ウィジェットの利用にはMicrosoftアカウントでのログインが必要です。本誌22ページを参考に、Microsoftアカウントでのログインに切り替えておきましょう。

ウィジェット画面の見方

ウィジェットは画面左下のボタンをクリックすると表示できます。さまざまなウィジェットが配置されていますが、自分の好みのウィジェットへと入れ替えることも可能です。

ユーザーが利用するウィジェットを追加することもできる（場所の移動が可能）

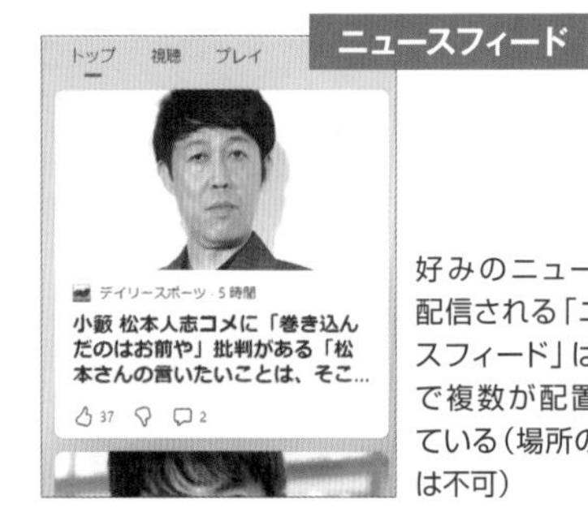

好みのニュースが配信される「ニュースフィード」は標準で複数が配置されている（場所の移動は不可）

ウィジェットをセッティングしよう

❶ ウィジェットを表示する

ウィジェットを表示するには、画面左下にある、天気が表示されているウィジェットボタンをクリックします。

❷ ウィジェットを追加する

「ウィジェットの追加」ボタンをクリックし、追加したい項目の「+」をクリックします。

❸ ウィジェットの配置を変える

ユーザーが追加したウィジェットはドラッグして配置を変更することができます。

基本ウィジェットを使いこなそう

ウィジェットウインドウには、複数のウィジェットを追加できます。種類はあまり多くはありませんが、ビジネスシーンや趣味での活動に便利なウィジェットを配置することで、パソコン操作もさらに快適になります。ここで、基本ウィジェットの機能を確認しておきましょう。

1 「天気」ウィジェット

「…」から「ウィジェットのカスタマイズ」で場所を指定できる

現在地点だけでなく、指定地点の天気を素早く確認できます。オフィスの地域を登録しておくと出社前に天候をチェックできて便利です。

2 「ToDo」ウィジェット

重要度を示すスターを付けることもできて、シンプルながら使いやすい

タスク管理に活躍するToDo。やることリストを素早く確認できるようになるので、業務効率アップに効果大。

CHECK!!

ニュースのパーソナライズ

ニュースフィードのニュースは右上の「フィードの個人用設定」ボタンからパーソナライズ（自分の興味のあるジャンルを選ぶ）ことができます。

3 「写真」ウィジェット

OneDrive内の写真が表示される

OneDriveの写真に保存した写真が表示されます。デジタルフォトフレームのように写真を眺められ、クリックするとブラウザの画面で写真を確認できます。

4 「スマートフォン連携」ウィジェット

スマートフォンの状態と通知を確認できる

スマートフォンと連携することで、現在のスマートフォンの状態や通知をパソコンから確認できるようになります。便利なのでぜひ導入しておきましょう。

ここがポイント

仕事用パソコンはウィジェットの非表示化もアリ！

便利なウィジェットですが、仕事用のパソコンでは注意が必要です。プレゼンテーション中にプライベートな情報や写真が写ってしまうと、気まずい思いをしてしまいます。ウィジェットは非表示にもできるので、誤ってウィジェットを開いてしまうことが多いなら、非表示化も有効です。

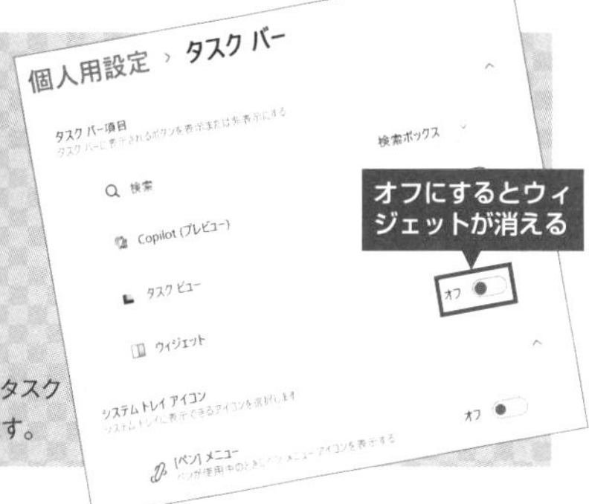

オフにするとウィジェットが消える

タスクバーの何もない場所を右クリックして、「タスクバーの設定」を開き、「ウィジェット」をオフにします。

4 ウィジェットのサイズを変更

「…」ボタンからサイズ調整が可能

ウィジェットの「…」ボタンをクリックするとサイズを変更できます。

5 不要なニュースの配信を停止する

ニュースフィードに好みでないメディアからの情報が配信されていた場合は、「×」ボタンをクリックし、「この記事を表示しない」をクリックします。

6 全画面で広く情報をチェックする

拡大縮小ボタン

拡大縮小ボタンでウィジェットの全画面拡大もできます。ニュースフィードの情報を1度に眺めたいときに便利です。

スマホと同期させて使える便利なブラウザー

Chromeならどんなスマホともブラウザー情報を同期できる

普段スマホを使ってウェブサーフィンをしている人は、Windows標準のブラウザーよりChromeを使う方がいいでしょう。ChromeはGoogleが提供しているブラウザーで、パソコン版だけでなくスマホ版（iPhone、Android）も提供しています。

Chromeが便利なのは同期機能があることです。同期とは使用しているパソコンやスマホのデータが常に同じ状態になることです。Chromeでは、同じGoogleアカウントでログインすることで、登録したウェブページのお気に入り（ブックマーク）、閲覧履歴、開いているタブ、保存しているパスワードなどをパソコンとスマホ、タブレットなど複数の端末同士で同期することができます。

Chromeはブラウザーで公式サイトからダウンロードする必要がありますが、偽のChromeサイトも出てくるので注意しましょう。

Chromeブラウザーでできる同期とは？

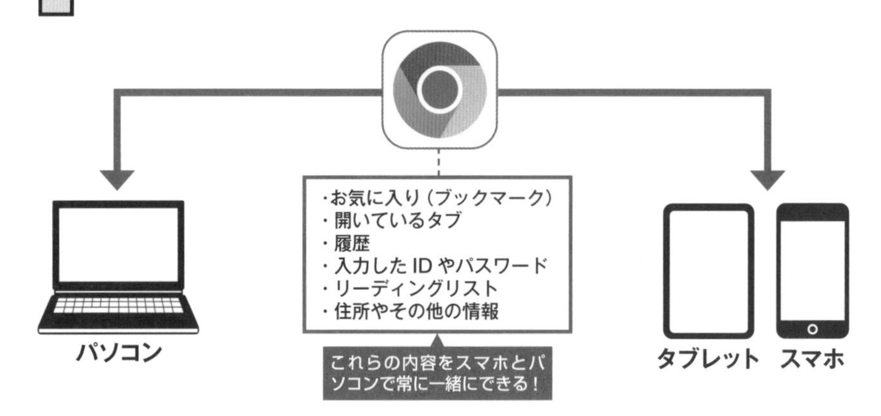

パソコン版Chromeをダウンロード

パソコン版ChromeはMicrosoft StoreではなくChromeの公式サイトにブラウザーでアクセスしてプログラムファイルをダウンロードします。

スマホ版Chromeをダウンロード

iPhoneはApp Storeから、AndroidはPlayストアからダウンロードしましょう。

iPhone版Chromeの同期設定を行おう

1 設定画面を開く

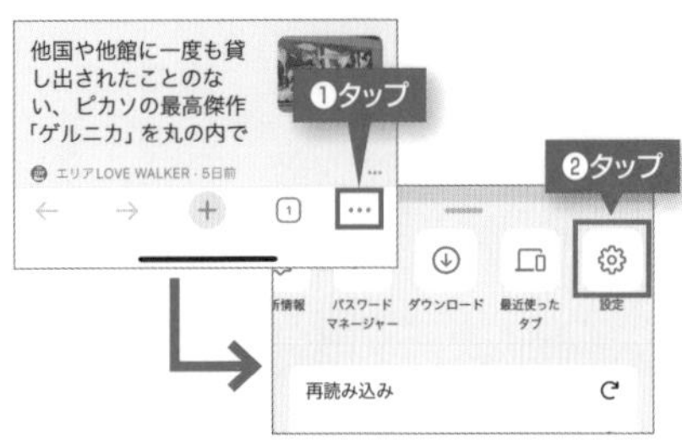

Chromeを起動したら右下の「…」をタップして、設定ボタンをタップします。

2 利用するGoogleアカウントを選択する

設定画面で「ログイン」をタップして、パソコンで利用しているChromeのアカウントと同じものを選択、または追加しましょう。

3 同期を有効にする

設定画面に戻り、ログインしたアカウント名をタップします。同期設定画面が表示されるので同期したい項目にチェックをつけましょう。

パソコンのChrome設定方法は?

Chromeのデータを同期するには、パソコンとスマホの両方のChromeに同じGoogleアカウントでログインする必要があります。また、ログイン後、設定画面から同期機能を有効にすることで保存しているお気に入りや開いているタブが連携するようになります。

1 アカウントアイコンをクリック

Chromeを起動したら右上のアカウントアイコンをクリックして「同期を有効にする」をクリック。

2 Googleアカウントにログインする

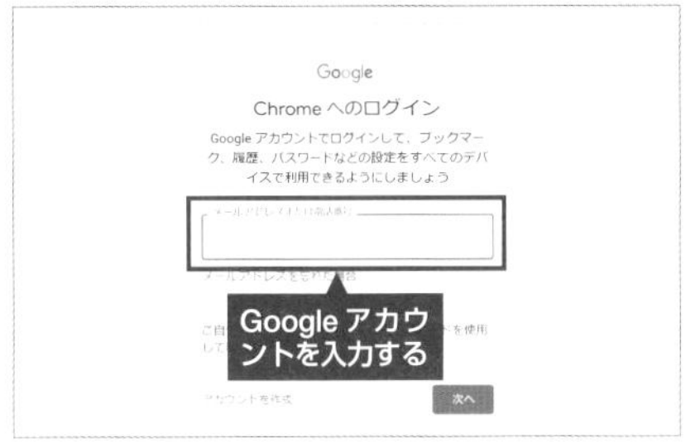

Googleアカウントのログイン画面が表示されます。スマホ版ChromeでログインしているGoogleアカウントでログインしましょう。

3 同期を有効にする

同期機能を有効にするか尋ねる画面に変わったら、「有効にする」をクリックしましょう。

4 同期機能が有効になった

もう一度、ブラウザー右上のアカウントアイコンをクリックします。「同期は有効です」となっていればスマホと連携されます。

CHECK!!

同期する設定をカスタマイズする

同期するデータをカスタマイズしたい場合は、「同期は有効です」をクリックし、「同期する内容の管理」から同期したい項目だけにチェックを入れましょう。

Chromeを既定のブラウザーにする!?

Chromeを既定のブラウザーに変更することで、メールや文書ファイル内のURLをクリックしたときに起動するブラウザーをEdgeからChromeに変更することができます。変更はスタートメニューから「設定」→「アプリ」→「既定のアプリ」と進み「Google Chrome」をクリック。「Google Chromeを既定ブラウザーにする」横のボタンをクリックしましょう。

Android版Chromeの同期設定を行おう

❶ 設定画面を開く

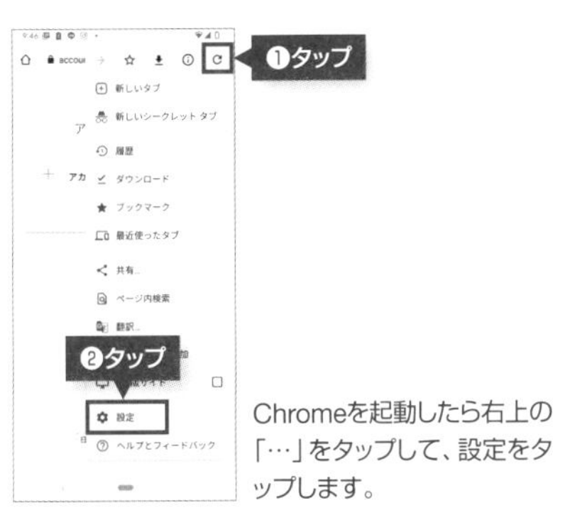

Chromeを起動したら右上の「…」をタップして、設定をタップします。

❷ 利用するGoogleアカウントを選択する

設定画面で「別のアカウントを選択」をタップして、パソコンで利用しているChromeのアカウントと同じものを選択、または追加しましょう。

❸ 同期を有効にする

同期設定画面が表示されたら「有効にする」をタップしましょう。

Chromeを使うなら メールはGmailがベスト

ブラウザ上で利用できるから パソコンが乱雑にならない

ブラウザでChromeを使う場合は、メール環境も「Gmail」に変えるといいでしょう。GmailはOutlookとは違い、パソコンにアプリをインストールする必要がなく、ブラウザ上でメールの送受信や確認ができます。アプリを切り替える手間が省けるため、ウィンドウが乱雑にならず、どのパソコンやスマホからでもいつも同じメールボックスを共有できます。セキュリティにも強く、迷惑メールもほとんど届かないので、詐欺メールに騙されることもありません。

GmailはGoogleのアカウントさえ取得していれば、無料でメールアドレス（○○@gmail.com）を取得してすぐに利用できます。無料版は15GBのデータ容量が利用できます。また、Gmailアドレスだけでなく、これまで使用していた会社や自宅のパソコンのメールアドレスも送受信できます。

Gmailのポイント

1 ブラウザでの利用

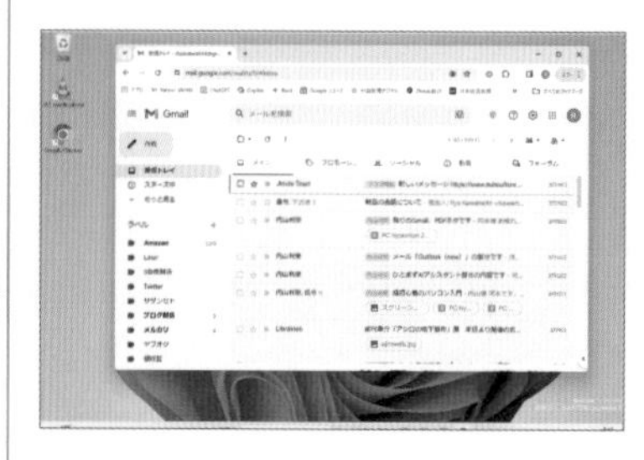

Gmailはブラウザ上で利用できるため、ウィンドウが乱雑になりません。

2 さまざまなパソコンやスマホから使える

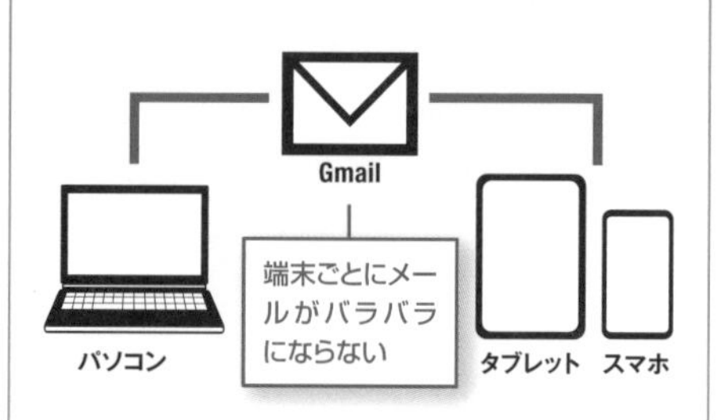

インターネットとブラウザさえあれば、どのパソコンやスマホからでもアクセスでき、同じメールボックスを共有できます。

3 個人のメールアドレスも送受信できる

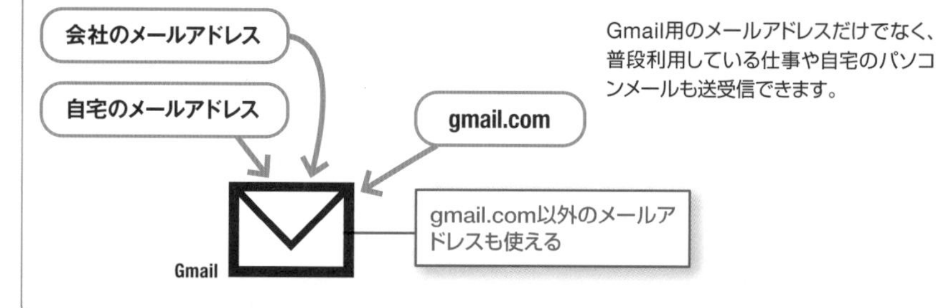

Gmail用のメールアドレスだけでなく、普段利用している仕事や自宅のパソコンメールも送受信できます。

4 迷惑メール対策が優れている

5 高度なフィルタリング機能

Gmailのアカウント設定を確認しよう

CHECK!!

Googleアカウントが あればすぐに使える

すでにGoogleアカウントを取得している場合は、Googleのメニューから「Gmail」をクリックすればすぐに使えます。

1 パソコンのメールを受信できるようにする

自宅や会社のメールを送受信するには、設定アイコンをクリックし、「すべての設定を表示」をクリックします。

2 アカウントとインポート画面

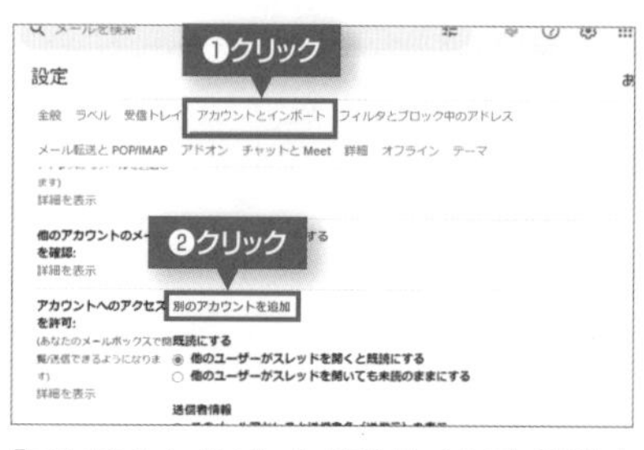

「アカウントとインポート」をクリックして、「アカウントへのアクセスを許可」横の「別のアカウントを追加」をクリックします。

ラベルをつけてメールを自動的に振り分ける

Gmailでは「ラベル」を使って、メールを管理します。メールにラベルをつけることで、特定のラベルのついたメールのみを表示させることができます。最も便利な使い方は、受信したメールを自動的に振り分けることができることです。ここではラベルを使ったメールの自動振り分けを解説します。

1 メールにラベルをつける

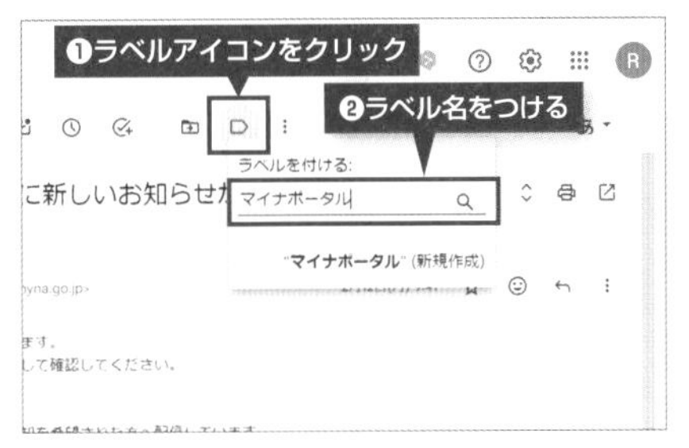

ラベルをつけたいメールを開き、メニューからラベルアイコンをクリック。ラベルの名称をつけましょう。

2 新しいラベルを作成する

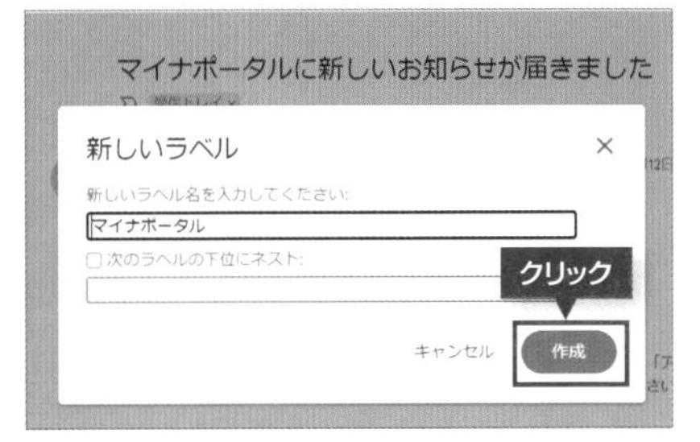

新しいラベル作成画面が表示されます。ラベル名を確認して「作成」をクリックします。

3 メールを自動振り分け設定する

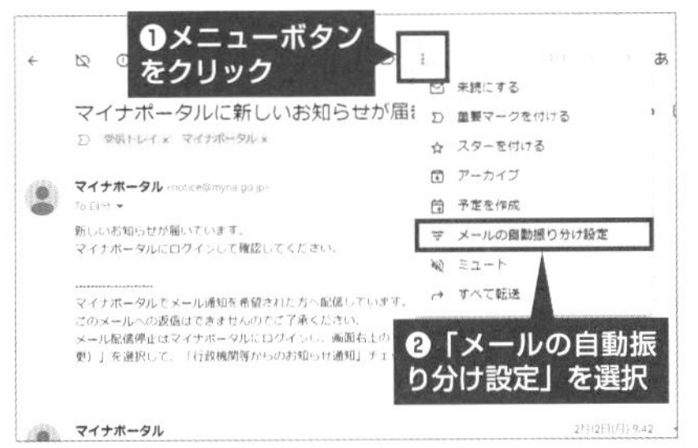

自動振り分けしたいメールを開き、メニューから「メールの自動振り分け設定」を選択します。

4 フィルタを作成する

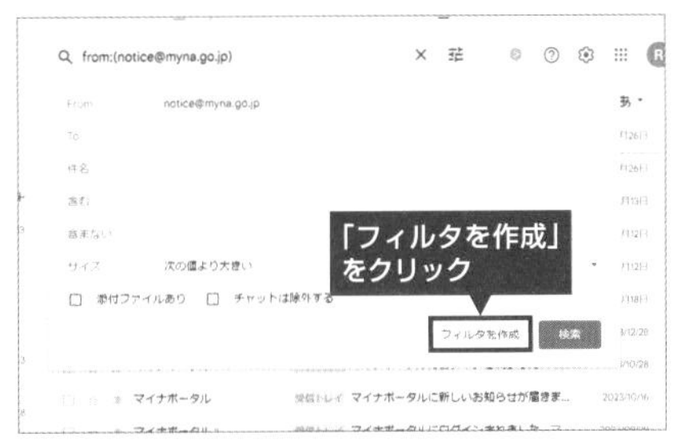

フィルタ設定画面が表示されます。ここでは「フィルタを作成」をクリックします。

5 作成したラベルを指定する

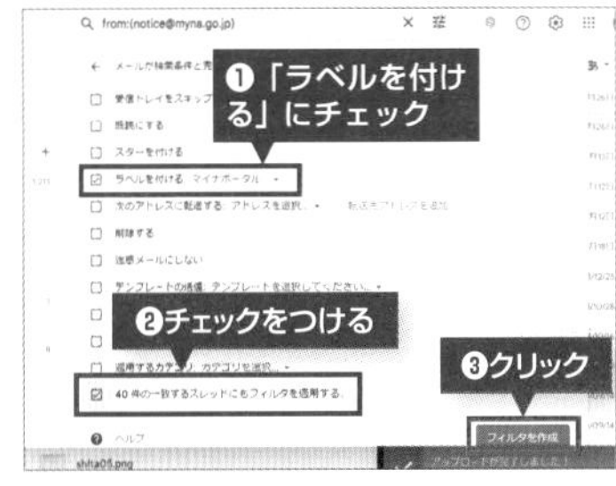

「ラベルを付ける」にチェックをつけて、作成したラベルを指定します。「○件の一致するスレッドにもフィルタを適用する」にチェックをつけ「フィルタを作成」をクリックすれば完了です。

ラベルをつけるべきメールとは

ラベルをつけるべきメールは、頻繁に届くもののあまり閲覧しない種類のメールです。具体的には、ログイン通知や購入時の領収書、メールマガジンなどが該当します。これらにラベルをつけて自動で整理することで、効率的に分類できるので、受信トレイがわかりやすくなり、重要なメールを見逃す心配も減ります。また、よくやり取りする人からのメールにラベルをつけておくのも便利です。

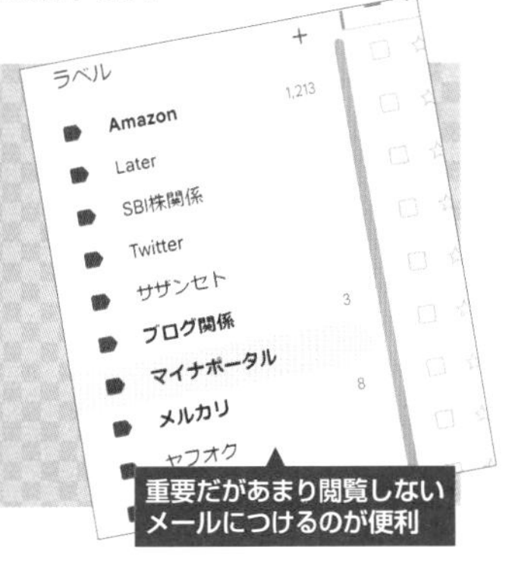

3 メールアドレスを入力する

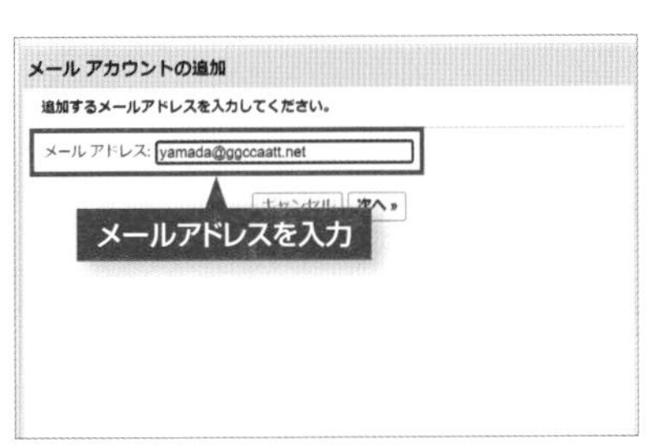

メールアカウント追加画面が表示されます。会社や自宅のメールアドレスを入力して「次へ」をクリックします。

4 POP3を選択する

「他のアカウントからメールを読み込む(POP3)」にチェックを入れて、「次へ」をクリックします。

5 サーバ情報を入力する

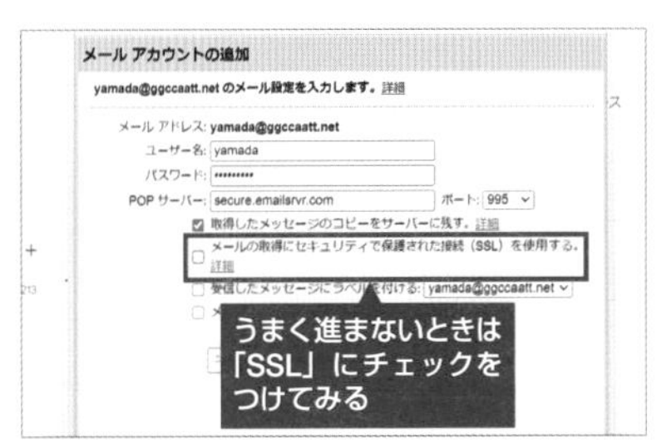

ここから先は、自宅や会社のプロバイダから用意される受信サーバや送信サーバの情報を入力します。うまく進まないときは、「SSL」にチェックをつけてみましょう。

プライベートな集まりにも活躍！人気の「Zoom」を使ってみよう！

ビジネスだけでなくプライベートでも活躍！

ビジネスの会議で使うツールというイメージのあるZoom。しかし、パソコンやスマホなど機器を問わず利用できるため、家族間や友人とのコミュニケーション手段としても人気。無料ユーザーは1回あたり40分の時間制限があるものの、一定の間隔を空ければ回数制限なく何度でも利用可能です。

Zoomのミーティングを主催（ホストと呼ばれます）して他人を誘う場合は、Zoomのアカウントが必要ですが、誘われた側はアカウントの登録は不要。Zoomのアプリをインストールすれば、気軽にZoomミーティングに参加できるのも利点です。

ここではZoomで一般的な、招待メールからミーティングに参加する方法や、おすすめの設定を紹介していきます。Zoomに誘われたときは、この手順を参考にして参加してみましょう。

Zoomで実現できる手軽なビデオ通話

Zoom で何ができる？

- 手軽にビデオ通話を楽しめる
- 仕事だけでなく、家族や友人との通話も OK
- 通話が録画できて見返せる！

Zoom を選ぶメリット

- 誰でも無料で利用できる
- PC もスマホも端末問わず利用できる
- 部屋が汚くてもバーチャル背景で隠せる

Zoomアプリをインストールして、設定しよう

1 ミーティングURLをクリック

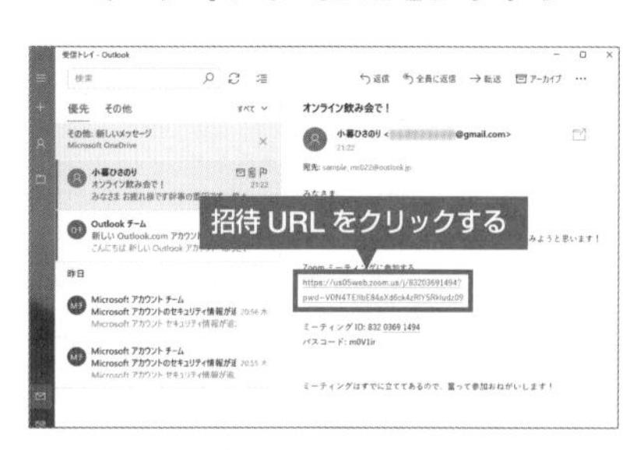

ホストからの招待メールに記載されているURLをクリックします。

2 Zoomアプリの起動

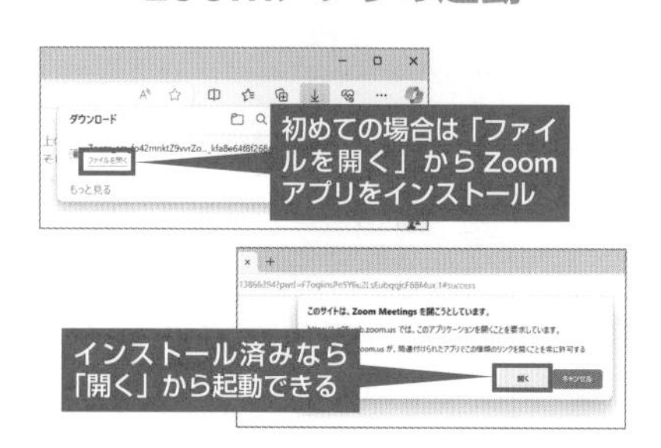

ブラウザで招待画面が開きます。Zoomアプリがない場合は、アプリのダウンロードが終わったら、「ファイルを開く」でインストールします。

3 表示する名前を入力する

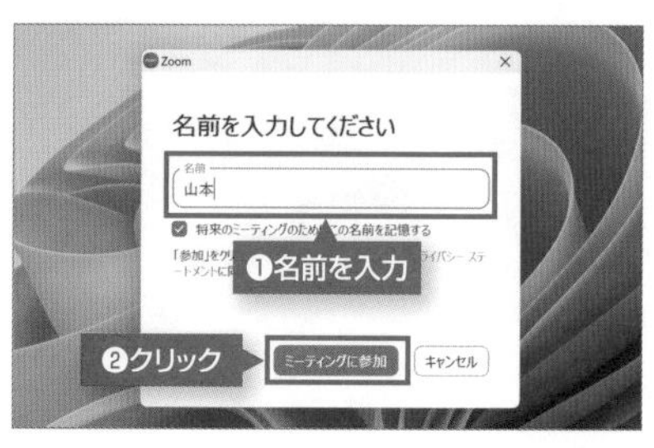

Zoomのミーティング相手に表示する名前を入力します。

Zoomの基本となる音声・映像設定を確認

Zoomでは、利用するイヤホンやマイク、Webカメラを変更することができます。もし音が出なかったり映像が出ない場合は、利用する機器が正しく設定されているか?を確認していきましょう。Zoomの設定を見直しても解決しない場合は、パソコンの再起動で解決できることもあります。

1 オーディオの設定を確認

マイクボタンの「^」から「スピーカー&マイクをテストする」でスピーカーとマイクを確認できます。

2 オーディオの詳細設定

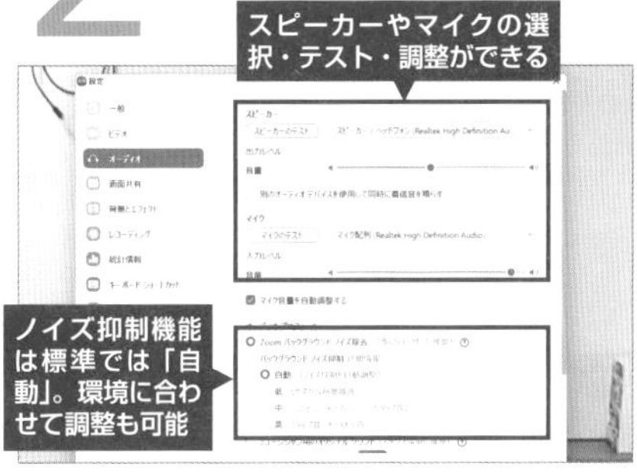

手順1で「オーディオ設定」をクリックするとさらに詳細に音声の設定が変更できます。

3 ビデオの設定を確認する

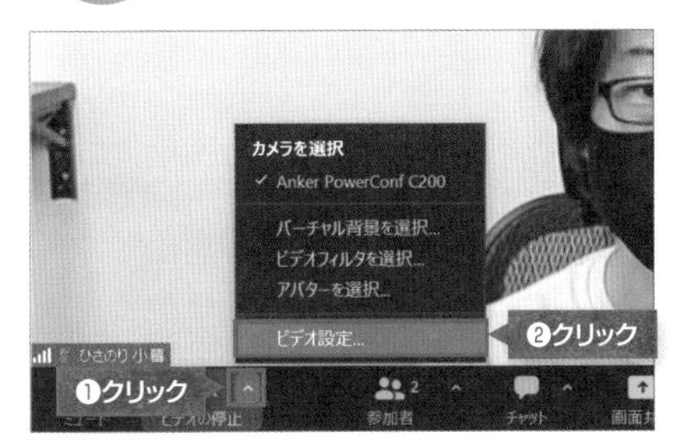

ビデオが映らない場合や、ビデオの機能を変更する場合はビデオボタンの「^」から「ビデオ設定」をクリックします。

4 Webカメラの変更や補正機能

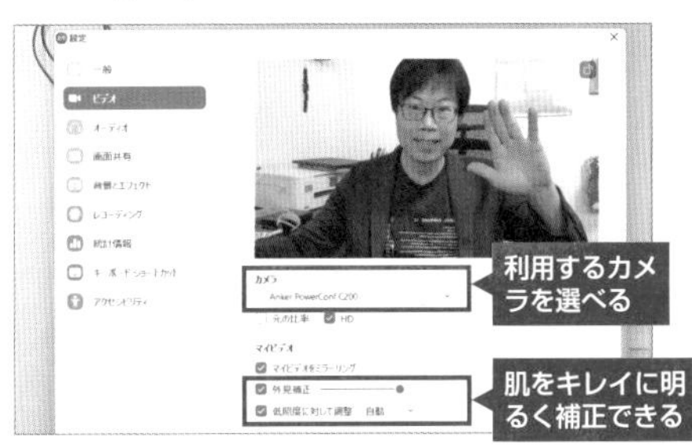

ビデオ設定では、利用するWebカメラを選択したり、外見の補正機能を利用できます。

CHECK!!

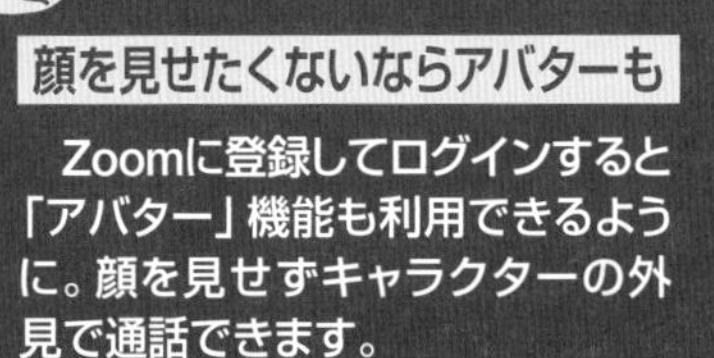

顔を見せたくないならアバターも

Zoomに登録してログインすると「アバター」機能も利用できるように。顔を見せずキャラクターの外見で通話できます。

ここがポイント

バーチャル背景を使ってみよう

Webミーティングの欠点は、汚れている部屋が見えてしまうところ。しかしZoomは「バーチャル背景」機能によって、人物の背景だけをぼかしたり、設定した写真やイラストを背景にできます。これなら、部屋を片付ける必要もありません。

バーチャル背景は設定画面の「背景とエフェクト」から設定できます。

4 Webカメラの映像を確認する

「ビデオプレビュー」としてPCのWebカメラの映像が表示されるので「参加」をクリックします。

5 音声通話に参加する

ミーティング画面が表示されたら「コンピューターオーディオに参加する」をクリックしましょう。

6 Zoomミーティングに参加できる

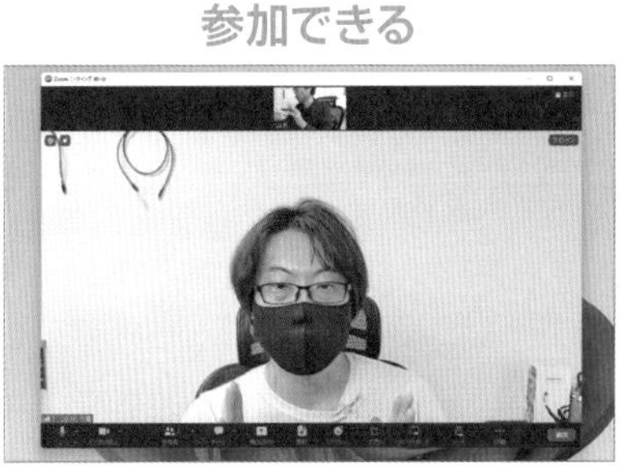

Zoomのミーティングに参加できます。ホストの設定によっては、ホストが許可するまで参加できない場合もあります。

PDFを活用するなら Adobe Acrobat Readerを使おう

PDFに注釈をつけて相手に送ってみよう

WindowsでPDFファイルを開くと、標準ではEdgeブラウザが起動し、ブラウザ上でPDFファイルが開きます。閲覧には便利ですが、注釈をつけたり編集する機能はありません。PDFに注釈をつけたい場合は、専用のPDF編集アプリを使うのがおすすめです。

「Adobe Acrobat Reader」は、無料でPDFファイルにさまざまな注釈を入力できるアプリです。ドローイング（フリーハンド）で修正指示を入れることができるほか、PDF内のテキストに対してハイライト、アンダーライン、取り消し線、メモの追加などが可能です。追加した注釈は自分のパソコンだけでなく、共有先の相手のパソコンやスマホでも閲覧可能なので、仕事で使うPDFファイルに指示や修正を入れたりする際に活用すると非常に役立ちます。

EdgeとAdobe Acrobat Readerの違い

Edge

PDFの内容を理解するには最適!

特徴
- ブラウザ上でPDFファイルを開く
- 読み上げ機能や翻訳機能がある
- AIを使った要約機能がある

Adobe Acrobat Reader

PDFを編集するときに最適!

特徴
- PDFに多彩な注釈を入力できる
- PDFに手書きの署名やサインも入力できる
- 有料版ならPDFを編集できる

Acrobat ReaderでPDFを開くように設定する

1 Microsoft Storeからダウンロード

Microsoft Storeを起動して、Adobe Acrobat Readerをダウンロードしてインストールしましょう。

2 アプリを起動してファイルを開く

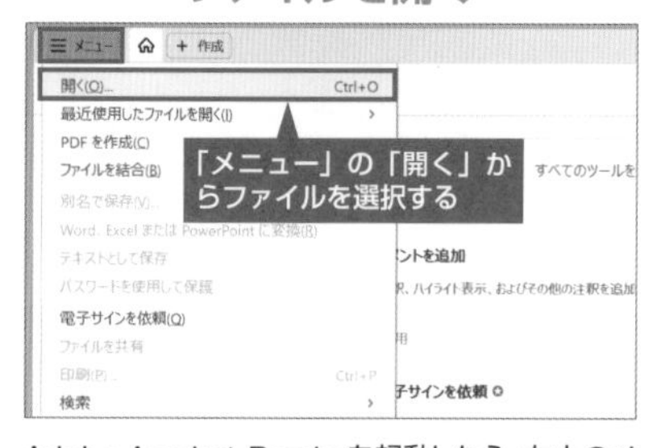

Adobe Acrobat Readerを起動したら、左上のメニューをクリックして、「開く」から開きたいPDFファイルを選択しましょう。

3 Adobe Acrobat Readerのインターフェース

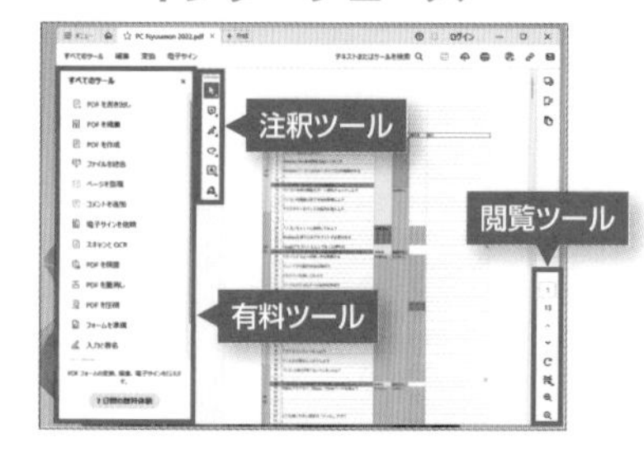

PDFファイルが開きます。画面左側に注釈をするためのツールが用意されています。画面右側に閲覧を補助するためのツールが用意されているます。

PDFに注釈を入力しよう

PDFにコメントや指示を追加したい場合は、アプリの左側に配置されているツールバーを使用しましょう。利用したい注釈ツールにチェックを入れて、注釈を追加したい場所をクリックまたはドラッグすると、注釈ツールが起動します。追加した注釈はメールに添付して、ほかのユーザーに送信することができます。

1 指示するためのコメントやテキストを入力する

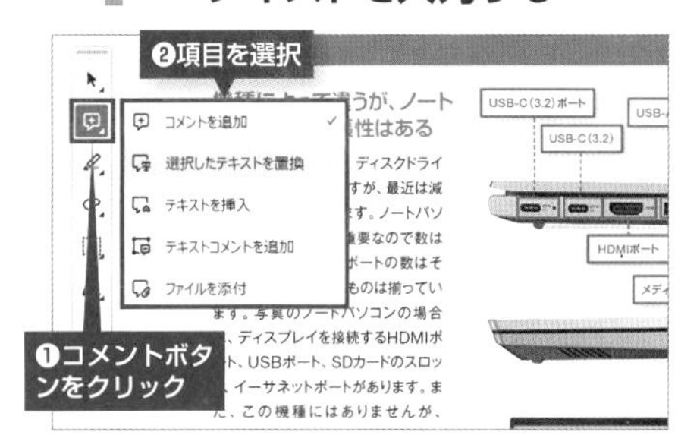

PDFにコメントやテキストを入力するには、注釈ツールのコメントボタンをクリックし、入力したい項目を選択します。

2 場所をクリックして注釈を入れる

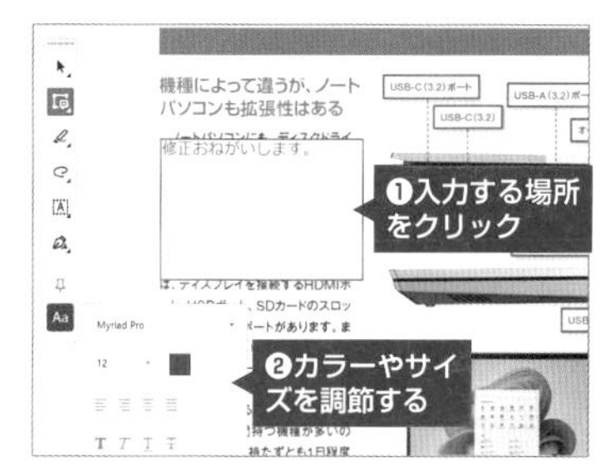

注釈を入力したい場所をクリックすると、注釈ツールが表示されるので、テキストを入力しましょう。カラーやサイズ、フォントも自由に調節できます。

3 テキストを強調する

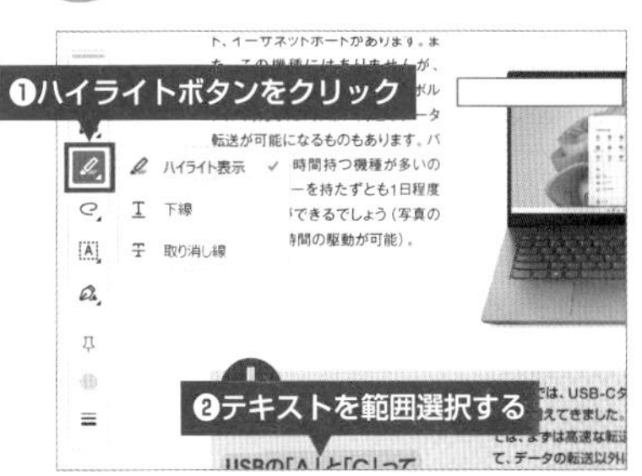

PDF内のテキストの一部をハイライトなどで強調したい場合は、ハイライトボタンをクリックし、対象箇所を範囲選択しましょう。下線を入れることもできます。

4 矢印や線などの図形を挿入する

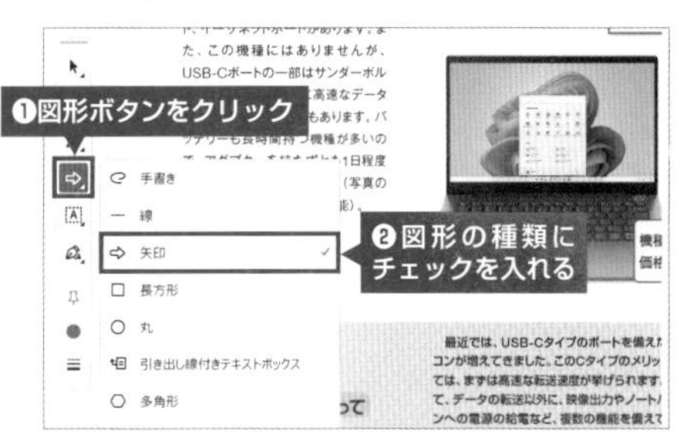

PDFに矢印や線など図形を挿入するには、図形ボタンをクリックして、挿入する図形の種類を選択して、挿入したい場所をクリックしましょう。

5 注釈を入力したPDFを保存する

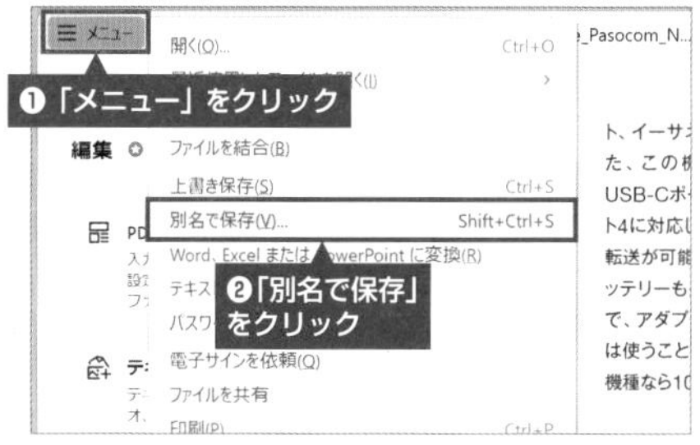

注釈を入力したPDFを保存するには、左上のメニューをクリックして「別名で保存」からファイルを保存しましょう。

ここがポイント

PDFにサインを入力する

最近では、アンケートや申込書、契約書などを入力する際に、ネット上で配布されたPDFファイルに入力する機会が増えています。このような場面でAdobe Acrobat Readerは非常に便利です。テキスト入力ボタンをクリックすると、テキスト入力やチェックマーク、バツマークなど、書類入力に役立つ多くのツールが利用できます。これらのツールを使って入力が完了したら、見栄えのよい美しい書類が作成できます。

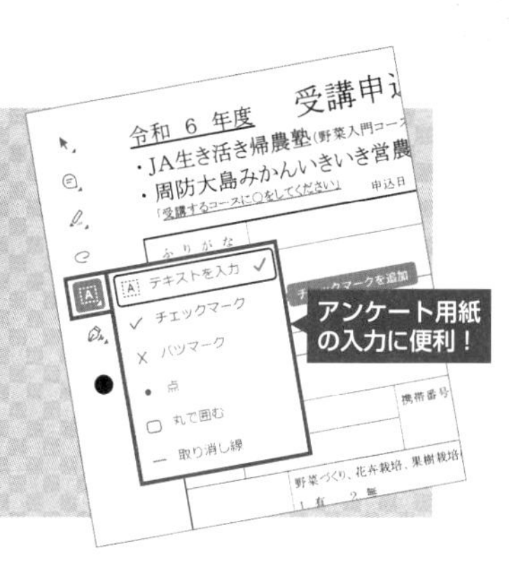

4 PDFファイルを関連付ける

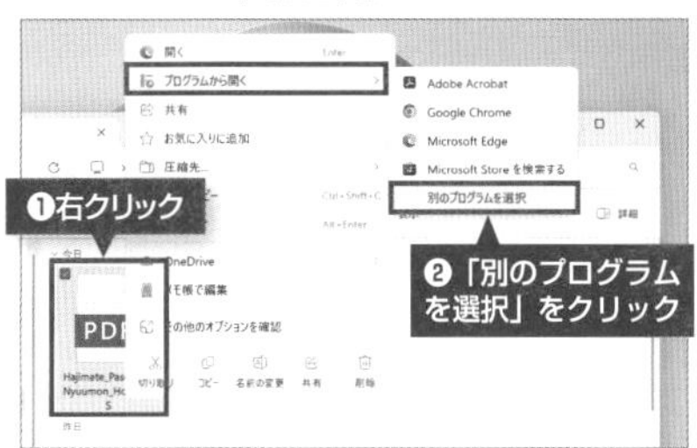

PDFをダブルクリックしたときにAdobe Acrobat Readerで開けるようにするには、ファイルを右クリックし「プログラムから開く」から「別のプログラムを選択」を選択します。

5 Adobe Acrobatを選択する

アプリ一覧画面から「Adobe Acrobat」を選択して「常に使う」をクリックすると、常にAdobe AcrobatでPDFが開けるようになります。

6 PDFファイルのアイコンが変化する

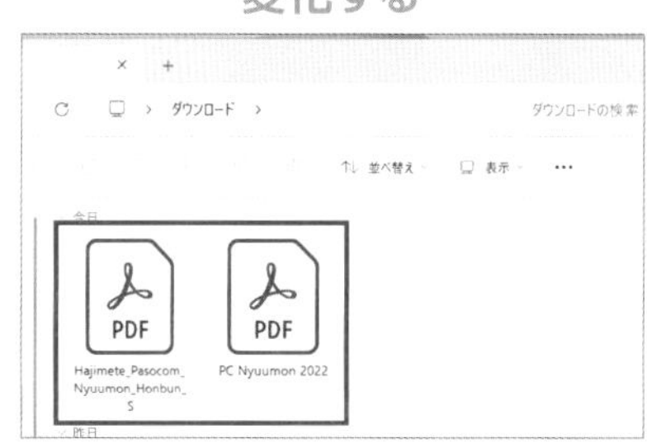

PDFファイルのアイコンがEdgeからAdobe Acrobat Readerのアイコンに変わったことを確認しましょう。

AIアシスタント Copilotを使ってみよう

質問すると回答してくれる話題の人工知能サービス

最近よく耳にする言葉の一つにAIアシスタントがあります。AIアシスタントは、自然言語でさまざまな処理ができる人工知能のことで、ユーザーの質問や要望に応えてくれる便利な機能です。

Windowsには、標準で「Copilot」というAIアシスタントが搭載されており、タスクバーの右端にあるアイコンをクリックすると起動できます。Copilotの入力フォームに調べたいことや考えてもらいたいことを入力すると、すぐに回答してくれます。Googleなどの検索サービスと異なるのは、膨大な検索結果から適切な回答を探す必要がなく、まるで先生や相談者と会話しているように回答してくれることです。

さらに、Copilotはコンテンツを作成することもできます。例えば、メールの文章を作成したり、入力した文章に基づいて自動でイラストや音楽を作成することも可能です。

AIサービスCopilotでできること

知りたいことを調べる

Google検索と同じように知りたいことを質問すると回答してくれます。テキストだけでなく写真やイラストなどビジュアルつきで回答してくれることもあります。

文章を作成してもらう

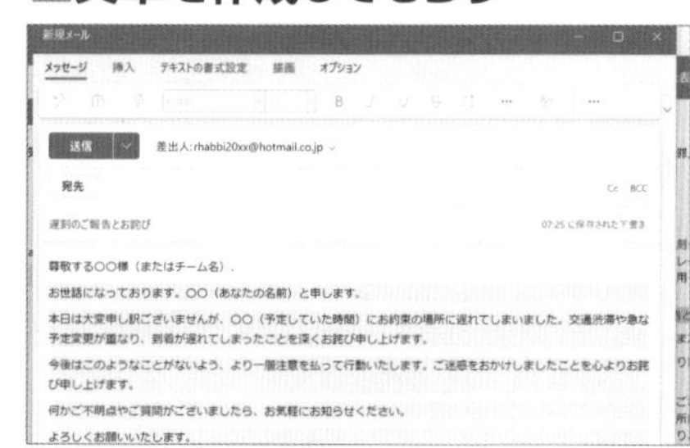

作成したい文章の概要や体裁を入力するだけで、文章のテンプレートを作成してくれます。メールや挨拶の文章を作成するときなどに便利です。

イラストを作成してもらう

作成したいイラストの概要を入力するだけで、イラストも作成してくれます。意向に沿わなかった場合は作り直すこともできます。

資料を要約してもらう

PDFファイルや画像ファイルを添付することができ、そのファイル内容を要約することもできます。ページの長い資料を効率的に読みこなすの便利です。

※Copilotは、Windows 11の最新バージョン（23H2）にアップデートするとタスクバーに現れます。出てこない場合はWindowsをアップデートするか、ブラウザーで使いましょう。

パソコンの使い方をCopilotに聞いてみよう

1 Copilotを起動する

Copilotを起動するには、タスクバー右端にあるアイコンをクリックします。Copilotがデスクトップ右側に表示されます。

2 Copilotに質問する

Copilotに何か質問してみましょう。下部にある入力フォームに質問内容を入力して送信ボタンをクリックします。

3 回答が表示される

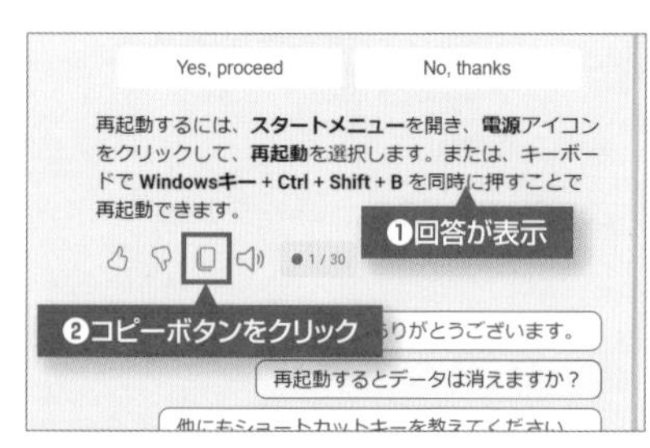

しばらく待つと回答が表示されます。回答内容をコピーしたいときは、コピーボタンをクリックするとクリップボードにコピーされます。

ブラウザーから Copilotを使ってみよう

Copilotはブラウザーからでも利用できます。Copilotのページに直接アクセスするほか、デスクトップ版上部にある「開く」ボタンをクリックしてアクセスすることもできます。同じMicrosoftアカウントでサインしていれば、過去のチャットも閲覧できます。

1 「開く」をクリック

デスクトップ版のCopilot上部にある「開く」ボタンをクリックしましょう。また「https://copilot.microsoft.com/」に直接アクセスしてもOKです。

2 ブラウザーが起動する

ブラウザーが起動してCopilotのページが開けます。画面下部にある入力フォームに質問内容を入力して送信しましょう。

3 ブラウザーのサイドパネルから開く

Edgeブラウザーを利用している場合、ブラウザー右上にあるCopilotをクリックすると、サイドパネル版のCopilotが表示されます。

4 質問内容を入力する

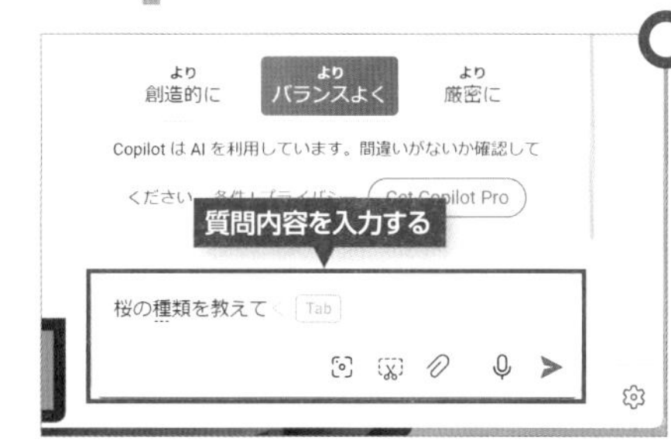

Edgeブラウザーのサイドパネルからでも質問を入力できます。下部の入力フォームに質問内容を入力して送信しましょう。回答が表示されます。

CHECK!!

回答の右下にある「○/30」は何？

Copilotでは、1つのトピックで質問と回答を表示する回数は30回に制限されています。30回を超えると入力できなくなるため、入力フォームの左側にある「新しいトピック」をクリックして会話をリセットし、新たな質問をしましょう。

ここがポイント

音声でも操作ができる

Copilotは音声で質問することもできます。入力フォーム右下にあるマイクボタンをクリックして、パソコンに向かって話しかけてみましょう。話しかけた内容がテキスト化され入力されます。キーボード入力が苦手な人におすすめです。

4 新しいチャットを作成する

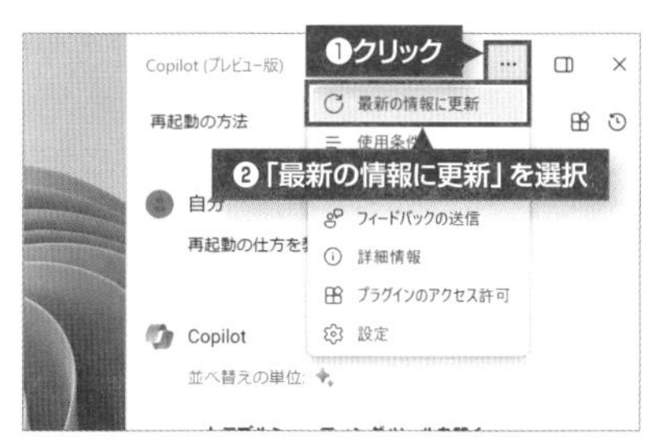

現在のチャット（質問）を消去して、新しい質問をしたい場合は、上部メニューから「…」をクリックして「最新の情報に更新」をクリックしましょう。

5 過去のチャットを開く

過去のチャットを見たい場合は、右上にある履歴ボタンをクリックしましょう、過去のチャットが一覧表示されます。

CHECK!!

回答の参考になっているサイトもチェックしよう

Copilotの回答の最後には、その回答の根拠としているリンクも表示されます。内容の真偽をよく確かめたい場合は、リンク先のページも確認しましょう。

Copilotに文章を作ってもらおう

Copilotは、ビジネス文書やレポート、エッセイや小説、詩や歌詞など、さまざまなジャンルの文章を作成することができます。文章作成が苦手な人におすすめです。また、文章の内容や長さ、スタイルやトーンを調整することもできます。作成された文章はコピーすることができます。

1 作成したい文章のルールを伝える

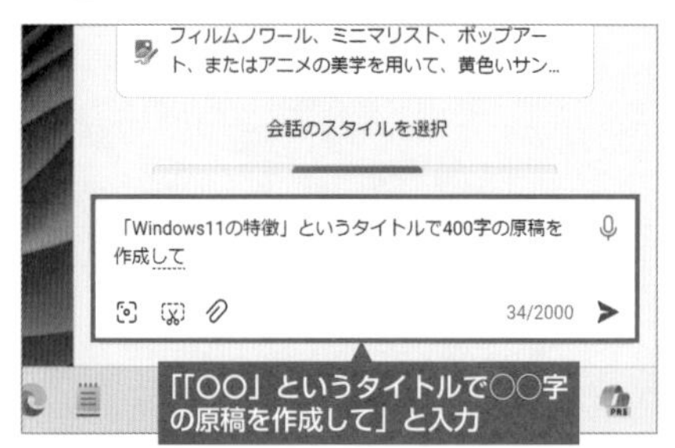

たとえばWindows 11の特徴を解説する文章を作りたい場合は「Windows11の特徴」というタイトルで400字の原稿を作成してと入力しよう。

2 作成した文章を保存する

作成した文章をコピーしたい場合はコピーボタンをクリック。ダウンロードしたい場合は、ブラウザー版を開く必要があります。

3 形式を選択してダウンロードする

ダウンロードする場合は、ブラウザー版を開きダウンロードボタンをクリックしてファイル形式を選択しましょう。

4 文章の例文を作成する

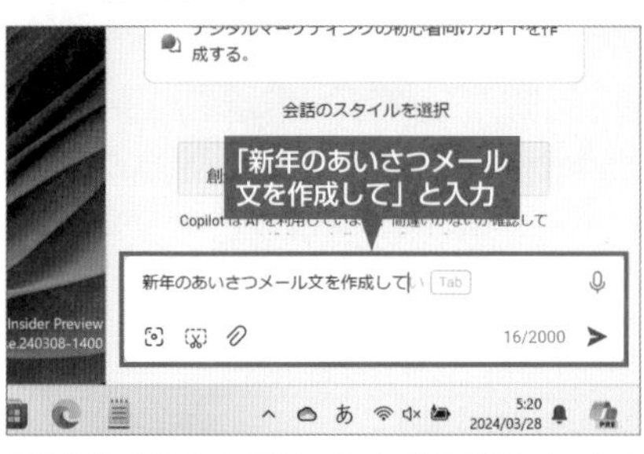

例文を作成するにも便利です。たとえば新年メールの挨拶文を作りたい場合は「新年のあいさつメール文を作成して」と入力しましょう。

5 例文をコピーしてカスタマイズする

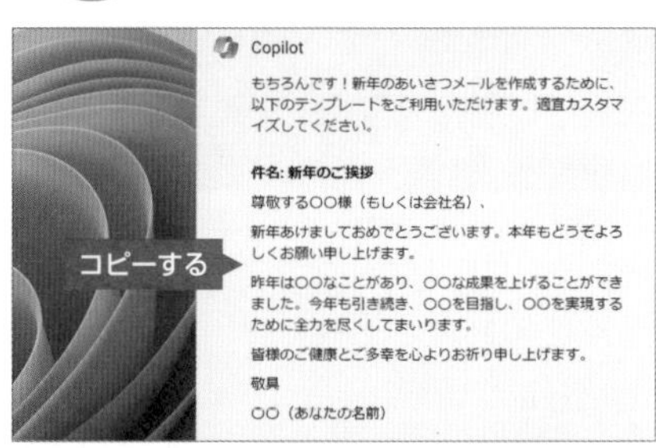

例文が作成されるのでコピーして、メールアプリに貼りつけ、名前など修正したい場所を自分で修正しましょう。

作成した文章を修正してもらう

作成された文章のトーンや長さを修正したい場合は、続けて「もう少しカジュアルにして」などリクエストを入力しましょう。以前に作成された文章を元にして、文章を修正してくれます。また、作成された文章の下に表示される「詳細の提案」をクリックして、文章を修正することもできます。

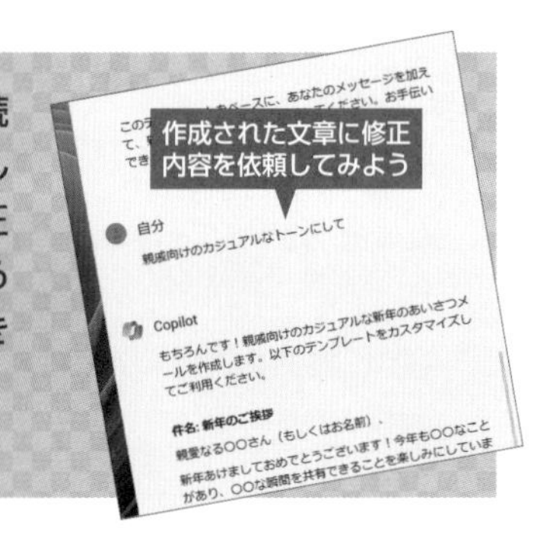

Copilotでウェブページや PDFを要約してみよう

Copilotは膨大な情報を要約したいときにも便利です。ウェブページの内容をCopilotを使って要約することもできます。長く難しい文章を素早く理解したいときに便利です。日本語文章はもちろんのこと、英語のページも翻訳して要約することもできます。

また、パソコン上にあるテキストファイルやPDFファイルを読み込んで、その内容を要約することもできます。

1 ブラウザーで要約してもらいたいページを開く

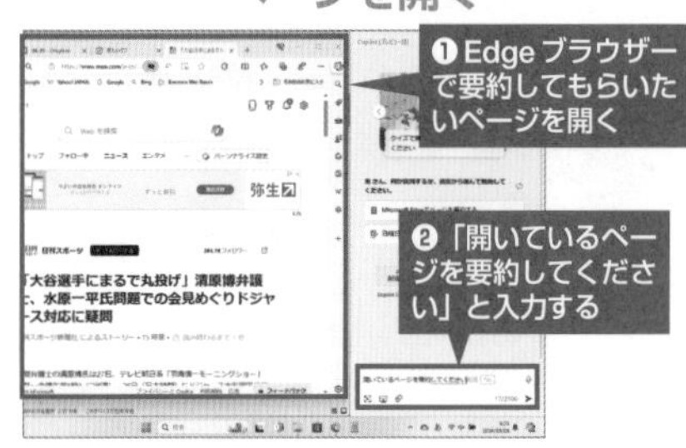

ブラウザーで要約してもらいたいページを開いたら、Copilotを起動して「開いているページを要約してください」と入力しましょう。

2 ページ内容が要約される

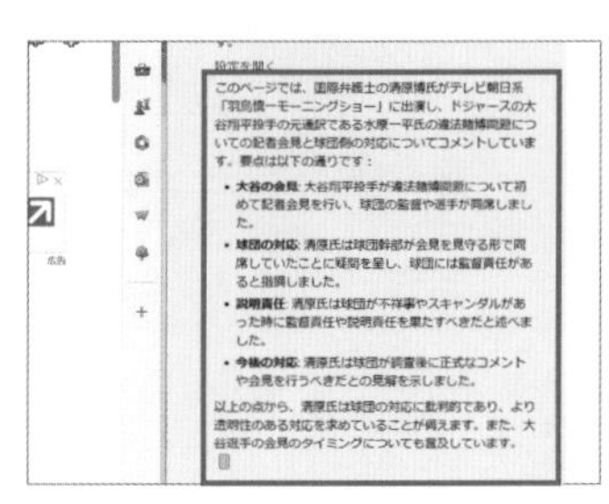

ページ内容を読み込んで要約して表示してくれます。

Copilotにイラストを作ってもらおう

Copilotは画像コンテンツを作成するのに役立ちます。画像を作成するには、作成したい画像の説明やキーワードを入力するだけです。Copilotが入力内容に合った画像を生成してくれます。Copilotで作成した画像は、ブログやSNSなどで自由に使うことができるので著作権問題も心配もありません。

1 作成する画像の内容を入力する

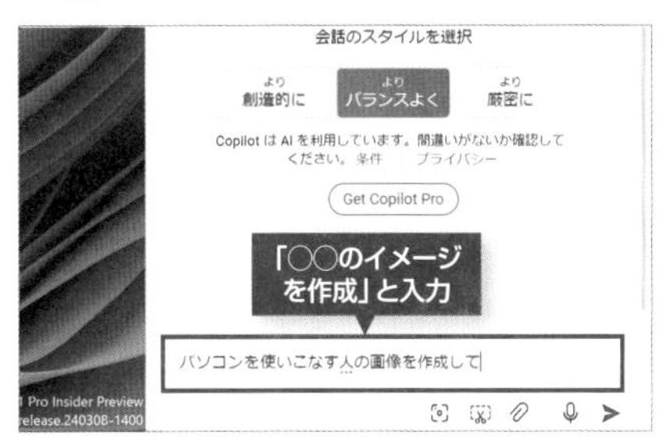

画像を作成するには、入力フォームに「○○のイメージ（画像）を作成して」という風に入力しましょう。

2 4枚の画像が表示される

しばらく待つと4枚のイメージがサムネイルで表示されます。気になるイメージをクリックしましょう。

3 画像をダウンロードする

ブラウザーが起動してクリックした画像の詳細が表示されます。ダウンロードするには「ダウンロード」をクリックしましょう。

4 画像の修正リクエストをする

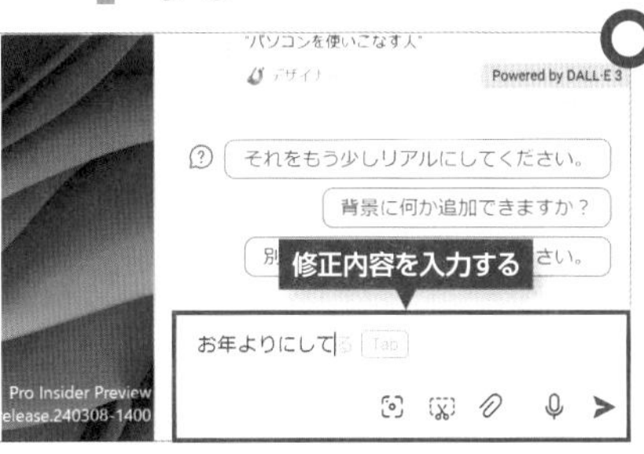

期待したイメージが作成されなかった場合は、続けて修正して欲しい内容を入力しましょう。

CHECK!!

画像作成には制限がある

Copilotは、無料版だと1日5回までしか画像を作成できません。有料版のCopilot Proに加入すると、1日あたり100回まで画像を作成できます。

パソコン操作を知りたいときもCopilotを使おう

サイドパネルから利用できるCopilotは、情報検索やコンテンツ作成のほかWindowsパソコンの操作を知るにも便利です。たとえば「ゴミ箱を空にして」と入力すると、その方法を教えてくれます。2024年の春以降には、実際にパソコンを操作してくれる機能が実装される予定です。

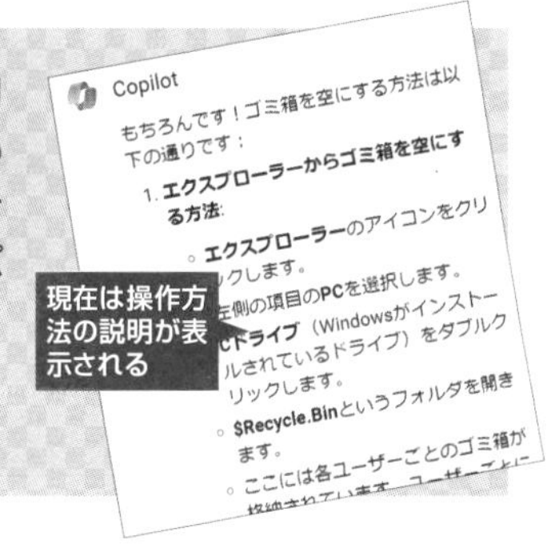

3 翻訳してもらいたいページを開く

海外のページを翻訳してもらいたいときは、対象のページを開いて、Copilotを起動して「開いているページを翻訳して」と入力しましょう。

4 翻訳してもらいたいページを開く

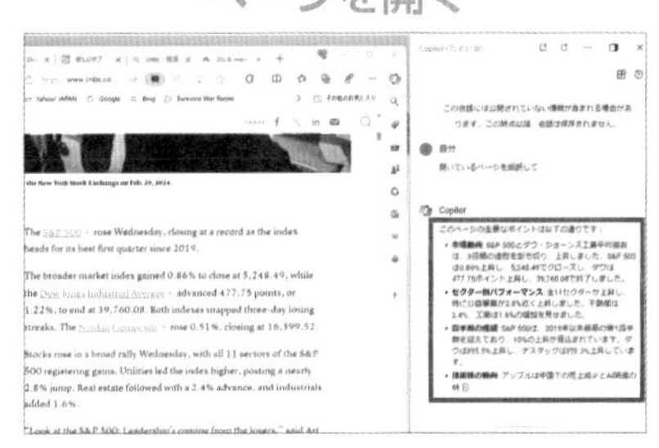

ページ内容を読み込んで翻訳して表示してくれます。

5 ファイルを読み込んで要約する

入力フォーム下にある添付アイコンをクリックして、要約してもらいたいファイルを選択しましょう。ただし、添付できるサイズは無料では1MBまでです。

遅くなったように感じるWindowsを高速化するには？

パソコンを長く使うと遅くなる原因は？

パソコンはただ長時間使っているだけで、動作がどんどん遅くなります。原因の1つはストレージにさまざまなデータが蓄積されていくためです。ストレージには、自分が作成したり、ダウンロードしたファイルのほかにも、アプリ使用中に生じる一時的なファイルがゴミとなって蓄積されています。こうしたゴミファイルが動作を遅くする原因となっています。パソコンを高速化するには、ゴミファイルを削除してストレージの空き容量をできるだけ作る必要があります。

ほかに動作が遅くなる原因は、バックグラウンドで動くアプリがあることです。アプリを多数同時に起動しているとパソコンのメモリを膨大に消費してしまい、動作が遅くなります。現在使用していないアプリやパソコン起動時に勝手に起動するスタートアップアプリはできる限りオフにしましょう。

不要なアプリをオフにする

1 スタートメニューから設定を開く

スタートアップアプリをオフにするには、スタートメニューから「設定」をクリックします。

2 「アプリ」から「スタートアップ」を選択

「アプリ」から「スタートアップ」をクリックします。なお、「アプリと機能」から不要なアプリのアンインストールができます。

3 余計なアプリをオフにする

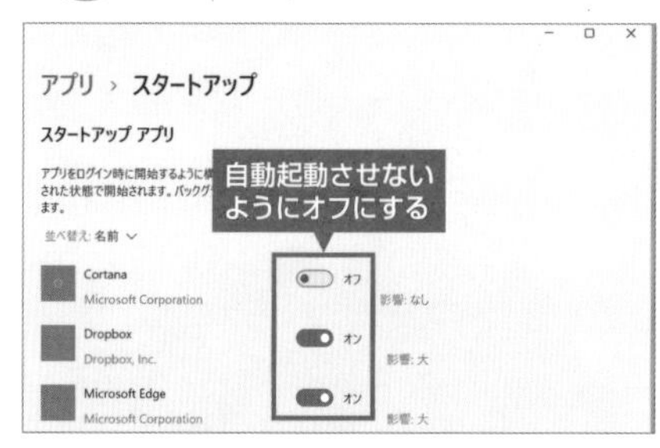

パソコン起動時に自動で動作するアプリが一覧表示されます。不要なアプリはオフにしていきましょう。

4 起動中のアプリをオフにする

現在バックグラウンドで起動中のアプリをオフにするには、タスクバー右にある「ヘ」をクリックし、終了したいアプリを右クリックして「終了」をクリックします。

ストレージから余計なファイルを削除しよう

① 「すべてのアプリ」を開く

ストレージから余計なファイルを削除するアプリを使うには、スタートメニューから「すべてのアプリ」をクリック。

② Windowsツールを選択

すべてのアプリから「Windowsツール」を選択します。

③ ディスククリーンアップを選択

Windowsツール画面から「ディスククリーンアップ」をクリックして起動します。

Windows初期化も有効な手段

何をやってもパソコンの調子がよくならない場合は、初期化して買ったときの状態にしてしまいましょう。なお、初期化はパソコンを処分する際にも必須なので覚えておくといいでしょう。ただし、完全に初期化するので、必要なファイルはすべて外部に保存しておく必要があります（下の記事参照）。

1 スタートメニューから設定を開く

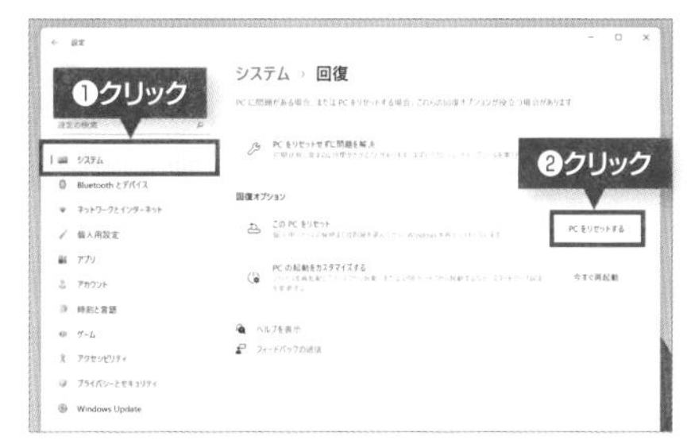

スタートメニューから「設定」→「システム」→「回復」と進み、「PCをリセットする」をクリックしましょう。

2 「すべて削除する」を選択

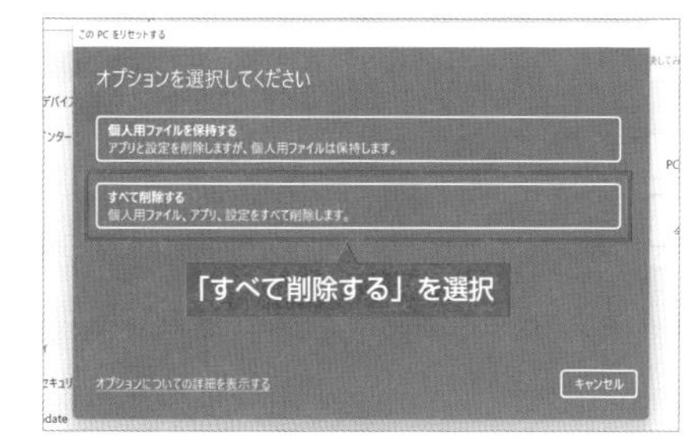

パソコンを買ったときの状態に戻すには、「すべて削除する」を選択しましょう。

3 インストール方法を選択

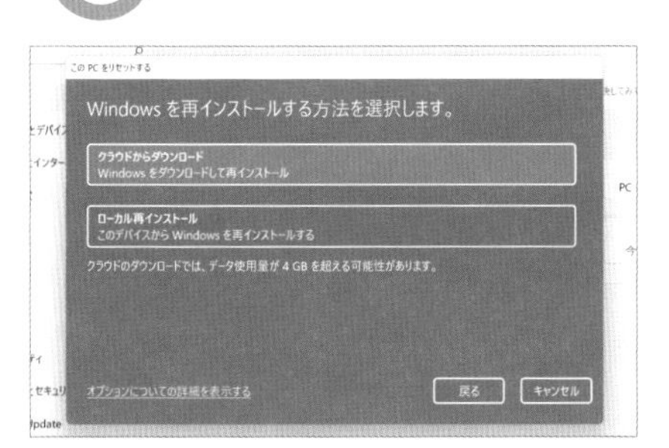

最新バージョンのWindowsが必要ない場合は、「ローカル再インストール」を選択します。初期化とともに最新のWindowsをインストールしたい場合は、「クラウドからダウンロード」を選択します。

4 初期化時の設定を確認する

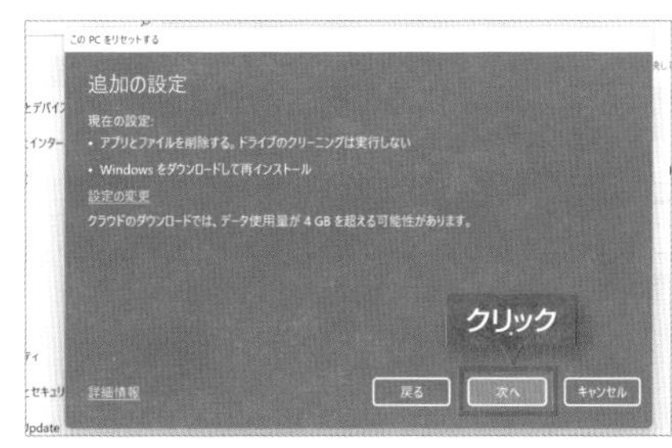

初期化時の設定と注意の画面が表示されます。問題なければ「次へ」をクリックしましょう。

5 初期化開始

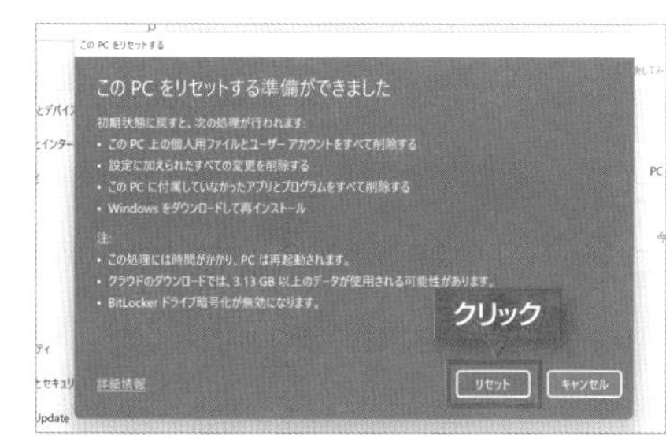

パソコンを初期化する準備ができたら「リセット」をクリックしましょう。初期化が始まります。

初期化前には大事なデータのバックアップをとっておこう

初期化するとパソコン内に保存していたすべてのデータが削除されてしまいます。そのため、大切なデータを保存している場合は外部にバックアップしておきましょう。USBメモリなどにコピーするのもいいですが容量が足りなくなることがあります。おすすめはOneDrive（5GBまでは無料）にバックアップする方法です。

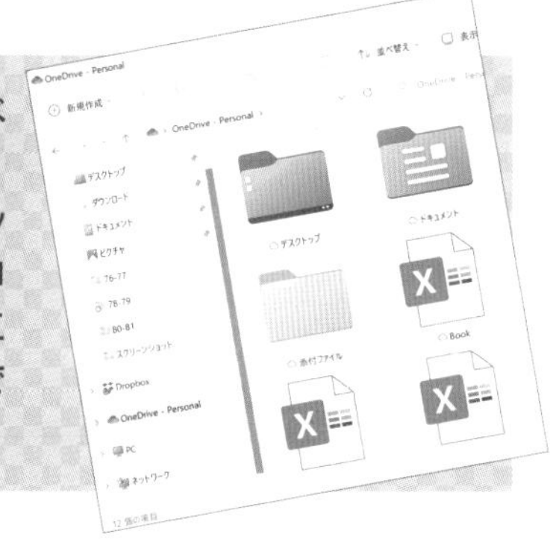

4 削除する項目にチェックを付ける

ディスククリーンアップと呼ばれるツールが起動します。「削除するファイル」の中で消したいものにチェックを入れて「システムファイルのクリーンアップ」をクリックします。

CHECK!!

ディスククリーンアップで削除していいものは？

どの項目を削除していいかわからなくなりますが、基本的にはすべて削除しても問題ありません。ただし、クリーンアップ後ブラウザーを起動すると表示速度が下がったり、各種サービスにログインしなおす必要がある場合もあります。

5 削除する

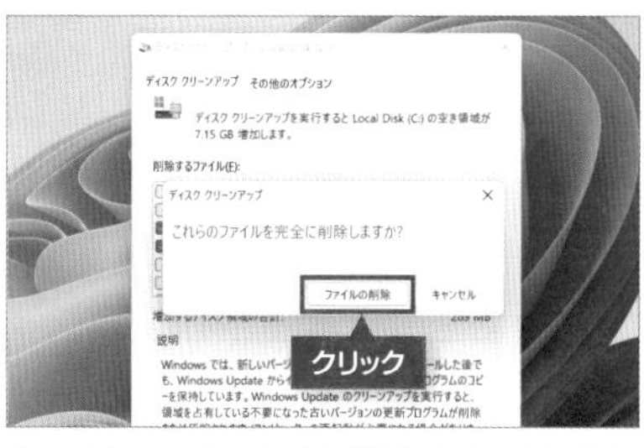

「これらのファイルを完全に削除しますか?」と聞かれたら「ファイルの削除」をクリックしましょう。クリーンアップが始まります。

Windowsのアップデートとはどういうもの?

Windowsのシステムを最新にするための更新プログラム

パソコンで作業をしていると画面の右下に、「新しい更新プログラムを利用できます」と表示されたり、電源ボタンに「更新後にシャットダウンする」と表示されることがあります。これは「ウィンドウズアップデート」のお知らせです。

Windowsではシステムやセキュリティに欠陥が見つかったときに、最新の状態に更新する「ウィンドウズアップデート」という機能が搭載されています。アップデートを行うことで現在流行っているウイルスから感染を防いだり、パソコンの動作の不具合を直すことができます。

ウィンドウズアップデートは通常は自動的にダウンロード･インストールされるようになっていますが、設定画面の「Windows Update」画面から、手動で最新の更新プログラムをチェックしたり、インストールすることもできます。

ウィンドウズアップデートの設定画面を開いてみよう

■アップデートの通知

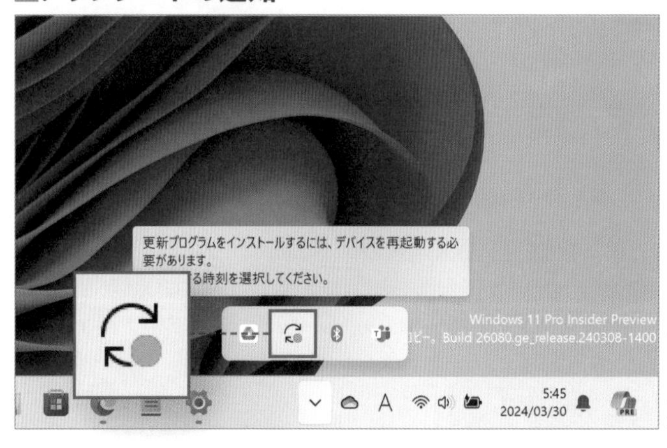

ウィンドウズのアップデートがあると、画面右下の通知領域にアイコンが現れ、カーソルを当てると更新内容が表示されます。

■Windows Updateの画面を開く

スタートメニューから「設定」画面開き、「Windows Update」をクリックします。「更新プログラムのチェック」をクリックします。

■ダウンロードとインストール

新しい更新プログラムがあった場合は、「ダウンロードとインストール」をクリックすると、すぐにインストールができます。

ウィンドウズアップデートができないときの対処法

ウィンドウズアップデートを行っているとき、また行ったあとにトラブルが生じることがあります。ここでは、更新プログラムが進まなくなったときの対処法を説明します。なお、ウィンドウズアップデートはインストール後、パソコン動作が機敏になるまで多少時間がかかることがあります。アップデート後、少し不調があっても1日程度はそのままにしておいた方がよいでしょう。

❶ パソコンを長く使いすぎてシステム設定がおかしくなっている

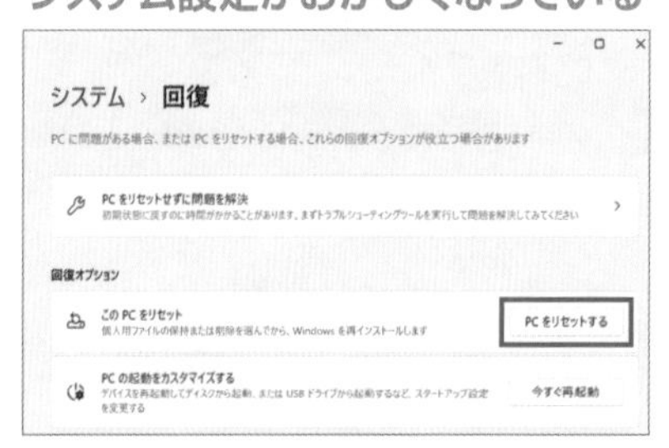

長く同じパソコンを使っていると、不良部分が増えてしまい、アップデートに失敗してしまう場合があります。重症と思われる場合は初期化も考慮に入れましょう(101ページの記事参照)。

❷ ストレージの空き容量が不足している

ストレージの空き容量が不足していると、更新プログラムのインストールに失敗します。空き容量を確認し、余計なファイルは削除しましょう。

予期せぬ更新のせいで起こるトラブルを防ぐには？

ウィンドウズアップデートは、更新プログラムのインストールが始まり、自動的に再起動してしまうことがあります。作業中のデータが失われて困ったと思う人も多いでしょう。そこで、自動で再起動する時間を都合のいい時間帯に設定しなおしましょう。

1 詳細オプションをクリック

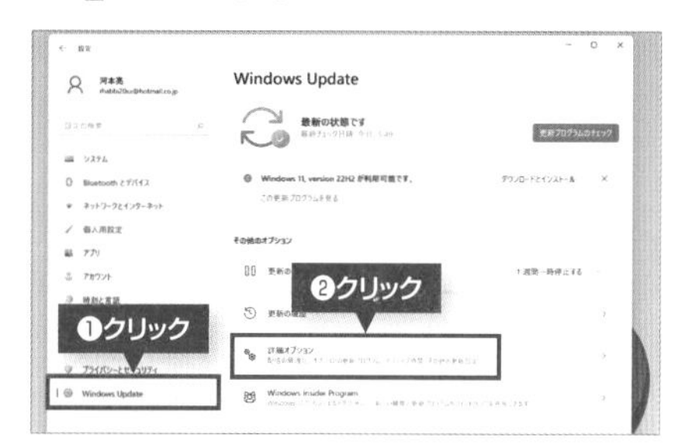

スタートメニューから「設定」→「Windows Update」と進み、「詳細オプション」をクリックします。

2 アクティブ時間の設定を変更する

「アクティブ時間を調整する」横の「自動的に確認する」をクリックします。

3 再起動させない時間を指定する

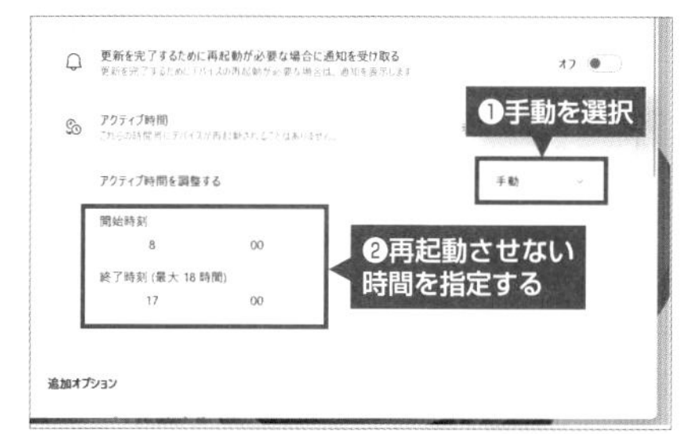

「手動」にチェックを入れ、左に時間指定画面が表示されます。ここで時間を指定すると、その時間内はパソコンを勝手に再起動させないようにできます。

4 更新プログラムの適用を延長する

また、Windows Update画面に戻り、「更新の一時停止」の「1週間一時停止する」をクリックすると、7日間、更新プログラムの適用が停止されるので再起動が発生しません。

5 再起動前に通知するようにする

Windows Update画面の「詳細オプション」の「更新を完了するために再起動が～」を有効にすると、再起動する前に通知が表示されます。

アップデート前に戻すこともできる

ウィンドウズアップデートをインストールした後、調子が悪くなった場合、更新したプログラムをアンインストールしてみるのもいいでしょう。Windows update画面下にある「更新の履歴」画面を開き、「更新プログラムをアンインストール」をクリックすると更新プログラムが一覧表示されます。問題のありそうなプログラムを選択して、「アンイストール」ボタンをクリックするとアンインストールできます。

3 セキュリティソフトを起動している

セキュリティソフトがネットワークのアクセスを制限し、アップデートが進まない場合があります。設定を見直して一時的にオフにしてみましょう。

4 有線LANでインターネットに接続する

更新プログラムはファイルサイズが大きく、数GBになることもあります。Wi-Fiが低速な状態だったりするとダウンロードがなかなか進みません。速度の速い環境に変えてみましょう。

5 接続中の周辺機器は極力外す

外付けストレージなど、パソコンに接続しているさまざまな周辺機器を一時的に外してみましょう。周辺機器のドライバーが干渉してアップデートの失敗に繋がっている場合があります。

あせらず、ゆっくりと パソコンに親しんでいきましょう

パソコンでなにをやるにも、操作方法はなかなか覚えられませんし、マウスの操作も難しいと思います。特にキーボードの文字入力などは難しすぎて、最初はパソコンを投げ出したくなるかもしれません。

それでもしばらく使っていると、以前できなかったことができるようになっていることに気づく日が来ると思います。その喜びをバネにして、さらにやりたいことをゆっくりと楽しく増やしていきましょう。

2024年4月30日発行

執筆
河本亮
小暮ひさのり

カバー・本文デザイン
ゴロー2000歳

DTP
松澤由佳

イラスト
浦崎安臣

編集人 内山利栄
発行人 佐藤孔建
印刷所:株式会社シナノ
発行・発売所:スタンダーズ株式会社
〒160-0008 東京都新宿区四谷
三栄町12-4 竹田ビル3F
営業部 (TEL) 03-6380-6132

https://www.standards.co.jp

●本書に関するお問い合わせに関しましては、お電話によるお問い合わせには一切お答えしておりませんのであらかじめご了承ください。メールにて (info@standards.co.jp) までご質問内容をお送ください。順次、折り返し返信させていただきます。質問の際に、「ご質問者さまのご本名とご連絡先」「購入した本のタイトル」「質問の該当ページ」「質問の内容 (詳しく)」などを含めてできるだけ詳しく書いてお送りいただきますようお願いいたします。なお、編集部ではご質問いただいた順にお答えしているため、ご回答に最大で1週間ほどかかる場合がありますのでご了承のほどお願いいたします。